LE CYCLE DES ROBOTS **3**

Les cavernes d'acier

Du même auteur
aux Éditions J'ai lu

Tyrann, *J'ai lu* 484
Cailloux dans le ciel, *J'ai lu* 552
La voix martienne et autres nouvelles *J'ai lu* 870
Le voyage fantastique, *J'ai lu* 1635
Le robot qui rêvait, *J'ai lu* 2388
Le renégat,*J'ai lu* 3094
Humanité,*J'ai lu* 3290

Le cycle des robots :
1. Les robots, *J'ai lu* 453
2. Un défilé de robots, *J'ai lu* 542
3. Les cavernes d'acier, *J'ai lu* 404
4. Face aux feux du soleil, *J'ai lu* 468
5. Les robots de l'aube, *J'ai lu* 6792
6. Les robots et l'empire, *J'ai lu* 5895

ISAAC ASIMOV

LE CYCLE DES ROBOTS **3**

Les cavernes d'acier

Traduit de l'anglais (États-Unis)
par Jacques Brécard

Titre original :
THE CAVES OF STEEL
Cemetery Dance Publications, Baltimore

1

ENTRETIEN AVEC UN COMMISSAIRE

Lije Baley venait d'atteindre son bureau quand il se rendit compte que R. Sammy l'observait, et que, manifestement, il l'avait attendu.

Les traits austères de son visage allongé se durcirent.

— Qu'est-ce que tu veux ? fit-il.

— Le patron vous demande, Lije. Tout de suite. Dès votre arrivée.

— Entendu !

R. Sammy demeura planté à sa place.

— J'ai dit : entendu ! répéta Baley. Fous le camp !

R. Sammy pivota sur les talons, et s'en fut vaquer à ses occupations ; et Baley, fort irrité, se demanda, une fois de plus, pourquoi ces occupations-là ne pouvaient pas être confiées à un homme.

Pendant un instant, il examina avec soin le contenu de sa blague à tabac, et fit un petit calcul mental : à raison de deux pipes par jour, il atteindrait tout juste la date de la prochaine distribution.

Il sortit alors de derrière sa balustrade (depuis deux ans, il avait droit à un bureau d'angle, entouré de balustrades) et traversa dans toute sa longueur l'immense salle.

Comme il passait devant Simpson, celui-ci interrompit un instant les observations auxquelles il se livrait, sur une enregistreuse automatique au mercure, et lui dit :

— Le patron te demande, Lije.

— Je sais. R. Sammy m'a prévenu.

Un ruban couvert d'inscriptions serrées en langage chiffré sortait sans arrêt des organes vitaux de l'enregistreuse ; ce petit appareil recherchait et analysait ses « souvenirs », afin de fournir le renseignement demandé, qui était obtenu grâce à d'infinies vibrations produites sur la brillante surface du mercure.

— Moi, reprit Simpson, jc flanquerais mon pied au derrière de R. Sammy, si je n'avais pas peur de me casser une jambe ! Tu sais, l'autre soir, j'ai rencontré Vince Barrett...

— Ah oui ?...

— Il cherche à récupérer son job, ou n'importe quelle autre place dans le Service. Pauvre gosse ! Il est désespéré ! Mais que voulais-tu que, moi, je lui dise ?... R. Sammy l'a remplacé, et fait exactement son boulot : un point, c'est tout ! Et pendant ce temps-là, Vince fait marcher un tapis roulant dans une des fermes productrices de levure. Pourtant, c'était un gosse brillant, ce petit-là, et tout le monde l'aimait bien !

Baley haussa les épaules et répliqua, plus sèchement qu'il ne l'aurait voulu :

— Oh ! tu sais, nous en sommes tous là, plus ou moins.

Le patron avait droit à un bureau privé. Sur la porte en verre dépoli, on pouvait lire : JULIUS ENDERBY.

C'était écrit en jolies lettres, gravées avec soin dans le verre ; et, juste en dessous, luisait l'inscription : COMMISSAIRE PRINCIPAL DE POLICE DE NEW YORK.

Baley entra et dit :

— Vous m'avez fait demander, monsieur le commissaire ?

Enderby leva la tête vers son visiteur. Il portait des lunettes, car il avait les yeux trop sensibles pour que l'on pût y adapter des lentilles normales adhérant à la pupille. Il fallait d'abord s'habituer à voir ces lunettes, pour pouvoir, ensuite, apprécier exactement le visage de l'homme — lequel manquait tout à fait de distinction. Baley, pour sa part, inclinait fort à penser que le commissaire tenait à ses lunettes parce qu'elles conféraient à sa physionomie plus de caractère ; quant aux pupilles de son chef, il les soupçonnait sérieusement de ne pas être aussi sensibles qu'on le prétendait.

Le commissaire avait l'air extrêmement nerveux. Il tira sur ses poignets de chemise, s'adossa à son fauteuil, et dit, trop cordialement :

— Asseyez-vous, Lije. Asseyez-vous !

Lije s'exécuta, très raide, et attendit.

— Et comment va Jessie ? dit Enderby. Et votre fils ?

— Bien, répondit Baley sans chaleur, tout à fait bien. Et votre famille ?

— Bien, fit Enderby, comme un écho, tout à fait bien.

« C'est un faux départ, se dit Baley ; il y a quelque chose d'anormal dans son visage ! » Et, tout haut, il ajouta :

— Monsieur le commissaire, je vous serais reconnaissant de ne pas m'envoyer chercher par R. Sammy.

— Mon Dieu, Lije, vous savez bien ce que je pense à ce sujet ! Mais on me l'a imposé : il faut donc que je l'utilise pour certaines besognes.

— C'est fort désagréable, monsieur le commissaire ! Ainsi, il vient de m'avertir que vous me demandiez, et puis il est resté debout, planté là ; vous savez ce que c'est. Et il a fallu que je lui dise de s'en aller, sans quoi il n'aurait pas bougé !

— Oh ! c'est ma faute, Lije ! Je lui ai donné l'ordre de vous transmettre un message, mais j'ai oublié de lui préciser qu'aussitôt sa mission remplie il devrait revenir à sa place.

Baley soupira, et les petites rides que l'on remarquait au coin de ses beaux yeux brun foncé s'accentuèrent.

— Quoi qu'il en soit, dit-il, vous m'avez fait demander...

— Oui, Lije, répliqua le commissaire, et ce n'est pas pour quelque chose de facile, je vous le garantis !

Il se leva, pivota sur ses talons, et fit quelques pas jusqu'au mur qui se trouvait derrière son bureau ; puis il appuya sur un bouton à peine visible, et aussitôt une partie du panneau devint transparente.

Baley cligna des yeux, sous l'irruption inattendue de lumière grise qui inonda la pièce.

Le commissaire sourit :

— J'ai fait installer ça spécialement l'an dernier, Lije, dit-il. Je crois que je ne vous l'avais pas encore montré. Approchez et jetez un coup d'œil. Dans le temps jadis, toutes les pièces des maisons étaient ainsi équipées. On appelait ça des « fenêtres ». Vous le saviez ?

Baley n'ignorait pas ce détail, car il avait lu beaucoup d'ouvrages historiques.

— J'en ai entendu parler, dit-il.

— Alors, venez ici !

Baley hésita un peu, mais finit par s'exécuter. Il trouva un peu indécent d'exposer ainsi une pièce privée aux regards du monde extérieur. Décidément, il y avait des moments où le commissaire poussait par trop loin sa passion bien connue de l'époque médiévale : c'en devenait stupide !... C'était tout comme ses lunettes... Ah ! mais oui ! Voilà ce qui lui changeait le visage ! C'était cela qui lui donnait l'air anormal !

— Excusez-moi, monsieur le commissaire, dit-il. Mais il me semble que vous portez de nouvelles lunettes, n'est-ce pas ?

Le commissaire, légèrement surpris, le dévisagea un instant sans répondre ; puis il ôta ses lunettes, les examina, et regarda de nouveau Baley. Sans ses verres, sa figure semblait encore plus ronde et son menton un peu plus massif. Et, du coup, son regard devenait plus vague, car il ne parvenait plus à distinguer nettement les objets.

Il remit ses verres sur son nez et, d'un ton très agacé, il répondit enfin :

— Oui, j'ai cassé les autres il y a trois jours ; et avec tout ce que j'ai sur les bras, je n'ai pu les remplacer que ce matin. Je dois vous dire, Lije, que ces trois dernières journées ont été infernales.

— A cause des lunettes ?

— Et d'autres choses aussi... J'en prends l'habitude !

Il se tourna vers la fenêtre, et Baley, l'imitant, ne put cacher son étonnement à la vue de la pluie qui tombait du ciel. Il demeura un long moment immobile à la contempler, tandis que le commissaire l'observait avec une sorte de fierté, comme s'il avait lui-même créé le phénomène auquel il lui donnait le privilège d'assister.

— C'est la troisième fois, ce mois-ci, que j'ai pu voir tomber la pluie, dit Enderby. C'est très remarquable, n'est-ce pas ?

Malgré lui, Baley dut s'avouer que c'était impressionnant. Au cours de ses quarante-deux années d'existence, il avait rarement vu pleuvoir, ou contemplé la nature, dans ses diverses manifestations.

— Pour moi, répliqua-t-il, quand je vois tomber toute cette eau sur la ville, ça me paraît vraiment du gaspillage : on devrait s'arranger pour en limiter la chute dans les réservoirs d'alimentation.

— Ah ! vous, Lije, vous êtes un moderne, et c'est d'ailleurs la cause de vos soucis. A l'époque médiévale, les gens vivaient en plein air, non seulement ceux qui exploitaient des fermes, mais également les citoyens des villes, même ceux de New York. Quand la pluie tombait, ils ne trouvaient pas que c'était du gaspillage d'eau. Ils s'en réjouissaient, comme de toutes les manifestations de la nature, car ils vivaient dans une sorte de communion intime avec elle.

« C'était une existence plus saine et meilleure, croyez-moi ! Tous les ennuis que nous vaut la vie moderne sont dus à ce qu'il y a divorce entre la nature et nous. Quand vous en aurez le temps, vous devriez lire des ouvrages d'histoire sur l'Age du Charbon.

Baley, effectivement, en avait lu. Il avait entendu

bien des gens se lamenter sur la création de la pile atomique. Il avait lui-même maudit souvent cette invention, quand les événements avaient mal tourné, ou quand il était fatigué. Mais, tout au long de l'histoire de l'humanité, l'homme n'a jamais cessé de gémir ainsi : c'est inhérent à sa nature. A l'Age du Charbon, les gens vitupéraient l'invention de la machine à vapeur. Dans une des pièces de Shakespeare, un de ses personnages maudit le jour où l'on découvrit la poudre à canon. De même, dans quelque mille ans, les gens jugeraient néfaste l'invention du cerveau positronique...

Mais Lije n'aimait pas se laisser aller à des réflexions de ce genre ; elles le déprimaient. Au diable, tout cela !

— Ecoutez, Julius, dit-il...

Pendant les heures de service, il n'avait pas l'habitude de s'entretenir familièrement avec le commissaire, en dépit de l'insistance avec laquelle celui-ci l'appelait par son petit nom. Mais, ce jour-là, sans trop savoir pourquoi, il éprouva, pour une fois, le besoin de lui rendre la pareille.

— Ecoutez, Julius, vous me parlez de tout, sauf de la raison pour laquelle vous m'avez fait venir, et cela me tracasse. De quoi s'agit-il ?

— J'y arrive, j'y arrive ! répondit le commissaire. Mais laissez-moi vous exposer la chose à ma façon. Car il s'agit de sérieux ennuis.

— Oh ! je m'en doute bien ! Qu'est-ce qui n'est pas une source d'embêtements sur cette sacrée planète ? Avez-vous encore plus de difficultés avec les R ?

— Dans une certaine mesure, oui, Lije. A vrai dire, j'en suis à me demander jusqu'à quel point le vieux monde pourra continuer à supporter les épreuves qui lui sont imposées. Quand j'ai fait installer cette fenêtre, ce n'était pas seulement pour voir le ciel de temps à autre ; c'était pour voir la ville. Je la contemple souvent, et je me demande ce qu'elle va devenir, au cours du prochain siècle !

Ces remarques mélancoliques déplurent vivement à Baley, mais il ne se lassa pas de regarder par la fenêtre, avec une sorte de fascination. En dépit du mauvais temps qui diminuait sensiblement la visibilité, la ville offrait un spectacle sans pareil. Les services de la police occupaient la partie supérieure du City Hall Building, lequel s'élevait dans le ciel à une très grande hauteur. Vues de la fenêtre du commissaire principal, les tours des gratte-ciel voisins jouaient le rôle de parents pauvres, et l'on distinguait leurs sommets. On eût dit de gros doigts pointés vers la voûte des cieux. Leurs murs étaient nus, sans caractère. C'étaient autant de ruches contenant d'immenses essaims humains.

— A un certain point de vue, dit le commissaire, je regrette qu'il pleuve, car nous ne pouvons apercevoir Spacetown (1).

Baley jeta un regard vers l'ouest, mais, comme venait de l'indiquer Enderby, la vue, de ce côté-là, était bouchée. Les tours de New York s'estompaient dans un nuage de pluie, et l'horizon présentait l'aspect d'un mur blanchâtre.

— Je sais de quoi Spacetown a l'air, répliqua Baley.

— J'aime assez la vue que l'on en a d'ici, reprit son chef. On peut juste la distinguer dans l'espace compris entre les deux parties du quartier de Brunswick. C'est une vaste agglomération de dômes relati-

(1) *Space* = espace. — *Town* = la ville. (*N. d. T.*)

vement bas. Ce qui nous différencie de nos voisins, c'est précisément que nos immeubles sont élevés et serrés les uns contre les autres. Chez eux, au contraire, chaque famille a sa propre maison, dont le toit est arrondi, et, entre chacun de ces dômes, il y a du terrain. Avez-vous jamais eu l'occasion de vous entretenir avec un des Spaciens, Lije ?

— Quelquefois, oui, répondit Baley, patiemment. Il y a un mois environ, j'ai parlé à l'un d'eux, ici même.

— En effet, je m'en souviens maintenant. Si je me laissais aller à philosopher sur eux et nous, je dirais que nous avons des conceptions différentes de l'existence.

Baley commençait à se sentir un peu mal à l'aise ; il savait que plus le commissaire prenait de précautions pour exposer une affaire, plus celle-ci promettait d'être grave. Toutefois, jouant le jeu, il répondit :

— D'accord. Mais quoi de surprenant à cela ? Vous ne pouvez tout de même pas éparpiller huit millions de personnes dans un petit espace, en affectant à chaque famille une maisonnette ! Les gens de Spacetown ont de la place : tant mieux pour eux ! Il n'y a qu'à les laisser vivre comme bon leur semble !

Le commissaire revint s'asseoir à son bureau, et dévisagea sans sourciller son collaborateur. Celui-ci fut gêné par les lunettes d'Enderby, qui déformaient un peu son regard.

— Tout le monde n'admet pas avec autant de tolérance que vous, dit-il, les différences de culture dont vous venez de parler. Ce que je dis là s'applique autant à New York qu'à Spacetown.

— Bon ! fit Baley. Et qu'est-ce que ça fait ?

— Ça fait qu'il y a trois jours un Spacien est mort.

Il y arrivait quand même ! La commissure des fines lèvres de Baley se plissa très légèrement, sans pour cela modifier l'expression naturellement triste de son visage.

— C'est vraiment dommage, dit-il. Il a dû attraper un microbe, j'imagine, ou quelque chose de contagieux... ou prendre froid, peut-être !

Le commissaire parut choqué d'une telle supposition :

— Qu'allez-vous donc chercher ? fit-il.

Baley ne prit pas la peine de développer plus avant son hypothèse. La précision avec laquelle les Spaciens avaient réussi à éliminer toute maladie de leur communauté était bien connue ; et l'on savait mieux encore avec quel soin ils évitaient, autant que possible, les contacts avec les habitants de la Terre, tous plus ou moins porteurs de germes contagieux. Au surplus, ce n'était certes pas le moment de se montrer sarcastique avec le commissaire. Aussi Baley répondit-il tranquillement :

— Oh ! j'ai dit ça sans intention particulière. Alors, de quoi est-il mort ? fit-il en regardant par la fenêtre.

— Il est mort d'une charge d'explosif qui lui a fait sauter la poitrine.

Baley ne se retourna pas, mais son dos se raidit, et, à son tour, il répliqua :

— Qu'est-ce que vous me racontez là ?

— Je vous raconte un meurtre, dit doucement le commissaire. Et vous, un détective, vous savez mieux que personne ce que c'est !

Cette fois, Baley se retourna.

— Mais c'est incroyable ! Un Spacien ? Et il y a trois jours de cela ?

— Oui.

— Mais qui a pu faire ça, et comment ?

— Les Spaciens disent que c'est un Terrien.

— Impossible !

— Pourquoi pas ? Vous n'aimez pas les Spaciens, et moi non plus. Qui sur la Terre les encaisse ? Personne. Quelqu'un les aura détestés un peu trop, voilà tout !

— Je l'admets. Cependant...

— Il y a eu l'incendie des usines de Los Angeles. Il y a eu la destruction des R de Berlin. Il y a eu les émeutes de Shangaï...

— C'est exact.

— Tout ça indique un mécontentement croissant, qui peut fort bien avoir donné naissance à une sorte d'organisation secrète.

— Je ne vous suis pas, monsieur le commissaire, dit Baley. Seriez-vous par hasard en train de me mettre à l'épreuve, pour quelque raison que j'ignore ?

— En voilà une idée ! s'écria Enderby, sincèrement déconcerté.

Mais Baley reprit, ne le quittant pas des yeux :

— Ainsi donc, il y a trois jours un Spacien a été assassiné, et ses compatriotes pensent que le meurtrier est un Terrien. Jusqu'à ce moment précis, fit-il en tapant du doigt sur le bureau, rien n'a transpiré de ce crime. C'est bien cela, n'est-ce pas ? Eh bien, monsieur le commissaire, cette histoire est invraisemblable ! Ça, alors ! Mais si c'était réellement vrai, une affaire comme celle-là entraînerait la disparition de New York de la planète : elle nous ferait tous sauter !

— Non, Lije, répliqua le commissaire en hochant la tête. Ce n'est pas si simple que cela. Ecoutez-moi. Voilà trois jours que je n'arrête pas de circuler. J'ai eu de longs entretiens avec le maire, je suis allé moi-même à Spacetown, j'ai été à Washington conférer avec le Service des recherches terrestres.

— Ah ! Et qu'est-ce qu'on en dit, au S.R.T. ?

— Ils disent que c'est notre affaire... Elle s'est produite à l'intérieur des limites de la ville, et Spacetown dépend de la juridiction de New York.

— Sans doute, mais avec des droits d'extra-territorialité.

— Je sais, et j'y arrive, précisément.

Le regard d'Enderby évita celui, très perçant, de Baley. On eût dit que soudain les rôles s'étaient renversés, et que le commissaire était devenu le subordonné du détective. Quant à celui-ci, il semblait, par son attitude, trouver le fait tout naturel.

— Eh bien ! dit-il tranquillement, les Spaciens n'ont qu'à se débrouiller !

— Doucement, Lije ! plaida Enderby. Ne me bousculez pas. J'essaie de vous exposer le problème, en amis que nous sommes. Et d'abord, il faut que vous sachiez exactement dans quelle position je me trouve. Car j'étais précisément là-bas quand on a appris la nouvelle. J'avais rendez-vous avec lui, avec Roj Nemennuh Sarton.

— La victime ?

— Oui, la victime, répondit le commissaire d'une voix sinistre. Cinq minutes de plus, et c'est moi qui, en personne, aurais découvert le corps. Vous imaginez ce que ç'aurait été ? Mais telle que la chose s'est passée, elle a déjà été suffisamment brutale, bon sang ! Au moment même où j'arrivais, ils m'ont mis au courant, et ce fut le point de départ d'un cauchemar qui a duré trois jours. Avec cela, tout était trouble autour de moi, puisque je ne disposais pas d'un instant pour faire remplacer mes sacrées lunettes. En tout cas, cette histoire-là ne m'arrivera plus de sitôt ! J'en ai commandé trois paires.

Baley se représenta l'événement, tel qu'il avait dû se produire. Il s'imagina les hautes et élégantes silhouettes des Spaciens s'avançant vers le commissaire, et lui annonçant le drame, du ton positif et dépourvu de toute émotion qui leur était habituel. Julius avait dû ôter ses lunettes et les essuyer ; mais, sous le coup de la nouvelle, il les avait laissées tomber ; il en avait inévitablement contemplé ensuite les morceaux brisés, en marmottant d'inintelligibles paroles entre ses grosses lèvres ; et Baley était bien convaincu que, pendant cinq minutes au moins, le commissaire avait été beaucoup plus préoccupé par la perte de ses lunettes que par le meurtre.

— Oui, reprit Enderby, je suis dans une position impossible. Comme vous venez de le rappeler, Spacetown jouit de l'extra-territorialité. Ils peuvent donc insister pour mener eux-mêmes leur enquête, et faire à leur gouvernement n'importe quel rapport sur l'affaire. Les Mondes Extérieurs pourraient se baser là-dessus pour nous réclamer d'importantes indemnités. Et vous voyez d'ici comment notre population réagirait !

— Si la Maison-Blanche consentait à payer la moindre de ces indemnités, elle se suiciderait politiquement.

— Elle commettrait un autre genre de suicide en ne payant pas.

— Oh ! fit Baley, vous n'avez pas besoin de me faire un dessin !

Il était encore tout enfant, lorsque les croiseurs étincelants des Mondes Extérieurs avaient, pour la dernière fois, atterri et débarqué leurs troupes à Washington, New York et Moscou, pour se faire remettre ce qu'ils estimaient être leur dû.

— Alors, dit Enderby, toute la question est là : payer ou ne pas payer. Et le seul moyen d'en sortir, c'est de trouver nous-mêmes l'assassin, et de le livrer aux Spaciens. Ça ne dépend que de nous.

— Pourquoi donc ne pas passer tout le dossier au S.R.T. ? Même en tenant compte du point de vue légal, selon lequel c'est notre juridiction qui est en cause, il faut considérer la question des relations interstellaires...

— Le S.R.T. refusera toujours d'y fourrer son nez. Ils ont bien trop peur de s'y brûler. Non ! Nous ne pouvons pas y couper : c'est pour nos pieds !

Redressant la tête, il fixa longuement du regard son subordonné, et, pesant ses mots, il ajouta :

— Et c'est une sale histoire, Lije. C'est une histoire qui peut nous coûter nos situations, à tous, tant que nous sommes !

— Allons donc ! s'écria Baley. Il faudrait nous remplacer tous, et c'est impossible, car on ne trouvera pas en assez grand nombre des gens spécialisés comme nous !

— Si, dit le commissaire. Ils existent : les R !

— Quoi ?

— R. Sammy n'est qu'un début. Il fait le métier de garçon de courses. Il y en a d'autres qui surveillent les tapis roulants express. Cré nom de nom, mon vieux ! Je connais Spacetown un peu mieux que vous, et je sais ce qu'on y fait ! Il y a des R qui peuvent parfaitement exécuter votre travail et le mien. On peut nous déclasser, mettez-vous bien ça dans la tête ! Et, à notre âge, nous retrouver en chômage, vous voyez ça d'ici !

— Je vois ce que c'est, en effet, grommela Baley.

— Je suis désolé, Lije, reprit le commissaire principal, très déprimé. Mais il fallait vous dire la vérité !

Baley acquiesça d'un signe de tête, et s'efforça de ne pas penser à son père. Bien entendu, Enderby connaissait toute l'histoire.

— Mais voyons ! dit-il. Quand cette question de remplacement a-t-elle commencé à venir sur le tapis ?

— Allons, Lije, répliqua Enderby, ne faites pas l'innocent ! Vous savez bien que ça n'a jamais cessé ! Voilà vingt-deux ans que ça dure ! Ça remonte au jour où les Spaciens sont venus ici, vous ne l'ignorez pas ! Seulement, aujourd'hui, ça commence à atteindre des couches sociales plus élevées, voilà tout ! Si nous ne sommes pas capables de mener cette enquête à bien, ça nous coûtera cher : ce sera une étape de plus — et quelle étape ! — que nous aurons parcourue sur le chemin nous conduisant au chômage ; et bientôt nous n'aurons plus, et pour cause, à nous préoccuper de nos cotisations mensuelles à la Caisse des retraites, c'est moi qui vous le dis ! En revanche, Lije, si nous menons l'enquête avec succès, cela aura pour effet de repousser, dans un avenir lointain, le jour fatal que je viens d'évoquer. De plus, ce serait pour vous, personnellement, une occasion inespérée de percer.

— Pour moi ?

— Oui, car c'est vous que j'ai l'intention de désigner pour mener l'enquête, Lije.

— Mais voyons, monsieur le commissaire, ce n'est pas possible ! Je ne suis encore que de la catégorie

C. 5, et je n'ai pas droit à une mission de cette envergure...

— Mais vous désirez passer dans la catégorie C. 6, pas vrai ?

Quelle question ! Baley connaissait les avantages afférents à la catégorie C. 6 : place assise, aux heures de pointe, dans les transports express, et pas seulement entre dix et seize heures ; droit à une plus grande variété de plats sur les menus des cuisines communautaires ; peut-être même un logement amélioré, et, de temps en temps, une place réservée pour Jessie au solarium...

— Bien sûr que je le désire ! répliqua-t-il. Pourquoi pas ? Mais si je n'arrive pas à débrouiller l'affaire, qu'est-ce que je vais prendre !

— Pourquoi ne réussiriez-vous pas, Lije ? dit Enderby d'une voix enjôleuse. Vous en avez toutes les capacités. Vous êtes l'un de mes meilleurs détectives.

— N'empêche que, dans mon service, j'ai une demi-douzaine de collègues plus anciens que moi et de catégorie supérieure. Pourquoi les éliminer ainsi à priori ?

La réaction de Baley prouvait, sans qu'il eût besoin de l'exprimer plus clairement, qu'il n'était pas dupe : pour que le commissaire dérogeât à ce point aux règles de la hiérarchie, il fallait que l'affaire fût véritablement exceptionnelle et grave.

— Pour deux raisons, Lije, répondit Enderby en joignant les mains. Pour moi, vous le savez, vous n'êtes pas seulement un de mes collaborateurs. Nous sommes deux amis, et je n'oublie jamais le temps où nous étions au collège ensemble. Parfois, j'ai peut-être l'air de ne pas m'en souvenir, mais c'est uniquement dû aux nécessités du service et de la hiérarchie : vous savez bien ce que c'est que d'être commissaire principal. Il n'en est pas moins vrai que je reste votre ami. Or, je le répète, cette enquête-là représente, pour celui qui va en être officiellement chargé, une chance formidable, et je veux que ce soit vous qui en bénéficiiez.

— Bon, fit Baley, sans aucun enthousiasme. Voilà donc la première raison. Et la seconde ?

— La seconde, c'est que je pense que vous êtes mon ami autant que je suis le vôtre : alors, j'ai un service à vous demander, au titre d'ami et non de chef.

— Quel service ?

— Je désire que vous preniez, pour mener votre enquête, un associé spacien : Spacetown l'a exigé. C'est la condition qu'ils ont posée pour ne pas rendre compte de l'assassinat à leur gouvernement, et pour nous laisser seuls débrouiller l'affaire. Un de leurs agents devra, d'un bout à l'autre, assister à toute l'enquête.

— Autant dire qu'ils n'ont aucune confiance en nous.

— Il y a évidemment de ça, Lije. Mais il faut reconnaître que, si l'enquête est mal menée, de nombreux fonctionnaires spaciens responsables seront blâmés par leur gouvernement. Ils ont donc intérêt à ce que tout se passe correctement, et je leur accorde le bénéfice du doute, Lije. Je suis, pour ce motif, disposé à croire que leurs intentions sont bonnes.

— Oh ! mais, pour ma part, je n'en doute pas un instant, monsieur le commissaire ! Et c'est bien cela qui me tracasse le plus, d'ailleurs !

Enderby se refusa à relever la remarque et poursuivit :

— Alors, Lije, êtes-vous prêt à accepter de prendre avec vous un associé spacien ?

— Vous me le demandez comme un service personnel ?

— Oui. Je vous prie de prendre en main l'enquête, dans les conditions exigées par Spacetown.

— Eh bien, c'est d'accord, monsieur le commissaire.

— Merci, Lije. Il va falloir qu'il habite avec vous.

— Ah ! non, alors ! Je ne marche plus !

— Allons, allons, Lije ! Vous avez un grand appartement, voyons : trois pièces, avec un seul enfant ! Vous pouvez donc très bien l'installer chez vous. Il ne vous dérangera pas !... Pas le moins du monde, je vous assure ! Et c'est indispensable.

— Jessie va avoir horreur de ça ! J'en suis sûr.

— Vous lui expliquerez ! répliqua le commissaire avec tant d'ardeur et d'insistance que, derrière ses lunettes, ses yeux semblèrent deux cavités sombres enfoncées dans leurs orbites. Vous lui direz que vous faites cela par amitié pour moi, et que, si tout marche bien, je m'engage, aussitôt après, à user de tout mon crédit pour vous faire sauter une catégorie, et obtenir pour vous une promotion à la classe C. 7. Vous entendez, Lije, C. 7 !...

— Entendu monsieur le commissaire. J'accepte le marché.

Baley se leva à moitié, mais quelque chose dans la physionomie d'Enderby lui montra que tout n'était pas dit.

— Y a-t-il d'autres conditions ? demanda-t-il en se rasseyant.

— Oui, fit Enderby en baissant lentement la tête. Il s'agit du nom de votre associé.
— Oh ! peu importe ! dit Baley. Que ce soit Pierre, Jacques, ou Paul...
— C'est-à-dire... murmura le commissaire. Enfin... les Spaciens font... ils ont de drôles d'idées, Lije. En fait, l'associé qu'ils vous destinent n'est pas... n'est pas...
Baley écarquilla les yeux et s'écria :
— Un instant, je vous prie !... Vous ne prétendez pas ?...
— Si, Lije !... C'est bien ça !... Il le faut, Lije !... Il le faut absolument !... Il n'y a pas d'autre moyen de nous en tirer !...
— Et vous avez la prétention que je mette dans mon appartement un... une chose pareille ?
— Je vous le demande, comme à un ami, Lije.
— Non !... Non !
— Ecoutez-moi, Lije. Vous savez bien que, pour une affaire pareille, je ne peux faire confiance à personne. Ai-je besoin d'entrer dans tous les détails ? Nous sommes absolument contraints de travailler, la main dans la main, avec les Spaciens, dans cette enquête. Il faut que nous réussissions, si nous voulons empêcher les flottes aériennes des Mondes Extérieurs de venir réclamer au Monde Terrestre de nouvelles indemnités. Mais nous ne pouvons réussir par le seul jeu de nos vieilles méthodes. On va donc vous associer à un de leurs R. Si c'est lui qui trouve la solution de l'énigme, nous sommes fichus, — j'entends : nous, services de police. Vous comprenez ce que je veux dire, n'est-ce pas ? Vous voyez donc combien votre tâche va être délicate : il faut que vous travailliez avec lui, en plein accord, mais que vous veilliez

à ce que ce soit vous et non lui qui trouviez la solution du problème qui vous est posé. Est-ce bien clair ?

— En d'autres termes, je dois coopérer cent pour cent avec lui, ou lui couper le cou. De la main droite je lui taperai dans le dos, et de la gauche je me tiendrai prêt à le poignarder. C'est bien ça ?

— Que pouvons-nous faire d'autre ? Il n'y a pas d'autre solution.

— Je ne sais pas du tout comment Jessie va prendre la chose, fit Baley, indécis.

— Je lui parlerai, si vous le désirez.

— Non, monsieur le commissaire. Inutile !... Et, ajouta-t-il en poussant un profond soupir, comment s'appelle mon associé ?

— R. Daneel Olivaw.

— Oh ! fit tristement Baley. Ce n'est plus la peine, désormais, d'user d'euphémismes, monsieur le commissaire ! J'accepte la corvée. Alors, allons-y carrément, et appelons les choses par leur nom ! Je suis donc associé à Robot Daneel Olivaw !

2

VOYAGE EN TAPIS ROULANT EXPRESS

Il y avait comme toujours foule sur le tapis roulant express ; les voyageurs debout se tenaient sur la bande inférieure, et ceux qui avaient droit aux places assises montaient sur l'impériale. Un flot mince et continu de gens s'échappait de l'express pour passer sur les tapis de « décélération », et de là gagnait les tapis roulants secondaires ou les escaliers mécaniques, qui conduisaient, sous d'innombrables arches et par autant de ponts, au dédale sans fin des divers quartiers de la ville. Un autre flot humain, non moins continu, progressait en sens inverse, de la ville vers l'express, en passant par des tapis accélérateurs.

De tous côtés des lumières étincelaient ; les murs et les plafonds, tous lumineux, semblaient irradier d'une phosphorescence non dénuée de fraîcheur ; partout des placards aveuglants attiraient l'attention, et, telles de gros vers luisants, les indications se succédaient, crues et impératives : DIRECTION DE « JERSEY » — POUR LA NAVETTE D'« EAST RIVER » : SUIVEZ LES FLÈCHES — DIRECTION DE « LONG ISLAND » : PRENDRE L'ÉTAGE SUPÉRIEUR.

Mais ce qui dominait cet ensemble, c'était un bruit formidable, inséparable de la vie même, le colossal brouhaha de millions de gens parlant, riant, toussant, criant, murmurant, et respirant.

« Tiens ! se dit Baley. On ne voit indiquée nulle part la direction de Spacetown ! »

Il sauta de tapis roulant en tapis roulant, avec l'aisance et l'adresse acquises au cours d'une vie entière passée à ce genre d'exercice. Les enfants apprenaient à sauter d'un tapis sur l'autre dès qu'ils commençaient à marcher. C'est à peine si Baley sentait l'accélération progressive du tapis, et il avait une telle habitude de ce mode de transport qu'il ne se rendait même plus compte que, instinctivement, il se penchait en avant pour compenser la force qui l'entraînait. Il ne lui fallut pas trente secondes pour atteindre le tapis roulant à cent kilomètres à l'heure, lequel lui permit de sauter sur la plate-forme à balustrades et à parois vitrées qui s'intitulait l'express.

Mais il n'y avait toujours pas de poteaux indicateurs mentionnant Spacetown. Après tout, cela s'expliquait. A quoi bon indiquer ce chemin-là ? Si l'on avait affaire à Spacetown, on savait sûrement comment y aller. Et si l'on n'en connaissait pas l'itinéraire, il était parfaitement inutile de s'y rendre. Quand Spacetown avait été fondée, quelque vingt-cinq ans auparavant, on avait d'abord incliné à en faire un centre d'attraction, et d'innombrables foules de New Yorkais s'étaient rendues là-bas.

Mais les Spaciens n'avaient pas mis longtemps à stopper cette invasion. Poliment (ils étaient toujours polis), mais fermement, ils dressèrent entre eux et la grande ville une barrière fort difficile à franchir, formée d'une combinaison des services de contrôle de l'immigration et de l'inspection des douanes. Quand donc on avait affaire à Spacetown, on était tenu de fournir toutes indications d'identité désirables ; on devait, de plus, consentir à une fouille intégrale, à un examen médical approfondi, et à une désinfection complète.

Bien entendu, ces mesures suscitèrent un vif mécontentement, plus vif même qu'elles ne le justifiaient, et il en résulta un sérieux coup d'arrêt dans le programme de modernisation de New York. Baley gardait un souvenir vivace des émeutes dites de la Barrière. Il y avait participé lui-même, dans la foule, se suspendant aux balustrades de l'express, envahissant les impériales, au mépris des règlements qui réservaient à certaines personnes privilégiées les places assises ; il avait parcouru pendant des heures les tapis roulants, sautant de l'un à l'autre au risque de se rompre le cou et, pendant deux jours, il était demeuré avec les émeutiers devant la Barrière de Spacetown, hurlant des slogans, et démolissant le matériel de la ville, simplement pour soulager sa rage.

S'il voulait s'en donner la peine, Baley pouvait encore chanter par cœur les airs populaires de cette époque-là. Il y avait entre autres : *L'homme est issu de la Terre, entends-tu ?* un vieux chant du pays, au refrain lancinant.

L'homme est issu de la Terre, entends-tu ?
C'est sa mère nourricière, entends-tu ?
Spacien, va-t'en, disparais
De la Terre qui te hait !
Sale Spacien, entends-tu ?

Il y avait des centaines de strophes du même genre, quelques-unes spirituelles, la plupart stupides, beaucoup obscènes. Mais chacune d'elles se terminait par : « Sale Spacien, entends-tu ? » Futile riposte, consistant à rejeter à la figure des Spaciens l'insulte par laquelle ils avaient le plus profondément blessé les New Yorkais : leur insistance à traiter les habitants de la Terre comme des êtres pourris par les maladies.

Il va sans dire que les Spaciens ne partirent pas. Ils n'eurent même pas besoin de mettre en jeu leurs armes offensives. Il y avait belle lurette que les flottes démodées des Puissances Terrestres avaient appris qu'approcher d'un vaisseau aérien du Monde Extérieur, c'était courir au suicide. Les avions terrestres qui s'étaient aventurés dans la zone réservée de Spacetown, aux premiers temps de son établissement, avaient purement et simplement disparu. Tout au plus en avait-on retrouvé quelque minuscule débris d'aile, ayant fini par retomber sur la Terre.

Quant aux armes terrestres, aucune foule, si déchaînée fût-elle, ne perdrait jamais la tête au point d'oublier l'effet des disrupteurs subéthériques portatifs, utilisés contre les Terriens dans les guerres du siècle précédent.

Ainsi donc les Spaciens se tenaient isolés derrière leur barrière, produit de leur progrès scientifique, et les Terriens ne disposaient d'aucune méthode leur permettant d'espérer qu'un jour ils pourraient détruire cette barrière. Pendant toute la période des émeutes, les Spaciens attendirent sans broncher, jusqu'à ce que les autorités de la ville fussent parvenues à calmer la foule, en utilisant des gaz somnifères et vomitifs. Pendant quelque temps, les pénitenciers regorgèrent de meneurs, de mécontents, et de gens arrêtés uniquement parce qu'il en fallait dans les prisons... Mais, très rapidement, ils furent tous relâchés.

Puis, au bout d'un certain temps, les Spaciens assouplirent progressivement leurs mesures restrictives. Ils supprimèrent la barrière, et passèrent un accord avec les services de police de New York, qui s'engagèrent à faire respecter les lois isolationnistes de Spacetown et à qui ils assurèrent aide et protection. Enfin, décision plus importante que toutes les autres, la visite médicale obligatoire devint beaucoup moins draconienne.

Mais maintenant, se dit Baley, les événements pouvaient suivre un cours tout différent. Si les Spaciens croyaient sérieusement qu'un Terrien avait réussi à pénétrer dans Spacetown pour y commettre un meurtre, il n'y aurait rien d'impossible à ce qu'ils décident de rétablir la barrière : et ça, ce serait un coup dur.

Il se hissa sur la plate-forme de l'express, se fraya un chemin parmi les voyageurs debout, et gagna le petit escalier en spirale qui menait à l'impériale ; là, il s'assit, mais sans mettre dans le ruban de son chapeau sa carte de circulation ; il ne l'arbora qu'après avoir dépassé le dernier quartier de l'arrondissement de l'Hudson. En effet, aucune personne appartenant à la catégorie C. 5 n'avait droit aux places assises, pour les parcours à l'intérieur d'une zone limitée à l'est par Long Island et à l'ouest par l'Hudson. Sans doute, il y avait, à cette heure-là, beaucoup de places assises disponibles, mais si un des contrôleurs l'avait vu, il l'aurait automatiquement expulsé de l'express. Les gens devenaient de jour en jour plus agacés par le système de classement de la population en catégories distinctes, plus ou moins privilégiées. Et, en toute honnêteté, Baley devait s'avouer qu'il partageait entièrement le sentiment des masses populaires sur ce point. Il affectait d'ailleurs, non sans satisfaction, de se considérer comme un homme du peuple.

Le dossier de chaque siège était surmonté d'un paravent aux lignes courbes et aérodynamiques, contre lequel l'air glissait en faisant entendre un sifflement caractéristique. Cela rendait toute conversation quasi impossible, mais, quand on y était habitué, cela n'empêchait pas de réfléchir.

La plupart des Terriens étaient, à des degrés divers, imprégnés de civilisation médiévale. En fait, rien n'était plus facile que de rester fidèle à ce genre d'idée, si l'on se bornait à considérer la Terre comme LE seul et unique monde, et non pas comme un monde perdu au milieu de cinquante autres — et le plus mal loti d'ailleurs...

Tout à coup, Baley tourna vivement la tête vers la droite, en entendant une femme pousser un cri perçant. Elle avait laissé tomber son sac à main, et il aperçut, le temps d'un éclair, le petit objet rouge qui se détachait sur le fond gris du tapis roulant. Sans doute un voyageur pressé, quittant l'express, avait-il dû l'accrocher au passage et le faire tomber sur le tapis décélérateur : toujours est-il que la propriétaire du sac filait à toute vitesse loin de son bien.

Baley fit une petite grimace du coin de sa bouche. Si la femme avait eu assez de présence d'esprit, elle aurait dû passer tout de suite sur le tapis décélérateur le plus lent de tous, et elle aurait pu retrouver son sac, à la condition que d'autres voyageurs ne s'en soient pas emparés ou ne l'aient pas envoyé rouler dans une autre direction. De toute manière, il ne saurait jamais ce qu'elle avait décidé de faire :

déjà l'endroit où s'était produit l'incident disparaissait dans le lointain. Il y avait d'ailleurs de fortes chances pour qu'elle n'eût pas bougé. Les statistiques prouvaient qu'en moyenne toutes les trois minutes quelqu'un laissait tomber, en un point quelconque de la ville, un objet qu'il ne retrouvait pas. C'est pourquoi le bureau des objets trouvés était une entreprise considérable : il ne représentait, en fait, qu'une des nombreuses complications de la vie moderne.

Et Baley ne put s'empêcher de s'avouer qu'au temps jadis la vie était plus simple. Tout était moins compliqué ; et c'était pour cela que beaucoup de gens préconisaient le retour aux mœurs des temps médiévaux. On les appelait des médiévalistes. Le Médiévalisme se présentait sous différents aspects ; pour un être dépourvu d'imagination, comme Julius Enderby, cela signifiait la conservation d'usages archaïques, tels que des lunettes et des fenêtres ; pour Baley cela se résumait à des études historiques, et tout particulièrement à celles ayant pour objet l'évolution des coutumes populaires.

Il se laissa aller à méditer sur la ville, cette cité de New York où il vivait et où il avait trouvé sa raison d'être. Elle était la plus importante de toutes les villes d'Amérique, à l'exception de Los Angeles, et sa population n'était dépassée, sur la Terre, que par celle de Shangaï. Or, elle n'avait pas trois cents ans d'âge.

Bien entendu, il y avait eu, autrefois, sur ce même territoire géographiquement délimité, une agglomération urbaine que l'on appelait New York City. Ce rassemblement primitif de population avait existé pendant trois mille, et non pas trois cents ans. Mais, en ces temps-là, on ne pouvait appeler cela une VILLE.

Il n'y avait pas alors de villes au sens moderne du terme. On trouvait, éparpillées sur la Terre par milliers, des agglomérations, d'importance plus ou moins grande, à ciel ouvert, et ressemblant un peu aux dômes spaciens, mais très différentes de ceux-ci tout de même. Ces agglomérations-là ne comprenaient que rarement un million d'habitants, et la plus importante de toutes atteignait à peine dix millions. Du point de vue de la civilisation moderne, elles avaient été incapables de faire efficacement face aux problèmes économiques nés de leur développement.

Or, l'accroissement constant de leur population avait obligé les Terriens à rechercher une organisation réellement efficace. Tant que cette population n'avait pas dépassé le chiffre de deux, puis trois, même cinq milliards d'habitants, la planète avait réussi à la faire vivre en abaissant progressivement le standard de vie de chacun. Mais quand elle atteignit huit milliards, il devint clair qu'une demi-famine la menaçait inévitablement. Dès lors, il fallut envisager des changements radicaux dans les principes fondamentaux de la civilisation moderne, et cela d'autant plus que les Mondes Extérieurs (qui, mille ans plus tôt, n'avaient été que de simples colonies de la Terre) devenaient d'année en année plus hostiles à toute immigration de Terriens sur leurs territoires.

On aboutit ainsi à la formation progressive des grandes villes. Pour que celles-ci fussent efficacement organisées, elles devaient être très grandes. On l'avait déjà compris d'ailleurs, à l'époque médiévale, mais d'une façon confuse. Les petites entreprises et l'artisanat local cédèrent la place à de grosses fabriques, et celles-ci finirent par se grouper en industries continentales.

La notion d'efficacité et de rendement ne pouvait être mieux illustrée que par la comparaison de cent mille familles vivant dans cent mille diverses maisons, avec cent mille familles occupant un bloc prévu à cet effet dans une cité moderne ; au lieu d'une collection de livres filmés pour chaque famille, dans chaque maison, on créait dans le bloc une cinémathèque accessible à tous ; de même pour la télévision et la radio. Poussant plus avant la concentration des moyens, on avait mis un terme à la folle multiplication des cuisines et des salles de bains, pour les remplacer par des restaurants et des salles de douches communautaires à grand rendement.

Ce fut ainsi que, petit à petit, les villages, les bourgs, et les petites villes du temps jadis disparurent, absorbés par les grandes cités modernes. Les premières conséquences de la guerre atomique ne firent que ralentir un peu cette concentration. Mais dès qu'on eut trouvé les méthodes de construction capables de résister aux effets des bombes atomiques, l'édification des grandes villes s'accéléra.

Cette nouvelle civilisation urbaine permit d'obtenir une répartition optimum de la nourriture, et entraîna l'utilisation croissante de levures et d'aliments hydroponiques. La ville de New York s'étendit sur un territoire de trois mille kilomètres carrés, et le dernier recensement faisait ressortir sa population à plus de vingt millions. La Terre comprenait environ huit cents villes semblables, dont la population moyenne était de dix millions.

Chacune de ces villes devint un ensemble quasi autonome qui parvint à se suffire à peu près à lui-même sur le plan économique. Et toutes se couvrirent de toits hermétiques, s'entourèrent de murs infranchissables, et se tapirent dans les profondeurs du sol. Chacune devint une cave d'acier, une formidable caverne aux innombrables compartiments de béton et de métal.

La cité ainsi conçue était scientifiquement édifiée. L'énorme complexe des organes administratifs en occupait le centre. Puis venaient, tout autour, les vastes secteurs résidentiels soigneusement orientés les uns par rapport aux autres, et reliés par tous les tapis roulants, conduisant eux-mêmes à l'« express ». Dans la périphérie se trouvaient les fabriques de toutes espèces, les installations productrices d'aliments à base d'hydroponiques et de levures, et les centrales d'énergie. Et, au milieu de tout cet enchevêtrement, serpentait un prodigieux réseau de conduites d'eau, d'égouts, de lignes de transport de force, et de voies de communications qui desservaient une quantité d'écoles, de prisons et de magasins.

On n'en pouvait douter : la Cité moderne représentait le chef-d'œuvre accompli par l'homme pour s'adapter au milieu dans lequel il lui fallait vivre et dont il devait se rendre maître. Il n'était plus question de voyager dans l'espace, ni de coloniser les cinquante Mondes Extérieurs, qui jouissaient maintenant d'une indépendance jalousement défendue, mais uniquement de vivre dans la Cité.

On ne trouvait pratiquement plus un Terrien vivant en dehors de ces immenses villes. Car, dehors, c'était le désert à ciel ouvert, ce ciel que peu d'hommes pouvaient désormais contempler avec sérénité. Certes, toute cette étendue de territoires sauvages était nécessaire aux Terriens, car elle contenait l'eau dont ils ne pouvaient se passer, le charbon et le bois, dernières matières premières d'où l'on tirait les matières plastiques, et cette levure dont le besoin ne cessait jamais de croître. (Les sources de pétrole étaient depuis longtemps taries, mais certaines levures riches en huile le remplaçaient fort bien.) Les régions comprises entre les villes contenaient encore de nombreux minerais, et on en exploitait le sol, plus intensément que la plupart des citadins ne le savaient, pour la culture et l'élevage. Le rendement en était médiocre, mais la viande de bœuf ou de porc et les céréales se vendaient toujours comme denrées de luxe et servaient aux exportations.

Mais on n'avait besoin que d'un très petit nombre d'hommes pour exploiter les mines et les fermes, ou faire venir l'eau dans les Cités : les robots exécutaient ce genre de travail mieux que les hommes, et ils causaient beaucoup moins de soucis.

Oui, des robots ! C'était bien là l'énorme ironie du sort ! C'était sur la Terre que le cerveau positronique avait été inventé et que les robots avaient pour la première fois été utilisés à la production. Oui, sur la Terre et non dans les Mondes Extérieurs ! Mais cela n'empêchait pas ceux-ci d'affirmer que les robots étaient les produits de leurs propres civilisations.

Dans une certaine mesure, on devait évidemment reconnaître aux Mondes Extérieurs le mérite d'avoir réussi à pousser l'organisation économique par robots à un haut degré de perfection. Sur la Terre, l'activité des robots avait toujours été limitée à l'exploitation des mines et des fermes ; mais, depuis un quart de siècle, sous l'influence croissante des Spaciens, les robots avaient fini par s'infiltrer lentement à l'intérieur même des villes.

Les Cités modernes étaient d'excellents ouvrages. Tout le monde, à l'exception des tenants du Médiévalisme, savait fort bien qu'on ne pouvait raisonnablement les remplacer par aucun autre système. Leur seule faiblesse : elles ne conserveraient pas toujours leurs exceptionnelles qualités. La population terrestre continuait à croître, et un jour viendrait, tôt ou tard, où, malgré tous leurs efforts, les grandes villes ne pourraient plus fournir à chacun de leurs ressortissants le minimum vital de calories indispensable pour subsister.

Or, cet état de choses se trouvait considérablement aggravé par la proximité des Spaciens, descendants des premiers émigrants venus de la Terre. Ils vivaient dans l'opulence, grâce aux mesures qu'ils avaient prises, d'une part pour limiter les naissances, d'autre part pour généraliser l'usage des robots. Ils se montraient froidement résolus à conserver jalousement leurs confortables conditions d'existence, dues à la faible densité de leur population. Il était évident que le meilleur moyen de conserver leurs avantages était de maintenir à un niveau très bas le rythme des naissances, et d'empêcher toute immigration des Terriens...

Spacetown en vue !

Une réaction de son subconscient avertit Baley que l'express approchait du quartier de Newark. Or, il savait que, s'il demeurait à sa place, il se trouverait bientôt emporté à toute vitesse en direction du sud-ouest, vers le quartier de Trenton, où l'express virait pour passer en plein centre de la région, fort chaude et sentant le moisi, où l'on produisait la levure.

C'était une question de temps, qu'il fallait soigneusement calculer. Il en fallait beaucoup pour descendre l'escalier en spirale, pour se frayer un chemin sur la plate-forme inférieure, parmi les voyageurs debout et toujours grommelant, pour se glisser le long de la balustrade jusqu'à la sortie, enfin pour sauter sur le tapis décélérateur.

Quand il eut achevé d'exécuter toutes ces manœuvres, il se trouva juste à hauteur de la sortie qu'il comptait atteindre. Or, pas un instant, il n'avait agi ni progressé consciemment ; et s'il avait eu pleine conscience de ce qu'il faisait, sans doute aurait-il manqué la correspondance.

Sans transition, il se vit dans une solitude presque complète ; en effet, il n'y avait, en plus de lui, sur le quai de sortie du tapis roulant, qu'un agent de police en uniforme, et, compte tenu du bourdonnement incessant de l'express, un silence presque pénible régnait dans ce secteur.

L'agent, qui était là, en faction, s'avança vers Baley, et celui-ci, d'un geste nerveux, lui montra son insigne de détective, cousu sous le revers de son veston : aussitôt, le policier lui fit, de la main, signe de passer. Baley s'avança donc dans un couloir qui se rétrécissait progressivement, et comportait de nombreux tournants à angle aigu. De toute évidence, ces sinuosités étaient voulues, et destinées à empêcher les foules de Terriens de s'y amasser, pour foncer en force contre Spacetown.

Baley se réjouissait de ce qui avait été convenu entre Enderby et les autorités de Spacetown, à savoir qu'il rencontrerait son associé en territoire newyorkais. Il n'avait en effet aucune envie de subir un examen médical, quelle que fût la politesse réputée avec laquelle on y procédait.

Un Spacien se tenait juste devant une succession de portes, qu'il fallait franchir pour accéder à l'air libre et aux dômes de Spacetown. Il était habillé selon la meilleure mode terrestre : son pantalon, bien ajusté à la taille, était assez large du bas et comportait une bande de couleur le long de la couture de chaque jambe ; il portait une chemise ordinaire en Textron, à col ouvert et fermeture éclair, et froncée aux poignets. Néanmoins c'était un Spacien. Au premier coup d'œil, on constatait une très légère, mais nette différence entre son aspect et celui d'un Terrien. Attitude générale, port de tête, visage aux traits trop impassibles et aux pommettes saillantes, cheveux plaqués en arrière, sans raie, et luisant comme du bronze : tout cela le distinguait incontestablement.

Baley s'avança vers lui non sans raideur, et lui dit, d'une voix monocorde :

— Je suis le détective Elijah Baley, de la police de New York — catégorie C. 5.

Il tira de sa poche quelques documents, et reprit :

— J'ai ordre de rencontrer R. Daneel Olivaw à l'entrée de Spacetown. Je suis un peu en avance, fit-il en regardant sa montre. Puis-je demander que l'on annonce mon arrivée ?

Il ne put se défendre d'un frisson qui lui parcourut tout le corps. Certes, il était maintenant habitué aux robots de modèles terrestres, et il savait qu'il devait s'attendre à trouver une sensible différence avec un robot de type spacien. Cependant il n'en avait jamais encore rencontré, et c'était devenu une banalité à New York que d'entendre colporter, de bouche à oreille, d'horribles histoires sur les robots effrayants et formidables, véritables surhommes, que les Mondes Extérieurs utilisaient dans leurs domaines lointains et scintillants. Et voici que Baley ne put s'empêcher de grincer des dents.

Le Spacien, qui l'avait poliment écouté, répliqua :

— Ce ne sera pas nécessaire. Je vous attendais.

Baley, automatiquement, leva la main droite, mais la laissa aussitôt retomber. En même temps, sa mâchoire inférieure s'affaissa légèrement, et son visage s'allongea encore. Il ne put réussir à prononcer un mot : il lui sembla que sa langue s'était soudain paralysée.

— Je me présente donc, dit le Spacien. Je suis R. Daneel Olivaw.

— Vraiment ? Est-ce que je me trompe ? Je croyais pourtant que la première initiale de votre nom...

— Tout à fait exact. Je suis un robot. Ne vous a-t-on pas prévenu ?

— Si, je l'ai été.

Baley passa machinalement une main humide dans ses cheveux, puis il la tendit à son interlocuteur, en répliquant :

— Excusez-moi, monsieur Olivaw. Je ne sais pas à quoi je pensais. Bonjour. Je suis donc Elijah Baley, votre associé.

— Parfait !

La main du robot serra celle du détective, exerçant sur elle une douce et progressive pression, comme il est d'usage entre amis, puis se retira.

— Cependant, reprit-il, il me semble déceler en vous un certain trouble. Puis-je vous demander d'être franc avec moi ? Dans une association comme la nôtre, on n'est jamais trop précis, et il ne faut rien se cacher. C'est pourquoi, dans notre monde, les associés s'appellent toujours par leur petit nom. J'ose croire que cela n'est pas contraire à vos propres habitudes ?

— C'est que... répondit Baley d'un ton navré, c'est

que... vous comprenez... vous n'avez pas l'air d'un robot !...

— Et cela vous contrarie ?

— Cela ne devrait pas, j'imagine, Da... Daneel. Est-ce qu'ils sont tous comme vous dans votre monde ?

— Il y a des différences individuelles, Elijah, comme parmi les hommes.

— C'est que... nos propres robots... eh bien... on peut très bien les reconnaître. Mais vous, vous avez l'air d'un vrai Spacien.

— Ah ! je comprends ! Vous vous attendiez à trouver un modèle plutôt grossier, et vous êtes surpris. Et cependant n'est-il pas logique que nos dirigeants aient décidé d'utiliser un robot répondant à des caractéristiques humanoïdes très prononcées, dans un cas pareil, où il est indispensable d'éviter des incidents fâcheux ? Ne trouvez-vous pas cela juste ?

Certes, c'était fort juste : un robot, facilement reconnaissable et circulant en ville, ne tarderait pas à avoir de gros ennuis.

— Oui, répondit donc Baley.

— Eh bien, dans ces conditions, allons-nous-en, Elijah !

Ils se dirigèrent vers l'express. Non seulement R. Daneel n'eut aucune peine à se servir du tapis accélérateur, mais il en usa avec une adresse digne d'un vieil habitué. Baley, qui avait commencé par réduire son allure, finit par l'augmenter presque exagérément. Mais le robot le suivit si aisément que le détective finit par se demander si son partenaire ne faisait pas exprès de ralentir son allure. Il atteignit donc, aussi vite qu'il le put, l'interminable file du tapis roulant express, et bondit dessus d'un mouvement si vif qu'il en était vraiment imprudent : or, le robot en fit autant, sans manifester la moindre gêne. Baley était rouge et essouflé. Il avala sa salive et dit :

— Je vais rester en bas avec vous.

— En bas ? répliqua le robot, apparemment indifférent au bruit et aux trépidations de l'express. Serais-je mal informé ? On m'avait dit que la catégorie C. 5 donnait droit à une place assise à l'impériale, dans certaines conditions.

— Vous avez raison. Moi, je peux monter là-haut, mais pas vous.

— Et pourquoi donc ne puis-je y monter avec vous ?

— Parce qu'il faut être classé en catégorie C. 5.

— Je le sais.

— Eh bien, vous ne faites pas partie de cette catégorie-là.

La conversation devenait difficile ; la plate-forme inférieure comportait moins de pare-brise que l'impériale, en sorte que le sifflement de l'air était beaucoup plus bruyant ; par ailleurs, Baley tenait naturellement à ne pas élever la voix.

— Pourquoi ne pourrais-je pas faire partie de cette catégorie C. 5 ? dit le robot. Je suis votre associé ; par conséquent, nous devons tous les deux être sur le même plan. On m'a remis ceci.

Ce disant, il sortit d'une poche intérieure de sa chemise une carte d'identité réglementaire, au nom de Daneel Olivaw, sans la fatidique initiale R ; il n'y manquait aucun des cachets obligatoires, et la catégorie qui y figurait était C. 5.

— C'est bon, dit Baley, d'un ton bourru. Montons !

Quand il se fut assis, Baley regarda droit devant lui ; il était très mécontent de lui-même et n'aimait pas sentir ce robot assis à côté de lui. En un si bref laps de temps, il avait déjà commis deux erreurs ; tout d'abord, il n'avait pas su reconnaître que R. Daneel était un robot ; en second lieu, il n'avait pas deviné que la logique la plus élémentaire exigeait que l'on remît à R. Daneel une carte de C. 5.

Sa faiblesse — il s'en rendait bien compte — c'était de ne pas être intégralement le parfait détective répondant à l'idée que le public se faisait de cette fonction. Il n'était pas immunisé contre toute surprise. Il ne pouvait constamment demeurer imperturbable. Il y avait toujours une limite à sa faculté d'adaptation ; enfin, sa compréhension des problèmes qui lui étaient soumis n'était pas toujours aussi rapide que l'éclair. Tout cela, il le savait depuis fort longtemps, mais jamais encore il n'avait déploré ces lacunes et ces imperfections, inhérentes à la nature humaine. Or, ce qui maintenant les lui rendait pénibles, c'était de constater que, selon toutes les apparences, R. Daneel Olivaw personnifiait véritablement ce type idéal du détective. C'était, en fait, pour lui, une nécessité inhérente à sa qualité de robot.

Baley, dès lors, commença à se trouver des excuses. Il était habitué aux robots du genre de R. Sammy, celui dont on se servait au bureau. Il s'attendait à trouver une créature dont la peau était faite de matière plastique, luisante et blanchâtre, presque livide. Il pensait trouver un regard figé, exprimant en toute occasion une bonne humeur peu naturelle et sans vie. Il avait prévu que ce robot aurait des gestes saccadés et légèrement hésitants...

Mais rien de tout cela ne s'était produit : R. Daneel ne répondait à aucune de ces caractéristiques.

Baley se risqua à jeter un coup d'œil en coin vers son voisin. Instantanément R. Daneel se tourna aussi, son regard croisa celui de Baley, et il fit gravement un petit signe de tête. Lorsqu'il parlait, ses lèvres remuaient naturellement, et ne restaient pas tout le temps entrouvertes comme celles des robots terrestres. Baley avait même pu apercevoir de temps à autre bouger sa langue...

« Comment diable peut-il rester assis avec un tel calme ? se dit Baley. Tout ceci doit être complètement nouveau pour lui : le bruit, les lumières, la foule... »

Il se leva, passa brusquement devant R. Daneel, et lui dit :

— Suivez-moi !

Ils sautèrent à bas de l'express, sur le tapis décélérateur, et Baley se demanda soudain :

— Qu'est-ce que je vais dire à Jessie ?

Sa rencontre avec le robot avait chassé de son esprit cette pensée ; mais voilà qu'elle lui revenait, pressante et douloureuse, tandis qu'ils approchaient rapidement, sur le tapis roulant secondaire, du centre même du quartier de Bronx.

Il crut bon de donner au robot quelques explications.

— Tout ce que vous voyez là, Daneel, dit-il, c'est une seule et unique construction, qui englobe toute la Cité. La ville de New York tout entière consiste en un seul édifice, dans lequel vivent vingt millions d'individus. L'express fonctionne sans jamais s'arrêter, nuit et jour, à la vitesse de cent kilomètres à l'heure ; il s'étend sur une longueur de quatre cents kilomètres, et il y a des centaines de kilomètres de tapis roulants secondaires.

« Dans un instant, se dit-il, je vais lui dire combien de tonnes de produits à base de levure on consomme par jour à New York, et combien de mètres cubes d'eau nous buvons, ainsi que le nombre de mégawatts-heure produits par les piles atomiques. »

— On m'a en effet informé de cela, dit R. Daneel, et les instructions que j'ai reçues comportent d'autres renseignements du même genre.

« Par conséquent, se dit Baley, il est au courant de ce qui concerne la nourriture, la boisson et l'énergie électrique. Il n'y a pas de doute ! Pourquoi vouloir en remontrer à un robot ?... »

Ils se trouvaient dans la 182e Rue Est, et il ne leur restait plus que deux cents mètres à parcourir pour atteindre les ascenseurs qui desservaient d'immenses blocs de ciment et d'acier contenant d'innombrables logements, y compris le sien.

Il était sur le point de dire : « Par ici ! » quand il se heurta à un rassemblement qui se tenait devant la porte brillamment éclairée d'un magasin de détail, comme il y en avait beaucoup au rez-de-chaussée des immeubles d'habitation. Usant automatiquement du ton autoritaire propre à sa profession, il demanda :

— Qu'est-ce qui se passe donc ici ?

— Du diable si je le sais ! répondit un homme, debout sur la pointe des pieds. Je suis comme vous ; j'arrive à l'instant.

— Moi, je vais vous le dire, fit un autre, fort excité. On vient de remplacer dans le magasin certains employés par ces salauds de robots. Alors je crois que les autres employés vont les démolir. Oh, là, là ! Ce que j'aimerais leur donner un coup de main !...

Baley jeta un regard inquiet à Daneel, mais si celui-ci avait compris ou même entendu les paroles de l'homme, il ne le montra pas.

Baley fonça dans la foule, en criant :

— Laissez-moi passer ! Laissez-moi passer ! Police !

On lui fit place, et il entendit derrière lui :

— Mettez-les en morceaux ! Cassez-les comme du verre, pièce par pièce !...

Quelqu'un rit, mais Baley, lui, n'en avait aucune envie. Certes, la Cité représentait le summum des perfectionnements, au point de vue de l'organisation et du rendement. Mais elle impliquait une collaboration volontaire de ses habitants à l'œuvre commune ; elle exigeait d'eux leur acceptation d'une existence conforme à des règles strictes, et soumise à un sévère contrôle scientifique. Or, il arrivait parfois que des ressentiments longtemps contenus finissent par exploser ; Baley ne se rappelait que trop bien les émeutes de la Barrière !...

Il ne manquait évidemment pas de raisons pour motiver un soulèvement de masse contre les robots. La généralisation de leur emploi entraînerait automatiquement le déclassement d'un nombre correspondant d'hommes, ce qui signifierait pour ceux-ci la perspective du chômage, c'est-à-dire la portion congrue du strict minimum vital. Après une vie entière de travail, comment ces gens, frustrés du bénéfice de leur travail, ne verraient-ils pas dans les robots la cause de leurs maux ? Il n'était que trop normal de les voir décidés à démolir ces concurrents sans âme.

On ne pouvait pas, en effet, avoir de prise sur une formule du genre « la politique du gouvernement », ni sur un slogan tel que « le travail du robot augmente la production ». Mais on pouvait cogner sur le robot lui-même.

Le gouvernement appelait ces troubles les douleurs

de l'enfantement. Il déplorait de tels faits, se déclarait désolé, mais assurait la population qu'après une indispensable période d'adaptation une nouvelle et meilleure existence commencerait pour tout le monde.

En attendant, le déclassement d'un nombre croissant d'individus avait pour cause directe l'extension du mouvement médiévaliste. Quand les gens sont malheureux et perdent tout espoir de voir venir la fin de leurs tourments, ils passent aisément de l'amertume, née de la spoliation, à la fureur vengeresse et destructrice. Il ne faut alors que quelques minutes pour transformer l'hostilité latente d'une foule en une fulgurante orgie de sang et de ruines.

Baley, parfaitement conscient de ce danger, se rua farouchement vers la porte du magasin.

3
INCIDENT DANS UN MAGASIN

Il y avait beaucoup moins de monde dans le magasin que dans la rue. Le directeur, prudent et prévoyant, avait rapidement verrouillé sa porte, empêchant ainsi les fauteurs de troubles d'entrer chez lui. Du même coup, il empêchait ceux qui avaient créé l'incident de s'en aller ; mais c'était là un inconvénient moins grave...

Baley ouvrit la porte en se servant de son passe-partout de policier. A sa vive surprise, il constata que R. Daneel était toujours sur ses talons, et qu'il remettait en poche un autre passe-partout qu'il possédait ; or, Baley dut convenir que cet objet-là était plus petit, mieux fait et plus pratique que celui en usage dans les services de la police new-yorkaise.

Le bottier vint à eux, fort agité, et leur dit d'une voix forte :

— Messieurs, c'est la Ville qui m'a imposé ces employés. Je suis absolument dans mon droit.

Trois robots se tenaient, raides comme des piquets, au fond du magasin. Six personnes étaient réunies près de la porte ; c'étaient toutes des femmes.

— Bon ! dit Baley, sèchement. Alors, qu'est-ce qui ne va pas, et pourquoi tout ce charivari ?

Une des femmes lui répondit, d'une voix de tête :

— Je suis venue ici acheter des chaussures. Pourquoi ne serais-je pas servie par un vendeur convenable ? N'ai-je donc pas l'air respectable ?

La façon extravagante dont elle était habillée, et surtout coiffée, rendait sa question superflue ; et, si rouge de colère qu'elle fût, on n'en constatait pas moins qu'elle était exagérément fardée.

— Je ne demande pas mieux que de m'occuper d'elle moi-même, répliqua le bottier, mais je ne peux pas servir toutes les clientes. Il n'y a rien à reprocher à mes hommes, monsieur l'inspecteur. Ce sont des employés de magasins dûment enregistrés ; je possède leurs spécifications graphiques et leurs bons de garantie.

— Ah, ah ! s'écria la femme en ricanant, tournée vers les autres. Non mais, écoutez-le donc ! Il les appelle ses employés ! Qu'est-ce que vous en dites ? Vous êtes fou, ma parole ! Ce ne sont pas des hommes que vous employez. Ce sont des RO-BOTS, hurla-t-elle en détachant avec soin les deux syllabes. Et, pour le cas où vous ne le sauriez pas, je vais vous dire ce qu'ils font : ils volent aux hommes leur place. C'est pour ça que le gouvernement les protège. Ils travaillent pour rien, et à cause de ça, des familles entières sont obligées de vivre dans des baraques, et de manger de la bouillie de levure pour toute nourriture. Voilà à quoi en sont réduites les familles honorables de gens qui ont passé leur vie à travailler dur. Si c'était moi qui commandais, je vous garantis qu'il ne resterait pas un robot à New York ! On les casserait tous !

Pendant ce temps, les autres femmes parlaient toutes à la fois, et, dans la rue, la foule s'agitait de plus en plus. Baley éprouva une sensation pénible, brutale même, du fait qu'en de telles circonstances, R. Daneel Olivaw se tenait tout contre lui. Il examina un instant les robots ; ils étaient de construction terrestre, et il fallait bien reconnaître qu'il s'agissait de modèles relativement peu onéreux. C'étaient des robots ordinaires, destinés à ne savoir qu'un petit nombre de choses simples, telles que les différentes catégories de chaussures, leurs prix, les tailles disponibles dans chaque modèle, les variations des stocks, etc. Tout cela, ils le savaient sans doute mieux que les humains eux-mêmes, du fait qu'ils n'avaient aucune autre préoccupation extérieure ; de même, ils étaient certainement capables d'enregistrer des commandes à livrer la semaine suivante, et de prendre les mesures d'un pied.

Individuellement, ils étaient inoffensifs, mais, groupés, ils représentaient un terrible danger.

Baley sympathisa avec la femme bien plus sincèrement qu'il ne s'en serait cru capable la veille... ou plutôt non... deux heures auparavant. Conscient de la proximité immédiate de R. Daneel, il se demanda si celui-ci ne pourrait pas remplacer purement et simplement un détective ordinaire de catégorie C. 5... Et, songeant à cette éventualité, Baley se représenta les baraques dont avait parlé la femme, il eut sur la langue le goût de la bouillie de levure, et il se souvint de son père.

Son père était un savant spécialisé dans la physique nucléaire, et il avait accédé aux plus hautes fonctions dans sa profession. Mais, un jour, un accident s'était produit à la centrale d'énergie atomique, et son père en avait été rendu responsable. On l'avait déclassé. Baley n'avait jamais su les détails exacts du drame, car, à l'époque, il n'avait qu'un an. Mais il se souvenait bien des baraques où il avait passé son enfance, et de cette existence communautaire dans des conditions tout juste supportables. Il n'avait aucun souvenir de sa mère, car elle n'avait pas survécu longtemps à cette ruine ; mais il se rappelait bien son père, un homme au visage bouffi et morose, qui parfois parlait du passé d'une voix rauque et saccadée.

Lije avait sept ans quand son père, toujours déclassé, était mort à son tour. Le jeune Baley et ses deux sœurs aînées furent admis à l'orphelinat de la ville, car le frère de leur mère, l'oncle Boris, était trop pauvre pour les prendre à sa charge. Alors, la vie avait continué ainsi, très pénible, car c'était dur d'aller à l'école et de s'instruire sans bénéficier de l'aide et des privilèges paternels. Et voilà qu'il se trouvait au milieu d'une émeute naissante, et obligé de par ses fonctions, de faire taire des gens dont le seul tort consistait, après tout, à craindre pour eux et pour les leurs ce déclassement qu'il redoutait pour lui-même...

D'une voix qu'il s'efforça de garder calme, il dit à la femme :

— Allons, madame, ne faites pas de scandale, je vous en prie ! Ces employés ne vous feront aucun mal.

— Bien sûr, qu'ils ne m'en ont pas fait ! rétorqua-t-elle de sa voix de soprano. Et il n'y a pas de danger qu'ils m'en fassent, pour sûr ! Vous vous figurez peut-être que je vais me laisser toucher par leurs doigts glacés et luisants ? Je suis venue ici, m'attendant à ce qu'on me traite comme un être humain. Je suis une libre citoyenne de cette ville, et j'ai le droit d'être servie par des êtres humains normaux, comme moi. Et d'ailleurs, j'ai deux enfants qui m'attendent à la maison pour déjeuner. Ils ne peuvent aller sans moi à la cuisine communautaire, comme s'ils étaient des orphelins ! Il faut que je sorte d'ici !

— Eh bien, répliqua Baley, qui commençait à perdre son calme, si vous vous étiez laissé servir sans faire d'histoires, il y a longtemps que vous seriez dehors. Toutes ces discussions ne servent à rien. Allons, maintenant, venez !

— Ça, c'est le bouquet ! cria la femme, indignée. Vous vous figurez peut-être que vous pouvez me parler comme si j'étais une traînée ? Mais il est peut-être temps, aussi, que le gouvernement comprenne que les robots ne sont pas les seuls gens dignes d'intérêt. Moi, je suis une femme qui travaille dur, et j'ai des droits !...

Elle continua sur ce ton sans que rien ne pût l'arrêter. Baley se sentit épuisé et dépassé par les événements. Il ne voyait pas comment en sortir, car, même si la femme consentait maintenant à se faire servir comme on le lui avait offert, la foule qui stationnait devant la porte pouvait fort bien faire du grabuge. Elle devait s'élever maintenant à une centaine de personnes et, depuis l'entrée des détectives dans le magasin, elle avait doublé.

— Que fait-on habituellement en pareil cas ? demanda soudain R. Daneel Olivaw.

Baley faillit sursauter et répliqua :

— Tout d'abord, c'est un cas tout à fait exceptionnel.

— Bon. Mais que dit la loi ?

— Les R. ont été affectés à ce magasin par les

autorités de la ville. Ce sont des employés enregistrés. Il n'y a rien d'illégal dans leur présence ici.

Ils s'étaient entretenus à mi-voix. Baley s'efforçait de garder une attitude officielle et menaçante. En revanche, le visage d'Olivaw demeurait impassible et inexpressif.

— S'il en est ainsi, dit R. Daneel, vous n'avez qu'à ordonner à la femme de se laisser servir ou de s'en aller.

— C'est à une foule que nous avons affaire, grommela Baley entre ses dents, et non à une seule femme. Nous ne pouvons parer le coup qu'en appelant du renfort pour disperser ces gens.

— On ne doit tout de même pas avoir besoin de plus d'un officier de police pour faire respecter la loi par un groupe de citoyens, dit Daneel.

Il tourna vers le bottier son large visage, et lui ordonna :

— Ouvrez la porte du magasin, je vous prie !

Baley tendit le bras, dans l'intention de saisir R. Daneel par l'épaule et de le faire se retourner. Mais il renonça aussitôt à son projet, en songeant que, si, en un tel instant, deux représentants de la loi se disputaient en public, cela supprimerait du coup toute chance de parvenir à un règlement à l'amiable de l'incident. Cependant le bottier, fort mécontent, se tourna vers Baley, mais celui-ci évita son regard.

— Au nom de la loi, monsieur, répéta alors R. Daneel, imperturbable, je vous ordonne d'ouvrir cette porte.

— C'est bien, rétorqua l'homme, furieux. Mais je vous préviens que je tiendrai la ville pour responsable de tous les dommages qui pourraient survenir. Je vous prie de prendre acte que j'agis sous la contrainte !

Ceci dit, il ouvrit, et une foule d'hommes et de femmes envahit le magasin, en poussant des cris joyeux : pour eux, c'était une victoire.

Baley avait entendu parler d'émeutes de ce genre, et il avait même assisté à l'une d'elles. Il avait vu des robots saisis par une douzaine de mains, se laissant emporter sans résistance, et passant de bras en bras. Les hommes tiraient sur cette imitation métallique de l'homme ; ils s'efforçaient d'en tordre les membres ; ils se servaient de marteaux, de couteaux, de ciseaux à froid, et finalement ils réduisaient les misérables objets en un tas de ferraille et de fils de fer. En un rien de temps, des cerveaux positroniques de grand prix, les chefs-d'œuvre les plus compliqués que l'homme eût encore inventés, avaient été ainsi lancés de main en main, comme des ballons de rugby, et réduits en mille morceaux. Puis, quand l'esprit de destruction avait ainsi commencé joyeusement à se donner libre cours, les foules se tournaient invariablement vers tout ce qui pouvait être démoli.

Les robots employés dans le magasin de chaussures ne pouvaient évidemment rien savoir de ces précédents. Néanmoins, quand la foule pénétra dans la pièce, ils se serrèrent dans un coin et levèrent les mains devant leurs visages, comme s'ils tentaient bêtement de les cacher. La femme qui avait déclenché toute l'affaire, effrayée de la voir prendre des proportions bien plus importantes qu'elle ne l'avait prévu, s'efforça d'enrayer le flot, en bredouillant des : « Allons ! Allons ! » inintelligibles. Son chapeau bascula sur son visage et ses cris se perdirent dans la cohue, cependant que le bottier hurlait :

— Arrêtez-les, inspecteur ! Arrêtez-les !

Ce fut alors que R. Daneel parla. Sans effort apparent, il éleva la voix sensiblement plus haut qu'une voix humaine normale :

— Halte ! dit-il. Ou je tire sur le premier qui bouge !

Quelqu'un cria dans les derniers rangs : « Descendez-le ! » Mais nul ne bougea.

R. Daneel grimpa avec aisance sur une chaise, et de là, sur un des comptoirs. Le magasin était éclairé à la lumière moléculaire polarisée, laquelle donnait au visage du robot spacien un aspect irréel, que Baley trouva même surnaturel.

La foule fit tout à coup silence, et R. Daneel, la dominant, sans bouger, donnait à la fois une impression de calme et de puissance extraordinaires. Il reprit, sèchement :

— Vous êtes en train de vous dire : ce type-là essaie de nous intimider, mais il n'a pas d'arme dangereuse ; il nous menace avec un jouet. Si nous lui tombons tous dessus, nous le maîtriserons facilement, et, au pire, un ou deux d'entre nous risqueront un mauvais coup, dont ils se remettront vite, d'ailleurs. Mais l'essentiel, c'est d'atteindre notre but, qui est de montrer que nous nous moquons de la loi et des règlements.

Sa voix n'était pas dure ni coléreuse, mais il en émanait une étonnante autorité. Tout cela fut dit du ton de quelqu'un habitué à commander et sûr d'être obéi. Il poursuivit :

— Eh bien, vous vous trompez. L'arme dont je dispose n'est pas un jouet, loin de là. C'est un explosif, et des plus meurtriers. Je suis décidé à m'en servir, et je vous avertis que je ne tirerai pas en l'air. Avant que vous soyez arrivés jusqu'à moi, j'aurai tué beaucoup, et probablement même le plus grand nombre, d'entre vous. Je vous parle sérieusement, et je ne crois pas que j'aie l'air de plaisanter, n'est-ce pas ?

Dans la rue, aux abords du magasin, des gens remuèrent, mais plus personne ne franchit la porte. Quelques nouveaux venus s'arrêtaient par curiosité, mais beaucoup se hâtèrent de partir. A quelques pas de R. Daneel, les assistants les plus proches de lui retinrent leur respiration et s'efforcèrent de ne pas céder à la pression de ceux qui, derrière, les poussaient en avant.

Ce fut la femme au chapeau qui rompit le pesant silence dont l'apostrophe de R. Daneel Olivaw avait été suivie. Elle hurla :

— Il va nous tuer ! Moi, je n'ai rien fait ! Oh ! laissez-moi sortir !

Elle fit demi-tour, mais se trouva nez à nez avec un mur vivant. Elle s'effondra à genoux. Les derniers rangs de la foule silencieuse commencèrent à battre en retraite. R. Daneel sauta alors à bas du comptoir et déclara :

— Je vais de ce pas gagner la porte, et vous prie de vous retirer devant moi. Je tirerai sur quiconque se permettra de me toucher. Quand j'aurai atteint la porte, je tirerai sur quiconque stationnera ici sans motif. Quant à cette femme...

— Non, non ! hurla celle qui avait causé tout ce désordre. Je viens de vous dire que je n'ai rien fait ! Je n'avais aucune mauvaise intention. Je ne veux même pas de chaussures ! Je ne veux que rentrer chez moi !

— Cette femme, reprit sans se troubler Daneel, va rester ici, et on va la servir !

Il fit un pas en avant, et la foule le regarda, muette. Quant à Baley, fermant les yeux, il se dit :

« Ce n'est pas ma faute ! Non, vraiment, je n'y suis pour rien ! Il va y avoir un ou même plusieurs meurtres, et ce sera la pire des histoires. Mais voilà ce que c'est de m'avoir imposé un robot comme associé, et de lui avoir donné un statut légal, équivalent au mien ! »

Mais cela ne lui servit de rien, car il ne parvint pas à se convaincre lui-même. Il aurait fort bien pu arrêter R. Daneel dès que celui-ci avait commencé à intervenir, et appeler du renfort par téléphone. Au lieu de cela, il avait laissé le robot prendre la responsabilité d'agir, et il en avait lâchement ressenti un soulagement. Mais quand il en vint à s'avouer que R. Daneel était tout simplement en train de maîtriser la situation, il fut soudain submergé d'un immense dégoût de lui-même. Un ROBOT dominant des hommes : quelle abjection !

Il ne perçut aucun bruit anormal, ni hurlements, ni jurons, ni grognements, ni plaintes, ni cris. Alors, il ouvrit les yeux : la foule se dispersait.

Le directeur du magasin, calmé, remit de l'ordre dans son vêtement froissé ainsi que dans sa coiffure, tout en grommelant d'inintelligibles et coléreuses menaces à l'adresse des partants.

Le sifflement aigu d'un car de police se fit entendre, et le véhicule s'arrêta devant la porte.

— Il est bien temps ! murmura Baley. Maintenant que tout est fini !...

— Oh ! inspecteur ! fit le bottier en le tirant par la manche. Laissez tomber tout ça maintenant, voulez-vous ?

— D'accord, répliqua Baley.

Il n'eut pas de peine à se débarrasser des policiers. Ils étaient venus appelés par des gens qui avaient cru bon de signaler le rassemblement anormal d'une foule dans la rue. Ils ignoraient tout de l'incident, et constatèrent que la rue était libre et tranquille. R. Daneel se tint à l'écart et ne manifesta aucun intérêt pour les explications que Baley donna à ses collègues, minimisant l'affaire et passant complètement sous silence l'intervention de son compagnon.

Mais quand tout fut terminé, Baley attira R. Daneel dans un coin de la rue et lui dit :

— Ecoutez-moi bien, Daneel ! Je désire que vous compreniez que je ne cherche pas du tout à tirer la couverture à moi !

— Tirer la couverture à vous ? Est-ce là une expression courante dans le langage des Terriens ?

— Je n'ai pas signalé votre participation à l'affaire.

— Je ne connais pas toutes vos coutumes. Dans mon monde, on a l'habitude de rendre toujours compte de tout, mais il se peut que, chez vous, on procède autrement. Peu importe, d'ailleurs. L'essentiel, c'est que nous ayons pu empêcher une révolte d'éclater, n'est-il pas vrai ?

— Ah ! vous trouvez ? répliqua Baley, qui, malgré sa colère et l'obligation de parler à voix basse, s'efforça de prendre un ton aussi énergique que possible. Eh bien, n'oubliez jamais ce que je vais vous dire : ne vous avisez pas de recommencer ce petit jeu-là !

— Je ne vous suis pas, répliqua R. Daneel, sincèrement étonné. Ne dois-je plus jamais faire respecter la loi ? Alors, à quoi est-ce que je sers ?

— Ne vous avisez plus de menacer un être humain de votre arme : voilà ce que je veux dire !

— Je ne m'en serais servi sous aucun prétexte,

Elijah, et vous le savez fort bien. Je suis incapable de faire du mal à un être humain. Mais, comme vous l'avez vu, je n'ai pas eu à tirer ; je n'ai jamais pensé que j'y serais contraint.

— Que vous n'ayez pas eu à tirer, c'est une pure question de chance ! Eh bien, ne courez pas cette chance une autre fois ! J'aurais pu, tout aussi bien que vous, menacer cette foule d'une arme : j'en avais une sur moi. Mais je ne suis pas autorisé à m'en servir de cette façon-là, et vous non plus, d'ailleurs. Il aurait mieux valu appeler du renfort que de jouer au héros, croyez-moi !

R. Daneel réfléchit un long moment et hocha la tête.

— Mon cher associé, répliqua-t-il, je vois que vous vous trompez. Parmi les caractéristiques principales des Terriens, qui sont énumérées dans mes notes, il est précisé que, contrairement aux peuples des Mondes Extérieurs, les Terriens sont, dès leur naissance, élevés dans le respect de l'autorité. C'est sans doute une conséquence de votre mode d'existence. Il est certain, puisque je viens moi-même de le prouver, qu'un seul homme, représentant avec suffisamment de fermeté l'autorité légale, a amplement suffi pour rétablir l'ordre. Votre propre désir d'appeler du renfort a été la manifestation presque instinctive d'un penchant à vous décharger de vos responsabilités entre les mains d'une autorité supérieure. Dans mon propre monde, je dois admettre que je n'aurais jamais dû agir comme je l'ai fait tout à l'heure.

— Il n'empêche, répliqua Baley, rouge de colère, que si ces gens avaient découvert que vous étiez un robot...

— J'étais sûr que cela n'arriverait pas.

— Eh bien, en tout cas, rappelez-vous que vous ÊTES un robot, rien de plus qu'un robot, tout simplement, comme les vendeurs du bottier !

— Mais c'est l'évidence même !

— Et vous n'avez RIEN, vous m'entendez, RIEN d'un être humain !

Baley se sentit, malgré lui, poussé à se montrer cruel. R. Daneel eut l'air de réfléchir un peu, puis il répondit :

— La différence entre l'être humain et le robot n'est peut-être pas aussi significative que celle qui oppose l'intelligence à la bêtise...

— Cela peut être le cas dans votre monde, mais ce n'est pas exact sur la Terre, dit Baley.

Il jeta un coup d'œil à sa montre et eut peine à croire qu'il était en retard d'une heure et quart. Il avait la gorge sèche, et se sentait hors de lui, à la pensée que R. Daneel avait gagné la première manche, et cela au moment précis où Baley lui-même s'était montré impuissant.

Il songea à Vince Barrett, le jeune garçon de courses que R. Sammy avait remplacé au bureau. Pourquoi R. Daneel ne remplacerait-il pas de même Elijah Baley ? Mille tonnerres ! Quand son père avait été déclassé, c'était au moins à cause d'un accident grave, qui avait entraîné la mort de plusieurs personnes. Peut-être même, avait-il été réellement responsable... Baley n'en avait jamais rien su. Mais si son père avait été liquidé pour faire place à un physicien mécanique, pour cette seule et unique raison, il n'aurait pas pu s'y opposer.

— Allons-nous-en ! dit-il sèchement. Il faut que je vous amène à la maison.

— Je crois, répliqua R. Daneel, sans changer de

sujet, qu'il ne convient pas de faire des différences entre l'intelligence...

— Ça suffit ! coupa Baley en élevant la voix. L'incident est clos. Jessie nous attend !

Il se dirigea vers une cabine publique proche et ajouta :

— Je crois qu'il vaut mieux que je l'avertisse de notre arrivée.

— Jessie ?...

— Oui. C'est ma femme ! fit Baley, qui se dit à lui-même : « Eh bien, je suis de bonne humeur, pour la mettre au courant ! »

4
PRESENTATION A UNE FAMILLE

C'était à cause de son nom que Jessie Baley avait pour la première fois attiré l'attention de celui qui devait devenir son époux. Il l'avait rencontrée à une soirée de réveillon de Noël de leur quartier, au moment où ils se servaient en même temps du punch. Il avait achevé son stage d'instruction dans les services de police d'Etat, et venait d'être nommé détective à New York. Il habitait alors une des alcôves réservées aux célibataires dans le dortoir n° 122 A. Cette alcôve, d'ailleurs, n'était pas un logement désagréable.

Il lui avait offert son verre de punch, et elle s'était présentée :

— Je m'appelle Jessie... Jessie Navodny. Je ne vous connais pas.

— Et moi, je m'appelle Baley... Lije Baley, avait-il répondu. Je viens d'arriver dans ce quartier.

Ils burent donc ensemble, et machinalement, il lui sourit. Il éprouva tout de suite pour elle de la sympathie, la trouvant pleine d'entrain et d'un commerce agréable ; aussi resta-t-il près d'elle, d'autant plus que, nouveau dans le quartier, il ne connaissait personne ; il n'y a rien d'agréable en effet à se trouver seul dans un coin et à regarder des groupes qui s'amusent entre amis. Plus tard, dans la soirée, quand l'alcool aurait délié les langues, l'ambiance serait meilleure. Ils restèrent à proximité du vaste récipient qui contenait le punch, et Lije en profita pour observer avec intérêt les assistants qui venaient se servir.

— J'ai aidé à faire le punch, dit Jessie. Je peux vous certifier qu'il est bon. En voulez-vous encore ?

S'apercevant que son verre était vide, il sourit et accepta.

Le visage de la jeune fille était ovale, mais pas précisément joli, en raison de la grosseur du nez. Elle était de mise modeste et avait des cheveux châtains et bouclés, qui formaient sur son front une petite frange. Elle prit, elle aussi, un second verre de punch avec lui, et il se sentit plus détendu.

— Ainsi, vous vous appelez Jessie ? dit-il. C'est un joli nom. Voyez-vous une objection à ce que je vous appelle ainsi ?

— Sûrement pas, puisque vous me le demandez. Savez-vous de quel prénom il est le diminutif ?

— De Jessica ?

— Vous ne devinerez jamais.

— J'avoue que je donne ma langue au chat.

— Eh bien, fit-elle en riant d'un air espiègle, c'est Jézabel...

C'est à ce moment-là que son intérêt pour elle s'était soudain accru. Il avait posé son verre, et demandé, très surpris :

— Non, vraiment ?

— Sérieusement. Je ne plaisante pas. C'est Jézabel.

Cela figure sur toutes mes pièces d'identité. Mes parents aimaient ce nom-là.

Elle était très fière de s'appeler ainsi, et cependant nul ne ressemblait moins qu'elle à une Jézabel.

— C'est que, reprit Baley, fort sérieux, moi, je m'appelle Elie (1), figurez-vous.

Mais elle ne vit dans ce fait rien d'étonnant.

— Or, fit-il, Elie fut l'ennemi mortel de Jézabel.

— Ah, oui ?

— Oui, bien sûr. C'est dans la Bible.

— Eh bien, je l'ignorais. Oh ! que c'est drôle ! Mais j'espère que cela ne veut pas dire que vous devrez toute votre vie être mon ennemi mortel !

Dès leur première rencontre, il n'y eut pas de risque qu'un tel danger les menaçât. Tout d'abord, ce fut la coïncidence de leurs noms qui incita Baley à s'intéresser plus particulièrement à elle. Mais ensuite, il en vint à apprécier sa bonne humeur, sa sensibilité, et finalement il la trouva jolie ; ce qu'il aima le plus en elle ce fut son entrain. Lui qui considérait la vie d'un œil plutôt sceptique, il avait besoin de cet antidote. Mais Jessie ne sembla jamais trouver antipathique son long visage, toujours empreint de gravité.

— Et puis après ? s'écriait-elle. Qu'est-ce que ça peut bien faire, si vous avez l'air d'un affreux citron ? Moi, je sais que vous n'en êtes pas un. Et si vous passiez votre temps à rire comme moi, nous finirions par éclater, tous les deux ! Restez donc comme vous êtes, Lije, et aidez-moi à garder les pieds par terre !

Quant à elle, elle l'aida à ne pas sombrer. Il fit une demande pour un petit appartement pour deux

(1) *Elijah* = Elie. (*N.d.T.*)

personnes et obtint la permission de figurer sur la liste des prochains candidats autorisés à se marier. Dès qu'il reçut le papier, il le montra à Jessie et lui dit :

— Voulez-vous m'aider à sortir du dortoir des célibataires, Jessie ? Je ne m'y plais pas.

Ce n'était peut-être pas une demande en mariage très romantique, mais elle plut à Jessie.

Au cours de leur vie conjugale, Baley ne vit qu'une seule fois sa femme perdre complètement sa bonne humeur habituelle, et ce fut également à cause de son nom. Cela se passa pendant la première année de leur mariage, et leur enfant n'était pas encore né ; en fait, ce fut au début même de la grossesse de Jessie. Leurs caractéristiques physiques, leurs valeurs génétiques scientifiquement déterminées, et la situation de fonctionnaire de Baley leur donnaient droit à deux enfants, dont le premier pouvait être conçu dès leur première année de mariage. Et Lije se dit par la suite que, si Jessie avait ainsi cédé, contrairement à son habitude, à une crise de dépression, cela tenait sans doute à son état.

Jessie avait un peu boudé ce jour-là, en reprochant à son mari de rentrer trop tard du bureau :

— C'est gênant de dîner chaque soir toute seule au restaurant communautaire.

Baley était fatigué et énervé par une dure journée de travail.

— Pourquoi donc est-ce gênant ? répliqua-t-il. Tu peux très bien y rencontrer quelques célibataires sympathiques.

— Bien sûr ! Est-ce que tu te figures, par hasard, Lije Baley, que je ne suis pas capable de plaire aux gens ?

Peut-être était-il exceptionnellement las ; ou bien ressentait-il avec une amertume particulière la promotion à une classe supérieure d'un de ses camarades d'école, Julius Enderby, alors que lui-même, Baley, marquait le pas ; peut-être aussi commençait-il à trouver agaçante la manie qu'avait Jessie de vouloir prendre des attitudes correspondant au nom qu'elle portait, attendu qu'elle n'avait pas et n'aurait jamais l'air d'une Jézabel. Toujours est-il qu'il lui répondit d'un ton mordant :

— Je suis convaincu que tu es capable de plaire, mais je ne crois pas que tu l'essaieras et je le regrette. Je voudrais qu'une fois pour toutes tu oublies ce diable de prénom, et que tu sois, tout simplement, toi-même.

— Je serai ce qui me plaît.

— Jouer les Jézabel ne te mènera à rien, mon petit. Et si tu veux savoir la vérité, laisse-moi te dire que ton nom ne signifie pas du tout ce que tu t'imagines. La Jézabel de la Bible était une épouse fidèle, et une femme de grande vertu, à en juger par ses actes. L'Histoire ne lui prête pas d'amants, elle ne créait pas de scandales, et sa conduite n'eut rien d'immoral.

Jessie, fort en colère, le dévisagea durement :

— Ce n'est pas vrai. Je me souviens très bien de la phrase : « Une Jézabel somptueusement parée. » Je sais ce que ça veut dire !

— C'est possible, mais écoute-moi bien. Après la mort du roi Ahab, mari de Jézabel, son fils, Jéhoram, lui succéda. Or, l'un des généraux de son armée, nommé Jéhu, se révolta contre lui, et l'assassina. Puis Jéhu galopa d'une traite jusqu'à Jesreel où la vieille reine-mère, Jézabel, résidait. Elle l'entendit venir, et comprit qu'il avait l'intention de l'assassiner. Avec autant de fierté que de courage, elle se maquilla et revêtit ses plus beaux atours, de façon qu'il se trouvât en présence d'une reine majestueuse, prête à le défier. Il ne l'en fit pas moins précipiter du haut d'une fenêtre du palais, et l'histoire rapporte qu'elle eut une mort digne. Et voilà à quoi les gens font allusion quand ils parlent, généralement sans savoir de quoi il s'agit, du maquillage de Jézabel.

Le lendemain soir, Jessie déclara, d'une petite voix pointue :

— J'ai lu la Bible, Lije...

— Ah oui ? répondit-il, sans comprendre tout de suite où elle voulait en venir.

— Les chapitres concernant Jézabel.

— Oh ! Jessie, excuse-moi si je t'ai blessée. Je plaisantais !

— Non, non ! fit-elle en l'empêchant de la prendre par la taille.

Elle s'assit, froide et guindée sur le divan, et maintint entre eux une certaine distance.

— C'est une bonne chose, reprit-elle, de savoir la vérité. Je n'aime pas qu'on me trompe en profitant de mon ignorance. Alors j'ai lu ce qui la concerne. C'était une méchante femme, Lije.

— Ce sont ses ennemis qui ont rédigé ces textes-là ! Nous ne connaissons pas sa propre version des événements.

— Elle a tué tous les prophètes dont elle a pu s'emparer !...

— C'est du moins ce qu'on a raconté...

Baley chercha dans sa poche un morceau de chewing-gum. A cette époque-là, il en mâchait souvent, mais, quelques années plus tard, il renonça à cette habitude ; en effet, Jessie lui déclara un jour qu'avec sa longue figure et ses grands yeux tristes, il avait l'air, en mastiquant ainsi, d'une vieille vache qui a trouvé dans sa mangeoire une mauvaise herbe, qu'elle ne peut ni avaler ni cracher.

— En tout cas, reprit-il, si tu veux que je te donne le point de vue de Jézabel elle-même, je crois pouvoir t'indiquer un certain nombre d'arguments qui plaident en sa faveur. Ainsi, par exemple, elle demeurait fidèle à la religion de ses ancêtres, lesquels avaient occupé le pays bien avant l'arrivée des Hébreux. Ceux-ci avaient leur Dieu, et, de plus, ce Dieu était exclusif. Enfin, non contents de l'adorer eux-mêmes, ils voulaient le faire adorer par tous les peuples voisins. Or, Jézabel entendait demeurer fidèle aux croyances de ses ancêtres : c'était un esprit conservateur. Si la nouvelle foi relevait de concepts moraux plus élevés, il faut bien reconnaître que l'ancienne offrait de plus intenses émotions. Le fait que Jézabel ait mis à mort des prêtres de Jéhovah n'a rien d'extraordinaire ; en agissant ainsi, elle était bien de son époque, car, en ce temps-là, c'était la méthode de prosélytisme couramment utilisée. Si tu as lu le Premier Livre des Rois, tu dois te rappeler que le prophète Elie, dont je porte le nom, a mis un jour 850 prophètes de Baal au défi de faire descendre le feu du ciel ; ils n'y ont en effet pas réussi ; Elie a donc triomphé et, sur-le-champ, il a ordonné à la foule des assistants de mettre à mort les 850 Baalites, ce qui fut fait.

Jessie se mordit les lèvres et répliqua :

— Et que dis-tu de l'histoire de la vigne de Naboth, Lije ? Voilà un homme qui ne gênait personne, mais qui refusait de vendre sa vigne au roi. Alors, Jézabel s'est arrangée pour que de faux témoins viennent accuser Naboth d'avoir proféré des blasphèmes, ou quelque chose de ce genre.

— Il est écrit qu'il avait blasphémé contre Dieu et contre son roi, dit Baley.

— Oui ; alors, on a confisqué ses biens, après l'avoir mis à mort.

— On a eu tort. Bien entendu, de nos jours, on aurait trouvé très facilement une solution à l'affaire Naboth. Si la ville, ou un des Etats de l'Epoque Médiévale, avait eu besoin du domaine appartenant à Naboth, un tribunal aurait prononcé son expropriation ; il l'aurait même expulsé au besoin, en lui accordant l'indemnité qu'il aurait jugée équitable. Mais le roi Ahab ne disposait pas de solution de ce genre. Et cependant, celle que choisit Jézabel fut mauvaise. Sa seule excuse fut qu'Ahab, malade, se tourmentait beaucoup au sujet de cette propriété ; c'est pourquoi sa femme fit passer son amour conjugal avant le respect des biens de Naboth. Je maintiens donc ce que je t'ai déjà dit d'elle. Elle était le modèle même de la fidèle épouse...

Jessie, le visage empourpré de colère, se rejeta en arrière et s'écria :

— Tu me dis ça par pure méchanceté et par rancune !

Complètement stupéfait, et n'y comprenant rien, il répliqua :

— Qu'est-ce qui te prend ? Et qu'est-ce que j'ai fait pour que tu me parles ainsi ?

Mais elle ne lui dit pas un mot de plus, quitta sur-le-champ l'appartement et passa la soirée et la moitié de la nuit dans les salles de spectacle, allant avec une sorte de frénésie de l'une à l'autre, et utilisant à cet effet tous les tickets d'entrée auxquels elle avait droit pour une période de deux mois, ainsi d'ailleurs que ceux de son mari ! Quand elle rentra chez elle, auprès d'un époux toujours éveillé, elle ne trouva rien d'autre à lui dire.

Ce fut plus tard, beaucoup plus tard, que Baley comprit que, ce soir-là, il avait complètement détruit quelque chose de très important dans la vie intérieure de Jessie. Pour elle, pendant des années, ce nom de Jézabel avait symbolisé le génie de l'intrigue et du mal, et un peu compensé, à ses yeux, l'austérité d'une jeunesse vécue dans un milieu exagérément collet monté. Elle en avait éprouvé une sorte de joie perverse, et adoré le parfum légèrement licencieux qui en émanait.

Mais à partir de cette inoubliable discussion, ce parfum ne se fit plus jamais sentir ; jamais plus elle ne prononça son véritable nom, pas plus devant Lije que devant leurs amis, et pour autant que son mari pût l'imaginer, elle renonça à vouloir s'identifier à Jézabel. Elle fut désormais Jessie et signa son courrier de ce nom-là.

A mesure que les jours passaient, elle se remit à parler à son mari, et, après une ou deux semaines, leur intimité redevint celle du passé ; certes, il leur arriva encore de se disputer, mais aucune de leurs querelles n'atteignit un tel degré d'intensité.

Elle ne fit qu'une seule fois, et indirectement, allusion à cet épineux sujet. Elle était dans son huitième mois de grossesse. Elle venait de cesser ses fonctions d'assistante diététicienne aux cuisines communautaires A-23, et disposait de loisirs inhabituels, pendant lesquels elle se préparait à la naissance de son enfant.

— Que dirais-tu de Bentley ? dit-elle un soir.

— Excuse-moi, chérie, répliqua-t-il, en levant les yeux d'un dossier qu'il étudiait. (Avec une bouche de plus à nourrir, l'arrêt de la paie de Jessie, et peu de chances de se voir lui-même passer prochainement de la classe des employés à celle des cadres, il lui fallait exécuter chez lui du travail supplémentaire.) De quoi parles-tu ?

— Je veux dire que, si c'est un garçon, que penserais-tu de Bentley comme prénom ?

Baley fit un peu la moue et dit :

— Bentley Baley ?... Ne trouves-tu pas que les deux noms se ressemblent beaucoup ?

— Je ne sais pas... C'est une idée que j'ai eue ! D'ailleurs le petit pourra, plus tard, se choisir lui-même un surnom si cela lui convient.

— Eh bien, si cela te plaît, moi, je suis d'accord.

— Tu en es bien sûr ? Peut-être préfères-tu l'appeler Elie ?

— Pour qu'on y ajoute Junior ? Je ne trouve pas que ce soit une bonne solution. S'il en a envie, il pourra lui-même appeler plus tard son fils Elie.

— Evidemment ! répliqua-t-elle. Mais... mais il y a un autre inconvénient...

— Ah ! fit-il après un bref silence. Lequel ?

Elle ne le regarda pas dans les yeux, mais lui dit, avec une intention non dissimulée :

— Bentley n'est pas un prénom biblique, n'est-ce pas ?

— Non, dit-il, certainement pas.

— Alors, c'est parfait. Je ne veux pas de prénom biblique.

Jamais plus, depuis lors, Jessie ne fit la moindre allusion à ce genre de sujet, et, le soir où son mari ramena chez lui le robot Daneel Olivaw, il y avait plus de dix-huit ans qu'ils étaient mariés, et leur fils Bentley, dont le surnom restait encore à trouver, venait d'atteindre sa seizième année.

Baley s'arrêta devant la grande porte à deux battants, sur laquelle brillaient en grosses lettres les mots : TOILETTES — HOMMES ; tandis qu'en dessous figurait, en lettres moins importantes, l'inscription : SUBDIVISIONS IA — IE. Enfin, juste au-dessous de la serrure, il était indiqué en petits caractères : « En cas de perte de la clef, prévenir aussitôt 27-101-51. »

Un homme les dépassa rapidement, introduisit dans la serrure une petite clef en aluminium, et pénétra dans la salle. Il ferma la porte derrière lui et ne chercha pas à la maintenir ouverte pour Baley ; s'il l'avait fait, celui-ci en eût été gravement offensé. En effet, l'usage était fermement établi, entre hommes, de s'ignorer systématiquement les uns les autres, à l'intérieur et aux abords des Toilettes. Mais Baley se rappelait qu'une des premières confidences de son épouse avait été de lui révéler que, dans les Toilettes de femmes, la coutume était toute différente. C'est ainsi qu'il lui arrivait fréquemment de dire :

— Ce matin, j'ai rencontré dans les Toilettes telle ou telle amie, qui m'a raconté telle ou telle chose.

Tant et si bien que, le jour où Baley bénéficia enfin de l'avancement espéré, lequel lui donna droit à un lavabo à eau courante dans son appartement, les relations de Jessie avec le voisinage en pâtirent.

Baley, incapable de masquer complètement son embarras, dit à son compagnon :

— Attendez-moi ici, Daneel, je vous prie.

— Avez-vous l'intention de faire votre toilette ? demanda R. Daneel.

« Au diable le robot ! se dit Baley. Puisqu'on l'a

informé de tout ce qui se trouve à l'intérieur de notre ville d'acier, on aurait pu aussi bien lui enseigner les bonnes manières ! Si jamais il se permet de poser ce genre de question à quelqu'un d'autre, c'est moi qui en serai responsable ! »

— Oui, ajouta-t-il tout haut. Je vais prendre une douche. Le soir, il y a trop de monde, et j'y perds du temps. Si je me lave maintenant, cela nous permettra de disposer de toute notre soirée.

— Je comprends, répondit R. Daneel, sans se départir le moins du monde de son calme. Mais, dites-moi, est-il conforme aux usages que je reste dehors ?

— Je ne vois vraiment pas pourquoi vous y entreriez, puisque vous n'en avez aucun besoin.

— Ah ! je vois ce que vous voulez dire. Oui, évidemment... Pourtant, Elie, moi aussi, j'ai les mains sales, et il faut que je les lave !

Il montra ses paumes, qu'il tendit devant lui. Elles étaient roses et potelées, et leur peau se plissait très naturellement. Elles portaient tous les signes du travail le plus méticuleux, le plus perfectionné ; et Baley les trouva aussi propres qu'il était désirable.

— Il y a un lavabo dans l'appartement, vous savez, répondit-il.

Il dit cela sans y attacher d'importance : à quoi bon se vanter devant un robot ? Mais celui-ci répliqua :

— Je vous remercie pour votre amabilité, mais j'estime que, d'une manière générale, il vaudrait mieux que je me serve de ces Toilettes. Si je dois vivre quelque temps avec vous autres Terriens, je crois qu'il faut que j'adopte le plus grand nombre possible de vos coutumes et de vos manières de faire.

— Eh bien, alors, venez !

L'animation joyeuse de cette pièce brillamment éclairée formait un contraste frappant avec l'agitation fébrile de la ville ; mais, cette fois-ci, Baley n'en eut même pas conscience. Il murmura à Daneel :

— Ça va me prendre environ une demi-heure. Attendez-moi là !

Il avait déjà fait quelques pas, quand il revint pour ajouter :

— Et surtout ne parlez à personne, ne regardez personne ! Pas un mot, pas un geste ! C'est l'usage !

Il jeta autour de lui un regard craintif, pour s'assurer que leur conversation n'avait pas été remarquée et ne suscitait pas de réactions scandalisées. Heureusement personne ne se trouvait là et, après tout, ce n'était encore que l'antichambre des Toilettes.

Il se hâta, à travers les douches communes, jusqu'aux cabines personnelles. Il y avait maintenant cinq ans qu'on lui en avait affecté une : elle était assez spacieuse pour contenir une douche, une petite buanderie, et quelques autres appareils sanitaires. Elle comportait même un petit écran de télévision. « C'est une sorte d'annexe de l'appartement », avait-il dit, en plaisantant, quand on lui avait affecté cette douche privée. Mais maintenant, il lui arrivait souvent de se demander comment il supporterait de se trouver ramené aux conditions infiniment plus spartiates des douches communes, si jamais il venait à perdre son privilège...

Il pressa le bouton actionnant la douche, et le tableau du compteur s'éclaira aussitôt. Quelque temps plus tard, quand il revint trouver R. Daneel qui l'attendait patiemment, il s'était nettoyé des pieds à la tête, portait des sous-vêtements très propres, une chemise impeccable, et se sentait beaucoup mieux.

— Pas d'ennuis ? demanda-t-il, dès qu'ils eurent franchi la sortie.

— Aucun, Elijah, répondit R. Daneel.

Jessie les attendait sur le pas de la porte et souriait nerveusement. Baley l'embrassa et lui dit, entre ses dents :

— Jessie, je te présente un de mes collègues, Daneel Olivaw, à qui l'on m'a associé pour une importante enquête.

Jessie tendit la main à R. Daneel, qui la prit et la relâcha. Après avoir un instant consulté Lije du regard, elle se tourna vers R. Daneel, et lui dit timidement :

— Ne voulez-vous pas vous asseoir, monsieur Olivaw ? Il faut que je règle avec mon mari quelques petits problèmes domestiques. J'en ai juste pour une minute. J'espère que vous nous excuserez...

Elle entraîna Baley dans la pièce voisine, et, dès qu'il en eut refermé la porte, elle murmura en hâte :

— Tu n'es pas blessé, mon chéri ? J'ai été si inquiète, depuis le communiqué de la radio !

— Quel communiqué ?

— La radio a annoncé, il y a une heure, qu'une tentative d'émeute avait eu lieu dans un magasin de chaussures, et que deux détectives étaient parvenus à l'enrayer. Je savais que tu ramenais ton nouvel associé à la maison, et ce bottier se trouvait juste dans le quartier où je pensais que tu passerais en rentrant ; alors, je me suis dit que, à la radio, on essaie toujours de minimiser les incidents, et que...

— Allons, allons, Jessie ! coupa Baley. Tu vois que je suis en parfait état.

Elle se ressaisit, non sans peine, et ajouta, un peu troublée :

— Ton associé n'est pas de ta division, n'est-ce pas ?

— Non, fit Baley, d'un ton lamentable. Il est... complètement étranger à mon service, et même à New York.

— Comment dois-je le traiter ?

— Comme n'importe quel autre collègue, voilà tout !...

Il lui répondit ces mots avec si peu de conviction qu'elle le dévisagea brusquement, en murmurant :

— Qu'est-ce qui ne va pas ?

— Tout va très bien ! Allons, chérie, retournons au salon, sinon cela va commencer à paraître bizarre !

Lije Baley se demanda soudain si l'organisation de l'appartement n'allait pas être délicate à régler. Jusqu'à cet instant même, il ne s'était pas fait de souci à ce sujet. En fait, il avait toujours éprouvé une certaine fierté de ses trois pièces ; le salon, par exemple, était vaste et mesurait cinq mètres sur six. Il y avait un placard dans chaque chambre ; une des principales canalisations d'air passait à proximité immédiate. Il en résultait de temps en temps un petit vrombissement, mais cela offrait, en revanche, les immenses avantages d'une température admirablement contrôlée, et d'un air bien conditionné. De plus, ce logement se trouvait tout près des Toilettes, ce qui, bien entendu, était très pratique.

Mais, en voyant assis, chez lui, cette créature provenant d'un Monde Extérieur, Baley ne fut plus aussi satisfait de sa demeure ; elle lui parut médiocre, et il lui sembla qu'ils y étaient à l'étroit.

Cependant, Jessie lui demanda, en affectant une gaieté pas très naturelle :

— Avez-vous dîné, monsieur Olivaw et toi, Lije ?

— Ah ! tu fais bien d'en parler ! répliqua-t-il vivement. Car je voulais justement te dire que Daneel ne prendra pas ses repas avec nous. Mais moi, je mangerai volontiers quelque chose.

Jessie accepta sans difficulté la chose ; en effet, les rations alimentaires, fort peu abondantes, étaient soumises à un contrôle tellement strict que, entre gens bien élevés, il était d'usage de refuser toute hospitalité. C'est pourquoi elle dit au nouveau venu :

— J'espère, monsieur Olivaw, que vous voudrez bien nous excuser de dîner. Lije, Bentley et moi, nous prenons en général nos repas au restaurant communautaire. C'est plus pratique, il y a plus de choix, et, tout à fait entre nous, je vous avoue que les rations y sont plus fortes. Mais comme Lije a très bien réussi au bureau, on lui a accordé un statut très avantageux, et nous avons le droit de dîner trois fois par semaine chez nous, si nous le désirons. Voilà pourquoi je m'étais dit que, vu les circonstances exceptionnelles, et si cela vous avait fait plaisir, nous aurions pu prendre ici tous ensemble notre repas, ce soir... Mais j'avoue que j'ai scrupule à user de ce genre de privilège, que je considère un peu anti-social.

Baley, désireux de couper court à ces commentaires, tambourina avec ses doigts sur le bras de son fauteuil et dit :

— Eh bien, moi, j'ai faim, Jessie.

Cependant R. Daneel répliqua :

— Serait-ce manquer aux usages de votre ville, madame, que de vous demander la permission de vous appeler par votre petit nom ?

— Mais bien sûr que non ! répondit-elle en rabattant une table pliée contre le mur, et en installant un chauffe-plats dans la cavité aménagée à cet effet en son milieu. Faites comme vous l'entendez et appelez-moi, Jessie... hum... Daneel !

Ce disant, elle rit sous cape, mais son mari se sentit exaspéré. La situation devenait rapidement plus pénible. Jessie traitait R. Daneel en homme. Cette diable de machine allait faire l'objet des bavardages des femmes, lorsque celles-ci se rencontreraient aux Toilettes. Après tout, le personnage avait assez bon aspect, malgré ses manières quelque peu mécaniques, et n'importe qui aurait pu constater que Jessie appréciait son attitude très déférente.

Quant à Baley, il se demanda quelle impression Jessie avait faite sur R. Daneel. En dix-huit années, elle n'avait guère changé, ou du moins telle était l'opinion de son époux. Elle s'était alourdie, et sa silhouette ne donnait plus, comme jadis, une impression de vigueur ; elle avait quelques rides, en particulier aux coins de sa bouche, et ses joues étaient un peu flasques. Elle se coiffait maintenant avec moins de fantaisie, et ses cheveux avaient sensiblement pâli.

Mais là n'était pas la question, et Baley, préoccupé de la situation, songea aux femmes des Mondes Extérieurs, telles, en tout cas, que les documentaires cinématographiques les présentaient ; elles étaient, comme les hommes, grandes, minces, et élancées, et c'était certainement à ce type de femme que R. Daneel devait être habitué.

Pourtant, il ne semblait aucunement déconcerté, ni par la conversation ni par l'aspect de Jessie. Continuant à discuter de leurs noms, il dit à la jeune femme :

— Etes-vous bien sûre que je doive vous appeler

ainsi ? Jessie me semble un diminutif familier, dont l'usage est peut-être réservé à vos intimes, et il serait sans doute plus correct de vous appeler par votre prénom ?

Jessie, qui était en train de retirer d'un papier en cellophane la ration du dîner, affecta de s'absorber dans sa tâche, et répondit d'une voix plus dure :

— Non, simplement Jessie. Tout le monde m'appelle ainsi ; je n'ai pas d'autre nom.

— Eh bien, entendu, Jessie !

La porte s'ouvrit et un jeune homme pénétra avec précaution dans l'appartement. Il aperçut presque aussitôt R. Daneel, et, ne sachant que penser, il demanda :

— Papa ?

— Je vous présente mon fils, Bentley, dit Lije d'un ton peu enthousiaste. Ben, ce monsieur est mon confrère, Daneel Olivaw.

— Ah ! c'est ton associé, papa ? Enchanté, monsieur Olivaw ! Mais, dis-moi, papa, ajouta le garçon dont les yeux brillaient de curiosité, qu'est-ce qui s'est donc passé dans ce magasin de chaussures ? La radio...

— Ne pose donc pas tout le temps des questions, Ben ! répliqua durement Baley.

Bentley fit la moue et regarda sa mère, qui lui fit signe de se mettre à table, en lui disant :

— As-tu fait ce que je t'ai dit, Bentley ?

Ce disant, elle lui passa tendrement la main dans les cheveux, qu'il avait aussi bruns que ceux de son père. Il était presque aussi grand que lui, mais pour le reste, il tenait surtout de sa mère ; il avait le même visage ovale, les yeux couleur de noisette, et

le même penchant à prendre toujours la vie du bon côté.

— Bien sûr, maman, répondit le garçon, en se penchant un peu pour regarder ce que contenaient les deux plats d'où s'échappaient quelques senteurs parfumées. Qu'est-ce qu'on a à manger ? Pas encore du veau synthétique, j'espère ! S'pas, maman ?

— Il n'y a rien à dire du veau qu'on nous livre, répliqua Jessie en pinçant les lèvres. Et tu vas me faire le plaisir de manger ce qu'on te donne, sans faire de commentaires !

De toute évidence, c'était, une fois encore, du veau synthétique !

Baley prit place à table ; lui aussi, il aurait certainement préféré un autre menu, car le veau synthétique avait non seulement une forte saveur mais encore un arrière-goût prononcé. Mais Jessie lui avait, peu auparavant, expliqué comment se posait pour elle le problème de leur alimentation.

— Comprends-moi bien, Lije, lui avait-elle dit. Je ne peux absolument pas faire autrement. Je vis du matin au soir dans ce quartier, et je ne peux pas m'y créer des ennemis, sinon l'existence deviendrait infernale. On sait que j'étais assistante diététicienne et si, chaque semaine, j'emportais un steak ou du poulet, alors qu'à notre étage personne d'autre que nous, pour ainsi dire, n'a le droit de prendre ses repas chez soi, même le dimanche, tout le monde raconterait que, aux cuisines, il y a des combinaisons pas régulières. On ne cesserait pas de bavarder sur nous et je ne pourrais plus sortir de chez moi, ni même aller aux Toilettes, sans être assaillie de questions : je n'aurais plus la paix. Tels qu'ils sont, le veau et les légumes synthétiques sont d'excellents

aliments. Ils représentent une nourriture parfaitement équilibrée, qui s'absorbe et s'assimile sans perte ; ils sont en effet pleins de vitamines, de sels minéraux, et de tout ce qui est nécessaire à n'importe quel organisme. Quant au poulet, nous pouvons en avoir tant que nous voudrons en dînant le mardi au restaurant communataire.

Baley avait cédé sans difficulté, car il savait que Jessie disait vrai : le premier problème que posait l'existence à New York, c'était de réduire au minimum les causes de friction avec la foule de gens qui vous environnaient de tous côtés. Mais convaincre Bentley était chose plus délicate. En effet, il répliqua :

— Mais j'y pense, maman ! Je n'ai qu'à prendre un ticket de papa et aller dîner au restaurant communautaire ! Ça ne prendra pas plus de temps.

Mais Jessie secoua vigoureusement la tête, et lui dit d'un ton réprobateur :

— Non, non, Bentley ! Tu me surprends beaucoup. Qu'est-ce que les gens diraient, s'ils te voyaient attablé tout seul au restaurant ? Ils penseraient que cela t'ennuie de dîner avec tes parents, ou que ceux-ci t'ont chassé de l'appartement !

— Oh ! fit le garçon. Après tout, ça ne les regarde pas !

— Assez, Bentley ! jeta Lije, non sans nervosité. Fais ce que ta mère te dit et tais-toi.

Bentley haussa les épaules et ne cacha pas son dépit.

Soudain, à l'autre bout de la pièce, R. Daneel demanda :

— Ne trouverez-vous pas indiscret, tous les trois,

que je jette un coup d'œil à ces livres filmés, que vous avez là ?

— Mais c'est tout naturel ! s'écria Bentley, en se levant aussitôt de table, et en manifestant le plus vif intérêt. Ils sont à moi ; j'ai obtenu au collège une autorisation spéciale pour les emporter de la bibliothèque. Je vais vous passer mon appareil de lecture. Il est très bon : c'est papa qui me l'a donné pour ma fête.

Il l'apporta à R. Daneel et lui demanda :

— Est-ce que les robots vous intéressent, monsieur Olivaw ?

Baley laissa tomber sa cuiller et se baissa pour la ramasser.

— Oui, Bentley, répondit R. Daneel. Ils m'intéressent beaucoup.

— Alors, vous allez aimer ces livres filmés, car ils ont tous pour sujet les robots. J'ai une dissertation à faire là-dessus et c'est pour ça que je me documente ; c'est un sujet très compliqué, ajouta-t-il d'un air important. Personnellement, moi, je n'aime pas les robots.

— Assieds-toi, Bentley, lui cria son père, navré. N'ennuie pas M. Olivaw.

— Oh ! il ne m'ennuie pas du tout, Elijah ! J'aimerais te parler de ce problème une autre fois, Bentley, ajouta-t-il. Mais, ce soir, ton père et moi, nous serons très occupés.

— Merci beaucoup, monsieur Olivaw ! dit Bentley en reprenant place à table.

Il jeta vers sa mère un regard boudeur, et se mit en devoir d'attaquer la nourriture rose et friable dénommée veau synthétique.

Et Baley songea à ces « occupations », auxquelles R. Daneel venait de faire allusion. D'un seul coup, il se souvint de sa mission et du Spacien assassiné à Spacetown. Depuis plusieurs heures, il avait été tellement absorbé par ses préoccupations personnelles qu'il en avait oublié le meurtre.

5

ANALYSE D'UN MEURTRE

Jessie prit congé d'eux. Elle portait un chapeau très simple et une jaquette en kératofibre.

— Excusez-moi de vous quitter, monsieur Olivaw, dit-elle, mais je sais que vous avez beaucoup à parler tous les deux.

Elle poussa son fils devant elle vers la porte.

— Quand comptes-tu rentrer, Jessie ? demanda Baley.

— Eh bien... fit-elle en hésitant un peu. Quand désires-tu me voir revenir ?

— Oh ! ce n'est pas la peine de passer la nuit dehors ! Reviens comme d'habitude, vers minuit.

Il jeta un regard interrogateur à R. Daneel, qui acquiesça d'un signe de tête et dit à Jessie :

— Je suis désolé de vous faire partir, Jessie.

— Oh ! ne vous tracassez pas pour ça, monsieur Olivaw ! répliqua-t-elle. Ce n'est pas à cause de vous que je sors ; j'ai toutes les semaines une réunion de jeunes filles dont je m'occupe, et elle a justement lieu ce soir. Allons, viens, Ben !

Mais le garçon ne voulait rien entendre, et il maugréa :

— Je voudrais bien savoir pourquoi il faut que j'y aille ! Je ne les dérangerai pas si je reste ! Ah, la barbe !

— Allons, ça suffit maintenant ! Fais ce que je te dis !

— Alors, emmène-moi au moins avec toi !

— Non. Moi, je vais avec des amies, et toi, tu vas retrouver...

La porte se referma sur eux.

Le moment fatidique était enfin venu, ce moment que Baley n'avait cessé de retarder ; il avait commencé par vouloir examiner le robot et se rendre compte de ce qu'il était ; puis il y avait eu le retour à l'appartement, et enfin le dîner. Mais, maintenant que tout était terminé, il n'y avait plus moyen de retarder l'échéance. Il fallait enfin aborder le problème du meurtre, des complications interstellaires, et de tout ce qui pouvait en résulter pour lui-même, soit un avancement, soit une disgrâce. Le pire, c'était qu'il ne voyait aucun autre moyen d'attaquer le problème qu'en cherchant une aide auprès du robot lui-même. Il tambourina nerveusement sur la table, que Jessie n'avait pas repliée contre le mur.

— Sommes-nous sûrs de ne pas être entendus ? dit R. Daneel.

Baley le regarda, très surpris, et répliqua :

— Personne ne se permettrait de chercher à voir ou à entendre ce qui se passe dans l'appartement d'autrui !

— Ah ! On n'a donc pas l'habitude d'écouter aux portes ?

— Non, Daneel. Cela ne se fait pas... pas plus qu'on ne regarde dans l'assiette des gens quand ils mangent...

— Pas plus qu'on ne commet d'assassinats ?
— Comment ?
— Oui. C'est contraire à vos usages de tuer, n'est-ce pas, Elijah ?
Baley sentit la colère le gagner.
— Ecoutez-moi bien, R. Daneel ! dit-il en insistant sur le « R ». Si nous devons mener cette enquête en associés, je vous prierai de renoncer à l'arrogance habituelle des Spaciens. Vous n'avez pas été conçu pour ça, souvenez-vous-en !
— Excusez-moi de vous avoir blessé, Elijah, car je n'en avais nullement l'intention. Je voulais seulement remarquer que, si les êtres humains sont parfois capables, contrairement aux usages, de tuer, sans doute peuvent-ils aussi se laisser aller à des manquements moins importants, tels que celui d'écouter aux portes.
— L'appartement est parfaitement insonorisé, répliqua Baley, qui continuait à froncer des sourcils. Vous n'avez rien entendu de ce qui se passe dans les appartements voisins, n'est-ce pas ? Eh bien, ils ne nous entendront pas plus. D'autre part, pourquoi quelqu'un se douterait-il qu'un entretien important se déroule en ce moment sous mon toit ?
— Il ne faut jamais sous-estimer l'adversaire, Lije.
— Eh bien, commençons ! dit Baley en haussant les épaules. Mes renseignements sont sommaires, en sorte que je n'ai pas d'idées préconçues. Je sais qu'un homme répondant au nom de Roj Nemennuh Sarton, citoyen de la planète Aurore et résidant provisoirement à Spacetown, a été assassiné par un ou des inconnus. J'ai cru comprendre que les Spaciens estiment qu'il ne s'agit pas là d'un événement isolé. Est-ce bien cela ?

— Exactement.

— On fait donc, à Spacetown, un rapport entre ce meurtre et certaines tentatives, exécutées récemment, dans le but de saboter les projets patronnés par les Spaciens ; le principal de ces projets vise à l'établissement à New York d'une société nouvelle composée moitié d'êtres humains et moitié de robots, sur le modèle déjà existant dans les Mondes Extérieurs ; et Spacetown prétend que le meurtre commis sur son territoire est l'œuvre d'un groupe terroriste bien organisé.

— Oui, c'est bien cela.

— Bon. Alors, pour commencer, je pose la question suivante : la thèse de Spacetown est-elle nécessairement exacte ? Pourquoi l'assassinat ne pourrait-il pas avoir été l'œuvre d'un fanatique isolé ? Il y a sur la Terre une forte tendance anti-robot, mais vous ne trouverez pas de partis organisés qui préconisent de tels actes de violence.

— Pas ouvertement, sans doute.

— Si même il existe une organisation secrète dont le but est de détruire les robots et les ateliers qui les construisent, ces gens ne seraient pas assez stupides pour ne pas comprendre que la pire des erreurs à commettre serait d'assassiner un Spacien. Pour moi, il semble beaucoup plus vraisemblable de penser que c'est un déséquilibré qui a fait le coup.

Après avoir écouté soigneusement, R. Daneel répliqua :

— A mon avis, il y a un fort pourcentage de probabilités contre la thèse du criminel isolé et fanatique. La victime a été trop bien choisie, et l'heure du crime trop bien calculée, pour qu'on puisse attribuer le meurtre à d'autres auteurs qu'à un groupe de terroristes ayant soigneusement préparé leur coup.

— Il faut, pour que vous disiez cela, que vous soyez en possession de plus de renseignements que je n'en ai moi-même. Alors, sortez-les !

— Vous usez d'expressions un peu obscures pour moi, mais je crois que je vous ai tout de même compris. Il va falloir que je vous explique un peu certains éléments du problème. Tout d'abord, je dois vous dire que, vu de Spacetown, l'état des relations avec la Terre est fort peu satisfaisant.

— Je dirai qu'elles sont tendues, murmura Baley.

— Je crois savoir qu'au moment de la fondation de Spacetown, mes compatriotes ont, pour la plupart, tenu pour assuré que les Terriens étaient décidés à adopter le principe des sociétés intégrées, dont l'application a donné de si bons résultats dans les Mondes Extérieurs. Même après les premières émeutes, nous avons pensé qu'il s'agissait seulement d'une réaction provisoire des Terriens, surpris et choqués par la nouveauté de cette conception. Mais la suite des événements a prouvé que tel n'était pas le cas. Malgré la coopération effective du gouvernement de la Terre et de ceux de vos villes, la résistance aux idées nouvelles n'a jamais cessé, et les progrès réalisés ont été très lents. Naturellement, cet état de choses a causé de graves soucis à notre peuple.

— Par pur altruisme, j'imagine, dit Baley.

— Pas seulement pour cela, répliqua R. Daneel, mais vous êtes bien bon d'attribuer à ces préoccupations des motifs respectables. En fait, nous avons tous la conviction qu'un Monde Terrestre peuplé d'individus en bonne santé, et scientifiquement modernisé, serait d'un grand bienfait pour la Galaxie tout entière. C'est en tout cas ce que les habitants de Spacetown croient fermement, mais je dois admettre que, dans divers Mondes Extérieurs, il se manifeste de fortes oppositions à ces opinions.

— Comment donc ? Y aurait-il désaccord entre Spaciens ?

— Sans aucun doute. Certains pensent qu'une Terre modernisée deviendrait dangereuse et impérialiste. C'est en particulier le cas des populations des Mondes Extérieurs les plus proches de la Terre ; celles-ci gardent en effet, plus que d'autres, le souvenir des premiers siècles au cours desquels les voyages interstellaires devinrent chose facile : à cette époque, leurs mondes étaient, politiquement et économiquement, contrôlés par la Terre.

— Bah ! soupira Baley. Tout ça, c'est de l'histoire ancienne ! Sont-ils réellement inquiets ? Ont-ils encore l'intention de nous chercher noise pour des incidents qui se sont produits il y a des centaines d'années ?

— Les humains, répliqua R. Daneel, ont une curieuse mentalité. Ils ne sont pas, à bien des points de vue, aussi raisonnables que nous autres robots, parce que leurs circuits ne sont pas, comme les nôtres, calculés à l'avance. Il paraît, m'a-t-on dit, que cela comporte des avantages.

— C'est bien possible, fit Baley sèchement.

— Vous êtes mieux placé que moi pour le savoir, dit R. Daneel. Quoi qu'il en soit, la persistance des échecs que nous avons connus sur la Terre a renforcé les partis nationalistes des Mondes Extérieurs. Ceux-ci déclarent que, de toute évidence, les Terriens sont des êtres différents des Spaciens, et qu'il ne peut être question de leur inculquer nos traditions. Ils affirment que, si nous contraignons par la force la Terre à utiliser comme nous les robots, nous provoquerons inévitablement la destruction de la Galaxie tout entière. Ils n'oublient jamais, en effet, que la population de la Terre s'élève à huit milliards, alors que celle des cinquante Mondes Extérieurs réunis excède à peine cinq milliards et demi. Nos compatriotes, en particulier le Dr Sarton...

— C'était un savant ?

— Oui, un spécialiste des questions de sociologie, particulièrement celles concernant les robots : il était extrêmement brillant.

— Ah, vraiment ? Continuez.

— Comme je vous le disais, le Dr Sarton et d'autres personnalités comprirent que Spacetown — et tout ce que cette ville représente — ne pouvait pas subsister longtemps, si des idées comme celles que je viens de vous exposer continuaient à se développer, en puisant leur raison d'être dans nos échecs continuels. Le Dr Sarton sentit que l'heure était venue de faire un suprême effort pour comprendre la psychologie du Terrien. Il est facile de dire que les peuples de la Terre sont par nature conservateurs, et de parler en termes méprisants des « indécrottables Terriens », ou de la « mentalité insondable des populations terrestres » ; mais cela ne résout pas le problème. Le Dr Sarton déclara que de tels propos ne prouvaient qu'une chose, l'ignorance de leurs auteurs, et qu'il est impossible d'éliminer le Terrien au moyen d'un slogan ou avec du bromure. Il affirma que les Spaciens désireux de réformer la Terre devaient renoncer à la politique isolationniste de Spacetown et se mêler beaucoup plus aux Terriens ; ils devraient vivre comme eux, penser comme eux, concevoir l'existence comme eux.

— Les Spaciens ? répliqua Baley. Impossible.

— Vous avez parfaitement raison, reprit R. Daneel. En dépit de ses théories, le Dr Sarton ne put jamais se décider à pénétrer dans une de vos villes. Il s'en sentait incapable. Il n'aurait jamais pu endurer ni leur énormité ni les foules qui les peuplent. Si même on l'avait contraint d'y venir, sous la menace d'une arme à feu, vos conditions intérieures d'existence lui auraient paru tellement écrasantes qu'il n'aurait jamais réussi à découvrir les vérités intérieures qu'il cherchait à comprendre.

— Mais voyons, demanda Baley, comment admettre cette idée fixe des Spaciens concernant nos maladies ? Ne l'oubliez pas, R. Daneel ! A ce seul point de vue, il n'y a pas un Spacien qui se risquerait à pénétrer dans une de nos cités.

— C'est très vrai. La maladie, telle que les Terriens ont l'habitude d'en faire l'expérience, est une chose inconnue dans les Mondes Extérieurs, et la peur de ce que l'on ne connaît pas est toujours morbide. Le Dr Sarton se rendait parfaitement compte de tout cela ; néanmoins, il n'a jamais cessé d'insister sur la nécessité d'apprendre à connaître toujours plus intimement les Terriens et leurs coutumes.

— Il me semble qu'il s'est ainsi engagé dans une impasse.

— Pas tout à fait. Les objections soulevées contre l'entrée de nos compatriotes dans vos villes sont valables pour des Spaciens humains ; mais les robots spaciens sont tout différents.

« C'est vrai, se dit Baley, j'oublie tout le temps qu'il en est un ! »

— Ah ! fit-il à haute voix.

— Oui, répliqua R. Daneel. Nous sommes naturellement plus souples, en tout cas à ce point de vue-là. On peut nous construire de telle façon que nous nous adaptions parfaitement à la vie terrestre. Si l'on nous fait un corps identique à celui des humains, les Terriens nous accepteront mieux et nous laisseront pénétrer davantage dans leur intimité.

— Mais vous-même ?... dit Baley, se sentant soudain le cœur plus léger.

— Moi, je suis précisément un robot de cette espèce. Pendant un an, le Dr Sarton a travaillé aux plans et à la construction de tels robots. Malheureusement, mon éducation n'est pas encore complète. J'ai été, en hâte et prématurément, affecté à la mission que je remplis actuellement, et c'est là une des conséquences du meurtre.

— Ainsi donc, tous les robots spaciens ne sont pas comme vous ? Je veux dire que certains ressemblent plus à des robots et ont une apparence moins humaine. C'est bien cela ?

— Mais bien sûr ! C'est tout naturel. L'aspect extérieur d'un robot dépend essentiellement de la mission qu'on lui donne. Ma propre mission exige un aspect tout ce qu'il y a de plus humain, et c'est bien mon cas. D'autres robots sont différents, et cependant ils sont tous humanoïdes. Ils le sont certes plus que les modèles si primitifs et si médiocres que j'ai vus dans le magasin de chaussures. Tous vos robots sont-ils ainsi faits ?

— Plus ou moins, dit Baley. Vous en désapprouvez l'emploi ?

— Bien entendu. Comment faire admettre qu'une aussi grossière parodie de l'être humain puisse prétendre à quelque égalité intellectuelle avec l'homme ? Vos usines ne peuvent-elles rien construire de mieux ?

— Je suis convaincu que si, Daneel. Mais je crois que nous préférons savoir si nous avons ou non affaire à un robot.

Ce disant, il regarda son interlocuteur droit dans les yeux ; ils étaient brillants et humides, comme ceux d'un homme, mais Baley eut l'impression que leur regard était fixe, et n'avait pas cette mobilité que l'on trouve chez l'homme.

— J'espère qu'avec le temps, dit R. Daneel, je parviendrai à comprendre ce point de vue.

Pendant un court instant, Baley eut l'impression que cette réponse n'était pas dénuée de sarcasme ; mais il chassa vite cette pensée.

— De toutes manières, reprit R. Daneel, le Dr Sarton avait clairement compris que tout le problème consistait à trouver la formule adéquate combinant C/Fe.

— C/Fe ? Qu'est-ce que c'est que ça ?

— Tout simplement les symboles chimiques du carbone et du fer, Elijah. Le carbone est l'élément de base de la vie humaine, et le fer est celui de la vie des robots. Il devient facile de parler de C/Fe, quand on désire exprimer une forme de culture qui puisse combiner au mieux les propriétés des deux éléments, sur des bases égales et parallèles.

— Ah ! fit Baley. Mais, dites-moi, comment écrivez-vous ce symbole C-Fe ? Avec un trait d'union ?

— Non, Elijah, avec une barre en diagonale. Elle signifie que ni l'un ni l'autre des éléments ne prédomine, et qu'il s'agit d'un mélange des deux, sans qu'aucun ait la priorité.

Malgré lui, Baley ne put s'empêcher de s'avouer qu'il était très intéressé par ce que lui disait R. Daneel. L'instruction que l'on donnait couramment aux jeunes Terriens ne comportait à peu près aucun renseignement sur l'histoire et la sociologie des Mondes Extérieurs, à partir de la Grande Révolte qui avait rendu ceux-ci indépendants de la planète-mère. Il existait évidemment une littérature filmée et romancée qui mettait en vedette des personnages des Mondes Extérieurs, toujours les mêmes. On y trouvait un magnat venant visiter la Terre, et se montrant invariablement coléreux et excentrique ; ou encore une belle héritière, ne manquant pas d'être séduite par les charmes du Terrien, et noyant dans un amour ardent le dédain qu'elle professait pour tout ce qui était issu de la Terre ; ou enfin le rival spacien, aussi arrogant que méchant, mais toujours voué à la défaite. Certes, ces tableaux-là n'avaient aucune valeur, du simple fait qu'ils faisaient abstraction des vérités les plus élémentaires et les mieux connues, à savoir en particulier que jamais les Spaciens ne pénétraient dans les cités terrestres, et qu'aucune femme spacienne n'avait pratiquement rendu visite à la Terre.

Et, pour la première fois de sa vie, Baley se sentit pénétré d'une étrange curiosité. En quoi consistait vraiment l'existence des Spaciens ? Il lui fallut faire un effort pour ramener sa pensée au problème qu'il avait mission de résoudre.

— Je crois, dit-il, que je vois où vous voulez en venir. Votre Dr Sarton envisageait de convertir les populations de la Terre à sa nouvelle combinaison C/Fe, en la leur présentant sous un angle nouveau et prometteur. Nos milieux conservateurs qui se dénomment eux-mêmes Médiévalistes, ont été troublés par ces révélations. Ils ont eu peur que Sarton réussisse, et c'est pour cela qu'ils l'ont tué. Telle est donc la raison qui vous incite à voir dans ce meurtre l'œuvre d'un complot organisé, et non d'un fanatique isolé. C'est bien ça ?

— C'est en effet à peu près ainsi que je vois la chose, Elijah.

Baley, songeur, siffla en sourdine, tout en tapotant légèrement sur la table, de ses longs doigts souples. Puis il hocha la tête :

— Non, fit-il. Ça ne colle pas. Ça ne peut pas coller !

— Excusez-moi, mais je ne vous comprends pas !...

— J'essaie de me représenter la chose. Un Terrien entre tranquillement dans Spacetown, il va droit chez le Dr Sarton, il le tue, et il s'en va comme il était venu. Eh bien, je ne vois pas cela. L'entrée de Spacetown est, bien entendu, gardée ?

— En effet, dit R. Daneel. Je crois pouvoir affirmer qu'aucun Terrien ne peut franchir subrepticement l'entrée du territoire.

— Alors, vous voilà bien avancé !

— Nous serions certainement dans une troublante impasse, Elijah, s'il n'y avait, pour venir de New York à Spacetown, que le chemin de l'express.

Baley, songeur, observa attentivement son associé.

— Je ne vous suis pas, dit-il. Il n'y a pas d'autre voie de communication entre les deux villes que celle-là, voyons !

— Il n'y en a pas d'autre directe, en effet, répondit R. Daneel, qui, après avoir un moment gardé le silence, ajouta : Vous ne voyez toujours pas où je veux en venir, n'est-ce pas ?

— Absolument pas. Je me demande à quoi vous faites allusion.

— Eh bien, sans vouloir vous offenser, je vais tâcher de m'expliquer. Voudriez-vous me donner du papier et un crayon ?... Merci. Alors, suivez-moi bien, Elijah. Je trace ici un large cercle qui va représenter la ville de New York ; puis, en voici un autre plus petit, que je dessine tangent au premier, et qui figurera Spacetown. Au point de tangence des deux circonférences, je trace une flèche que je désigne sous le nom de barrière. Ne voyez-vous aucun autre moyen de faire communiquer les deux cercles ?

— Non, bien sûr ! Il n'en existe pas !

— Dans une certaine mesure, dit le robot, je suis content de vous entendre parler ainsi, car cela confirme ce que l'on m'a appris sur la mentalité des Terriens et leur méthode de raisonnement. Cependant, si la barrière est l'unique point de contact direct entre les deux zones, il n'en est pas moins vrai que New York et Spacetown donnent, l'une et l'autre, et dans toutes les directions, sur la campagne. Il est donc possible à un Terrien de quitter la ville par une de ces nombreuses sorties existantes, et de gagner Spacetown par la campagne, sans qu'aucune barrière ne l'arrête.

— Par la campagne ?

— Oui.

— Vous prétendez que l'assassin aurait traversé seul la campagne ?

— Pourquoi pas ?

— A pied ?

— Sans aucun doute. C'est le meilleur moyen de ne pas être découvert. Le meurtre a eu lieu dans les premières heures de la matinée, et le trajet a dû être parcouru avant l'aube.

— Impossible ! s'écria Baley. Il n'y a pas, dans tout New York, un seul homme qui se risquerait à quitter seul la ville.

— Je vous accorde qu'en temps ordinaire cela peut paraître invraisemblable. Nous autres Spaciens, nous sommes au courant de cet état de choses, et c'est pourquoi nous ne montons la garde qu'à la barrière. Même au moment de la grande émeute, vos compatriotes ont attaqué uniquement la barrière, mais pas un seul n'a quitté la ville.

— Et alors ?

— Mais maintenant nous sommes en présence d'une situation exceptionnelle. Il ne s'agit pas de la ruée aveugle d'une foule cherchant à briser une résistance ; nous avons affaire à un petit groupe de gens qui, de propos délibéré, tentent de frapper en un point non gardé. C'est ce qui explique qu'un Terrien ait pu, comme vous l'avez dit tout à l'heure, pénétrer dans Spacetown, aller droit à la demeure de sa victime, la tuer, et s'en aller. Le meurtrier est entré par un point absolument désert de notre territoire.

— C'est trop invraisemblable ! répéta Baley en secouant la tête. Vos compatriotes ont-ils essayé de trouver des éléments précis permettant de servir de base à une telle théorie ?

— Oui. Votre chef était chez nous, presque au moment où le crime a eu lieu.

— Je sais. Il m'a mis au courant.

— Ce fait est une preuve supplémentaire du soin que l'on a apporté à choisir l'heure du meurtre. Le commissaire principal travaillait depuis longtemps avec le Dr Sarton ; c'est avec lui que notre grand savant avait élaboré un plan selon lequel certains accords devaient être conclus entre nos villes, afin d'introduire petit à petit chez vous des robots tels que moi. Le rendez-vous prévu pour le jour du crime avait précisément pour objet la discussion de ce plan ; naturellement, le meurtre a arrêté, provisoirement du moins, la mise en œuvre de ces projets ; et la présence de votre chef dans Spacetown, à ce moment même, a rendu toute la situation plus difficile et plus embarrassante, non seulement pour les Terriens, mais également pour les Spaciens. Mais ce n'est pas cela que j'avais commencé à vous raconter. Quand le commissaire principal est arrivé, nous lui avons dit : « L'assassin a dû venir en traversant la campagne. » Et, tout comme vous, il nous a répondu : « Impossible ! » ou peut-être : « Impensable ! » Comme vous pouvez l'imaginer, il était bouleversé, et peut-être son émotion l'a-t-elle empêché de saisir le point essentiel. Quoi qu'il en soit, nous avons exigé qu'il procède, presque sur-le-champ, à toutes les vérifications susceptibles de nous éclairer sur la valeur de cette hypothèse.

Baley songea aux lunettes cassées du commissaire, et, au milieu même de ses sombres pensées, il ne put se défendre d'un léger sourire. Pauvre Julius ! Oui, cela ne pouvait faire de doute, il devait être bouleversé ! Bien entendu, Enderby n'avait pas trouvé le moindre moyen d'expliquer la situation aux orgueilleux Spaciens, car ceux-ci considéraient toute défectuosité physique comme une tare particulièrement choquante, inhérente à la race des Terriens, et due au fait que celle-ci n'était pas génétiquement sélectionnée. Au surplus, toute explication donnée dans ce domaine lui aurait aussitôt fait perdre la face, et le commissaire principal Julius Enderby ne pouvait à aucun prix se permettre cela. Aussi bien, les Terriens devaient se tenir les coudes à tous points de vue, et Baley se promit de ne rien révéler au robot sur la myopie d'Enderby.

Cependant, R. Daneel reprit son exposé :

— L'une après l'autre, toutes les sorties de la ville ont été inspectées. Savez-vous combien il y en a, Elijah ?

Baley secoua la tête, et dit, au hasard :

— Une vingtaine ?...

— Cinq cent deux.

— Quoi ?

— Primitivement, il y en avait beaucoup plus, mais il n'en subsiste que cinq cent deux utilisables. Votre ville a grandi lentement, Elijah ! Jadis, elle était à ciel ouvert, et les gens passaient librement de la cité à la campagne.

— Bien sûr ! Je sais tout cela.

— Eh bien, quand New York est pour la première fois devenue une ville fermée, on a laissé subsister beaucoup d'issues, et il en reste aujourd'hui cinq cent deux. Toutes les autres ont été soit condamnées, soit détruites, pour faire place à des constructions. Je ne tiens pas compte, naturellement, des terrains d'atterrissage des avions de transport.

— Alors, qu'est-il résulté de cette inspection des sorties ?

— Rien. Aucune de ces issues n'est gardée. Nous n'avons trouvé aucun fonctionnaire qui en fût officiellement chargé, et personne n'a voulu prendre la moindre responsabilité à ce sujet. On eût dit que nul ne connaissait même l'existence de ces issues. On peut donc affirmer que n'importe qui a pu sortir par une de ces portes, quand et comme il l'a voulu, et rentrer de même, sans que nul ne puisse jamais déceler cette fugue.

— Qu'a-t-on trouvé d'autre ? L'arme du crime avait disparu, j'imagine ?...

— Oh, oui !

— Aucun autre indice utilisable ?

— Aucun. Nous avons examiné à fond les abords de la frontière du territoire de Spacetown. Les robots travaillant dans les fermes ne peuvent apporter le moindre témoignage ; ils ne sont guère plus que des machines à exploiter les fermes, à peine des humanoïdes ; et il n'y avait aucun être humain dans ces parages.

— Hum ! fit Baley. Alors, quoi ?

— Comme nous avons échoué à un bout de la ligne, à Spacetown, il faut essayer de réussir à l'autre bout, à New York. Nous allons donc avoir pour tâche de découvrir tous les groupes qui fomentent de l'agitation, et de dépister toutes les organisations subversives.

— Combien de temps avez-vous l'intention de consacrer à cette enquête ? demanda Baley.

— Aussi peu que possible, mais autant qu'il le faudra.

— Eh bien, reprit Baley, pensif, je paierais cher pour que vous ayez un autre associé que moi dans cette pagaille !...

— Moi pas, dit R. Daneel. Le commissaire principal nous a fait le plus grand éloge de votre loyauté et de vos capacités.

— Il est vraiment trop bon ! répliqua Lije ironiquement, tout en se disant : « Pauvre Julius ! Il a du remords à mon égard, et il se donne du mal... »

— Nous ne nous en sommes pas rapportés entièrement à lui, reprit le robot. Nous avons examiné votre dossier. Vous vous êtes ouvertement opposé à l'usage des robots dans votre service.

— Oh, oh ! Et vous avez une objection à formuler là-dessus ?

— Pas la moindre. Il est bien évident que vous avez le droit d'avoir une opinion. Mais votre prise de position nous a contraints à étudier de très près votre profil psychologique. Et nous savons que, malgré votre profonde antipathie pour les robots, vous travaillerez avec l'un d'eux si vous considérez que tel est votre devoir. Vous avez un sens extraordinairement élevé de la loyauté, et vous êtes extrêmement respectueux de l'autorité légale. C'est exactement ce qu'il nous faut, et le commissaire Enderby vous a bien jugé.

— Vous n'éprouvez aucun ressentiment, du fait de mon antipathie pour les robots ?

— Du moment qu'elle ne vous empêche pas de travailler avec moi, ni de m'aider à accomplir la tâche que l'on m'a assignée, quelle importance peut-elle avoir ?

Baley en resta interloqué, et il répliqua, agressivement :

— A la bonne heure ! J'ai donc passé avec succès l'examen ! Eh bien, parlons un peu de vous, maintenant ! Qu'est-ce qui vous qualifie pour faire le métier de détective ?

— Je ne vous comprends pas.

— Vous avez été dessiné et construit pour rassembler des renseignements. Vous êtes un sosie d'homme, chargé de fournir aux Spaciens des éléments précis sur la vie des Terriens.

— N'est-ce pas un bon début, pour un enquêteur, Elijah, que de rassembler des renseignements ?

— Un début, peut-être. Mais une enquête exige bien autre chose que cela ?

— J'en suis convaincu. Et c'est pourquoi on a procédé à un réglage spécial de mes circuits.

— Ah ?... Je serais vraiment curieux d'en connaître les détails, Daneel.

— Rien de plus facile. Je puis vous dire, par exemple, qu'on a particulièrement renforcé, dans mes organes moteurs, le désir de la justice.

— La justice ! s'écria Baley.

Sa réaction fut tout d'abord ironique, mais elle fit aussitôt place à une extrême méfiance, qu'il ne se donna même pas la peine de déguiser.

A ce moment, R. Daneel se retourna vivement sur sa chaise et regarda vers la porte.

— Quelqu'un vient ! dit-il.

C'était exact, car la porte s'ouvrit, et Jessie, pâle et les lèvres pincées, entra, à la vive surprise de Baley.

— Par exemple, Jessie, s'écria-t-il. Qu'est-ce qui ne va pas ?

Elle s'arrêta sur le seuil, et évita le regard de son mari.

— Je m'excuse, murmura-t-elle. Il fallait que je rentre...

— Et où est Bentley ?

— Il va passer la nuit au Foyer du jeune homme.

— Pourquoi donc ? Je ne t'avais pas dit de faire ça !

— Tu m'avais dit que ton associé coucherait ici,

et j'ai pensé qu'il aurait besoin de la chambre de Bentley.

— Ce n'était pas nécessaire, Jessie, dit R. Daneel.

Elle leva les yeux vers lui et le dévisagea longuement. Baley baissa la tête et contempla ses ongles ; il sentit un irrésistible malaise l'envahir, à la pensée de ce qui allait suivre, de ce qu'il ne pouvait d'aucune manière, empêcher. Dans le silence oppressant qui suivit, le sang lui monta au visage, ses tempes battirent très fort, et finalement il entendit, lointaine et comme tamisée par d'épaisses couches d'isolant, la voix de sa femme qui disait :

— Je crois que vous êtes un robot, Daneel.

Et R. Daneel lui répondit, toujours aussi calmement :

— Je le suis, en effet, Jessie.

6

MURMURES DANS UNE CHAMBRE A COUCHER

Sur les sommets les plus élevés de quelques immeubles — les plus luxueux — de la cité, se trouvent les solariums naturels ; ils sont recouverts d'un toit de quartz qui interdit à l'air d'y pénétrer librement, mais laisse passer les rayons du soleil, et un second toit métallique et mobile permet de les fermer entièrement à la lumière du jour. C'est là que les femmes et les filles des principaux dirigeants de la ville peuvent venir se bronzer. C'est là, et là seulement que, chaque soir, se produit un fait exceptionnel : la nuit tombe.

Dans le reste de la ville (y compris les solariums de lumière artificielle, où des millions d'individus peuvent, pendant des périodes strictement limitées, s'exposer de temps en temps aux feux de lampes à arcs), il n'y a que des cycles arbitraires d'heures.

L'activité de la cité pourrait facilement se poursuivre, soit au régime de trois tranches de huit heures, soit à celui de quatre tranches de six heures, qu'il fasse « nuit » ou « jour ». La lumière, comme le travail, pourrait ne jamais cesser. Il y a d'ailleurs en permanence des réformateurs qui, périodiquement, préconisent ce mode d'existence, dans l'intérêt de l'économie et du rendement. Mais leurs propositions ne sont jamais acceptées.

La plupart des anciennes habitudes auxquelles était attachée la société terrestre avait dû être sacrifiée, dans l'intérêt de cette économie et de ce rendement : ainsi en avait-il été de l'espace vital, de l'intimité du foyer et même d'une bonne partie de la liberté d'action. C'étaient pourtant là les fruits d'une civilisation dix fois millénaire.

En revanche, l'habitude qu'a prise l'homme de dormir la nuit est aussi vieille que l'humanité : un million d'années sans doute. Il n'est donc pas facile d'y renoncer. Aussi, quoique la venue du soir ne soit pas visible, les lumières des appartements s'éteignent à mesure que la soirée s'avance, et le pouls de la Cité semble presque cesser de battre. Certes, aucun phénomène cosmique ne permet de distinguer minuit de midi, dans les avenues entièrement closes de l'immense ville ; et cependant la population observe scrupuleusement les divisions arbitraires que lui imposent silencieusement les aiguilles de la montre. Et, quand vient la « nuit », l'express se vide, le vacarme de la vie cesse, et l'immense foule qui circulait dans les colossales artères disparaît : New York repose, invisible au sein de la Terre, et ses habitants dorment.

Cependant Elijah Baley ne dormait pas. Il était sans doute couché dans son lit, et aucune lumière ne brillait dans son appartement, mais cela ne suffisait pas à faire venir le sommeil. Jessie était étendue près de lui, immobile dans l'ombre. Il ne l'avait ni entendue ni sentie faire le moindre mouvement. Enfin, de l'autre côté du mur, R. Daneel Olivaw se tenait... Comment ? Baley se le demanda : était-il debout, assis ou couché ?...

Il murmura : « Jessie ! » et répéta peu après : « Jessie ! »

Elle remua légèrement sous le drap, et répondit :

— Qu'est-ce que tu veux ?

— Jessie, ne rends pas ma tâche encore plus difficile !

— Tu aurais au moins pu me prévenir !

— Comment l'aurais-je fait ? J'en avais l'intention, mais je ne disposais d'aucun moyen... Jessie !...

— Chut !...

Baley baissa de nouveau la voix :

— Comment as-tu découvert la vérité ? Ne veux-tu pas le dire ?

Elle se tourna vers lui. Malgré l'obscurité, il sentit le regard de sa femme posé sur lui.

— Lije, fit-elle d'une voix à peine plus audible qu'un souffle d'air, peut-elle nous entendre... cette... chose... ?

— Pas si nous parlons très bas.

— Qu'est-ce que tu en sais ? Peut-être a-t-il des oreilles spéciales pour entendre les moindres sons. Les robots spaciens peuvent faire toutes sortes de choses !...

Baley le savait bien. La propagande prorobot ne cessait jamais d'insister sur les miraculeuses capacités des robots spaciens, leur endurance, le développement extraordinaire de leurs sens, et les cent moyens nouveaux par lesquels ils étaient en mesure d'aider l'humanité. Personnellement, Baley estimait que cet argument-là se détruisait lui-même ; car les Terriens haïssaient les robots d'autant plus qu'ils les sentaient supérieurs à eux dans bien des domaines.

— Ce n'est pas le cas pour R. Daneel, répliqua-t-il. On en a fait un être humain ; on a voulu qu'il soit accepté et reconnu ici comme tel, et c'est pourquoi il n'a que des sens humains normaux.

— Comment le sais-tu ?

— S'il avait des sens extraordinairement développés, il courrait un grand danger, en risquant de se trahir. Il en ferait trop, il en saurait trop.

— Tu as peut-être raison...

De nouveau le silence s'appesantit entre eux. Une longue minute s'écoula, puis Baley fit une nouvelle tentative.

— Jessie, si tu voulais simplement laisser les choses suivre leur cours, jusqu'à ce que... jusqu'à ce... Ecoute, chérie, ce n'est pas chic d'être fâchée contre moi !

— Fâchée ? Oh ! Lije, que tu es donc bête ! Je ne suis pas fâchée. J'ai peur. Je suis terrifiée !

Elle eut comme un sanglot, et agrippa le col de pyjama de son époux. Ils restèrent un instant enlacés, et la peine croissante de Baley se changea en un souci indéfinissable.

— Mais pourquoi donc, Jessie ? Il n'y a aucune raison pour que tu aies peur. Il est inoffensif, je te le jure !

— Ne peux-tu te débarrasser de lui, Lije ?

— Tu sais bien que non ! C'est une affaire officielle. Comment pourrais-je désobéir aux ordres que j'ai reçus ?

— Quel genre d'affaire, Lije ? Dis-le-moi !

— Vraiment, Jessie, tu me surprends !

Il tendit la main vers la joue de sa femme et la caressa ; elle était mouillée, et il lui essuya soigneusement les yeux, avec la manche de son pyjama.

— Ecoute, lui dit-il tendrement, tu fais l'enfant !

— Dis-leur, à ton service, qu'ils désignent quelqu'un d'autre pour cette affaire, quelle qu'elle soit. Je t'en prie, Lije !

— Jessie, répliqua-t-il plus rudement, tu es la femme d'un policier depuis trop longtemps pour ne pas savoir qu'une mission est une mission...

— Et pourquoi est-ce à toi qu'on l'a confiée ?

— C'est Julius Enderby...

— Ah ! fit-elle en se raidissant dans ses bras. J'aurais dû m'en douter ! Pourquoi ne peux-tu pas dire à Enderby que, pour une fois, il fasse faire cette corvée par quelqu'un d'autre ? Tu es beaucoup trop complaisant, Lije, et voilà le résultat...

— Bon, bon ! murmura-t-il, cherchant à l'apaiser.

Elle se tut, et frissonna. Baley se dit qu'elle ne comprendrait jamais. Julius Enderby avait été un sujet de discussion depuis leurs fiançailles. Enderby était en avance sur Baley de deux classes à l'école d'administration de la ville ; ils s'étaient liés. Quand Baley avait passé le concours et subi les tests, ainsi que la neuroanalyse pour déterminer son aptitude au métier de policier, il avait de nouveau trouvé devant lui Julius Enderby qui était déjà passé détective.

Baley avait suivi Enderby, mais à une distance toujours plus grande. Ce n'était la faute de personne en particulier. Baley possédait bien assez de connaissances et sa puissance au travail était grande ; mais il lui manquait quelque chose que Enderby avait au plus haut point : le don de s'adapter aux rouages compliqués de la machine administrative. C'était un homme né pour évoluer dans une hiérarchie, et qui se sentait naturellement à l'aise dans une bureaucratie.

Le commissaire principal n'avait rien d'un grand esprit, et Baley le savait bien. Il avait des manies presque enfantines, telles ses crises intermittentes de Médiévalisme outrancier. Mais il savait se montrer souple avec les gens ; il n'offensait personne, recevait avec le sourire les ordres qu'on lui donnait, et commandait avec un judicieux mélange de gentillesse et de fermeté. Il trouvait même le moyen de s'entendre avec les Spaciens ; peut-être se montrait-il trop obséquieux à leur égard. Baley, quant à lui, n'aurait jamais pu discuter avec eux une demi-journée sans finir par se sentir exaspéré ; il en était bien convaincu, quoiqu'il ne les eût pour ainsi dire pas fréquentés. En tout cas, les Spaciens avaient confiance en Julius Enderby, et cela rendait ce fonctionnaire extrêmement précieux pour la ville.

Ce fut ainsi que, dans une administration civile où la souplesse et l'amabilité valaient mieux que de hautes compétences individuelles, Enderby gravit rapidement les échelons de la hiérarchie, et se trouva commissaire principal quand Baley piétinait encore dans la catégorie C. 5. Baley n'en concevait pas d'amertume, mais il était trop sensible pour ne pas déplorer un tel état de choses. Quant à Enderby, il n'oubliait pas leur ancienne amitié, et, à sa manière parfois bizarre, il tentait souvent de compenser ses succès, en faisant de son mieux pour aider Baley.

La mission qu'il lui avait confiée, en lui adjoignant R. Daneel pour associé, en était un exemple. C'était une tâche rude et déplaisante, mais on ne pouvait douter qu'elle pouvait engendrer pour le détective un avancement sensationnel. Le commissaire principal aurait fort bien pu charger quelqu'un d'autre de cette enquête. Ce qu'il avait dit le matin même, au sujet du service personnel qu'il sollicitait, déguisait un peu le fait, mais celui-ci n'en demeurait pas moins patent.

Or, Jessie ne voyait pas les choses sous cet angle. En maintes occasions semblables, elle lui avait déjà dit :

— Tout ça vient de ta stupide manie de vouloir toujours être loyal. Je suis fatiguée d'entendre tout le monde chanter tes louanges à cause de ton merveilleux sens du devoir. Pense donc un peu à toi, de temps en temps ! J'ai remarqué que, quand on parle de nos dirigeants, il n'est jamais question de la loyauté dont ils font preuve !...

Cependant Baley demeurait très éveillé dans son lit, et laissait Jessie se calmer. Il avait besoin de réfléchir. Il lui fallait s'assurer de la justesse de certains soupçons qu'il commençait à avoir. Classant l'un après l'autre bon nombre de petits faits, il en venait lentement à élaborer une thèse.

Soudain Jessie remua légèrement, et, mettant ses lèvres tout contre l'oreille de son mari, elle murmura :

— Lije ? Pourquoi ne donnes-tu pas ta démission ?

— Ne dis pas de bêtises !

— Pourquoi pas ? reprit-elle, insistant ardemment. De cette façon, tu peux te débarrasser de cet horrible robot. Tu n'as qu'à aller trouver Enderby, et lui dire que tu en as assez.

— Non, répliqua-t-il froidement. Je ne peux pas démissionner au milieu d'une importante enquête. Il m'est impossible de remettre le dossier à la disposition de mes chefs quand bon me semble. Si j'agissais ainsi, je serais immédiatement déclassé avec un motif grave.

— Eh bien, tant pis ! Tu referas ton chemin. Tu en es parfaitement capable, Lije ! Il y a une douzaine de postes, dans l'administration, que tu remplirais très bien.

— L'administration ne reprend jamais des gens que l'on a déclassés pour motif grave. Je serais irrémédiablement réduit à faire un travail manuel, et toi aussi, ne l'oublie pas. Bentley perdrait tous les avantages que ma fonction lui vaut actuellement, et ceux dont il bénéficiera plus tard comme fils de fonctionnaire. Jessie, tu ne sais pas ce que cela signifie !

— J'ai lu certains articles sur ce sujet : mais je ne crains pas les conséquences d'une telle décision.

— Tu es folle. Tu es complètement folle !

Baley ne put s'empêcher de frissonner. Une image fulgurante et familière passa devant ses yeux, l'image de son père, s'acheminant, de déchéance et déchéance, vers la mort.

Jessie soupira profondément, et, dans une réaction violente, Baley cessa de se préoccuper d'elle pour penser désespérément à la théorie qu'il essayait de mettre au point. D'un ton sec, il lui dit :

— Jessie, il faut absolument que tu me dises comment tu as découvert que Daneel était un robot. Qu'est-ce qui t'a amenée à penser cela ?

Elle commença à répondre : « Eh bien... », mais s'arrêta net. C'était la troisième fois qu'elle tentait de s'expliquer et qu'elle y renonçait. Il serra fortement dans la sienne la main de son épouse, et reprit d'un ton très pressant :

— Voyons, Jessie, je t'en prie ! Dis-moi ce qui t'effraie !

— J'ai simplement deviné, répondit-elle.

— Non, Jessie. Rien ne pouvait te le faire deviner. Quand tu as quitté l'appartement, tu ne pensais pas que Daneel était un robot, n'est-ce pas ?

— N... non... Mais j'ai réfléchi...

— Allons, Jessie, parle ! Que s'est-il passé ?

— Eh bien... Tu comprends, Lije, les filles bavardaient dans les Toilettes. Tu sais comme elles sont. Elles parlent de n'importe quoi...

— Ah, les femmes ! dit Baley.

— Oh ! d'ailleurs, les mêmes bruits courent dans toute la ville. C'est inévitable.

— Dans toute la ville ?...

Baley sentit brusquement qu'il était sur la bonne piste : une autre pièce du puzzle venait de trouver sa place, et il entrevit le succès.

— Oui, reprit Jessie ; en tout cas, j'en ai bien l'impression. Elles ont raconté qu'on parlait d'un robot spacien qui se promenait librement dans la ville ; il a absolument l'air d'un homme et on le soupçonne de travailler pour la police. Alors, on m'a posé des questions à ce sujet. Elles m'ont demandé en riant : « Est-ce que votre Lije ne sait rien à ce sujet, Jessie ? » Moi aussi, j'ai ri, et je leur ai dit : « Ne faites pas les idiotes ! » Nous sommes ensuite allées au spectacle, et je me suis mise à penser à ton associé. Tu te rappelles qu'un jour tu as rapporté à la maison des photographies que Julius Enderby avait prises à Spacetown, pour me montrer de quoi les Spaciens avaient l'air. Eh bien, je me suis dit : « C'est tout à fait à cela que Daneel ressemble ! Oh ! mon Dieu, quelqu'un a dû le reconnaître dans le magasin de chaussures, et Lije était avec lui ! » Alors, j'ai prétexté une migraine, et je me suis sauvée...

— Bon ! fit Baley. Eh bien, maintenant, assez de divagations, Jessie ! Reprends-toi, et dis-moi de quoi tu as peur. Tu ne peux pas avoir peur de Daneel lui-même : tu lui as parfaitement fait face, quand tu es rentrée. Alors...

Il se tut, et s'assit dans son lit, écarquillant en vain les yeux dans l'obscurité. Sentant sa femme bouger contre lui, il tendit la main vers elle, cherchant son visage, et pressa sa paume contre les lèvres de Jessie. Sous cette étreinte, la jeune femme se souleva ; elle lui saisit le poignet, et le tordit violemment ; mais il se pencha vers elle et accentua encore sa pression. Puis, brusquement, il la lâcha, et elle se mit à pleurer.

— Excuse-moi, murmura-t-il, d'un ton bourru. J'écoutais.

Il se leva, et passa des pantoufles chaudes en Plastofilm.

— Où vas-tu, Lije ? Ne me quitte pas !

— Reste tranquille ! Je vais jusqu'à la porte, simplement.

Il fit, en glissant presque sans bruit, le tour du lit, et alla entrouvrir la porte donnant sur le salon ; il attendit un long moment, et rien ne se produisit. L'appartement était si tranquille qu'il pouvait entendre le léger sifflement de la respiration de Jessie. Plus encore, il sentit battre dans ses oreilles le rythme monotone de son pouls.

Passant la main dans l'entrebâillement de la porte, il chercha à tâtons le commutateur électrique du lustre du salon, et l'ayant trouvé, il l'actionna d'une légère pression. Le plafond s'éclaira faiblement, si peu que la partie inférieure de la pièce demeura dans la pénombre. Baley y vit cependant assez pour constater que la porte de l'appartement était fermée, et que le salon était absolument calme. Il éteignit la lumière et revint à son lit. Il savait tout ce qu'il désirait savoir. Les morceaux du puzzle s'adaptaient de mieux en mieux les uns aux autres. La thèse prenait véritablement forme.

— Oh ! Lije, gémit Jessie. Qu'est-ce qui ne va pas ?

— Tout va bien, Jessie. Tout va très bien. Il n'est pas là.

— Le robot ? Veux-tu dire qu'il est parti ?... Pour de bon ?

— Non, non. Il va revenir. Et, avant qu'il rentre, réponds-moi.

— A quoi veux-tu que je réponde ?

— De quoi as-tu peur ?

Elle ne dit rien, et Baley insista fortement.

— Tu as dit que tu étais terrifiée.

— Par lui.

— Non. Nous avons discuté ce point. Tu n'as pas eu peur de lui, et d'ailleurs, tu sais fort bien qu'un robot ne peut faire aucun mal à un être humain.

— Je me suis dit, finit-elle par répondre très lentement, que, si tout le monde apprend qu'il est un robot, il y aura une émeute et nous serons tués.

— Pourquoi nous tuerait-on ?

— Tu sais bien ce que c'est qu'une émeute !

— On ne sait même pas où le robot se trouve... alors ?

— On pourrait le découvrir.

— Et c'est cela que tu crains, une émeute ?

— Eh bien...

— Chut ! fit-il en la rejetant sur l'oreiller. Il est rentré, murmura-t-il à l'oreille de Jessie. Alors, écoute-moi et ne dis pas un mot. Tout va très bien. Il va s'en aller demain matin, et il ne reviendra pas. Et il n'y aura pas d'émeute. Il ne se passera rien du tout.

En disant ces paroles, il se sentit presque satisfait, presque complètement satisfait. Il sentit en tout cas qu'il allait pouvoir dormir. Il se répéta, tranquillement : « Pas d'émeute... Rien !... » Et, juste avant de sombrer définitivement dans le sommeil, il se dit encore : « Pas même d'enquête sur le meurtre, pas même cela !... Tout le problème est résolu !... »

Et il s'endormit.

7

VISITE A SPACETOWN

Le commissaire principal Julius Enderby essuya ses lunettes avec un tendre soin, puis il les posa délicatement sur son nez.

« C'est un excellent truc ! se dit Baley. Ça vous occupe, pendant qu'on réfléchit à ce qu'on va dire ! Et puis ce n'est pas coûteux, comme de fumer... »

Cette pensée l'incita à sortir de sa poche sa pipe et à fouiller dans le fond de sa blague pour y puiser quelques pincées de sa maigre ration de grossier tabac. Le tabac était une des rares denrées de luxe que les Terriens cultivaient encore, et l'on pouvait prévoir qu'à brève échéance on renoncerait aussi à ce genre de culture. Au cours de son existence, Baley n'avait jamais cessé d'en voir les prix monter et les rations diminuer d'année en année.

Enderby, ayant ajusté ses lunettes, tourna un commutateur placé en un coin de sa table, ce qui eut pour effet de rendre la porte de son bureau translucide, mais uniquement de l'intérieur vers l'extérieur de la pièce.

— Pour l'instant, où est-il ? demanda-t-il.

— Il m'a dit qu'il désirait visiter notre organisation, et j'ai laissé Jack Tobin lui faire les honneurs de la maison.

Baley alluma sa pipe ; elle comportait un couvercle qu'il referma soigneusement : le commissaire principal, comme la plupart des non-fumeurs, n'aimait pas beaucoup l'odeur du tabac, il reprit :

— J'espère que vous ne lui avez pas dit que Daneel était un robot !

— Bien sûr que non !

Enderby, pas du tout détendu, ne cessa ne manipuler machinalement le calendrier automatique de son bureau.

— Est-ce que ça marche ? demanda-t-il.

— C'est plutôt pénible !

— Je suis désolé, Lije...

— Vous auriez tout de même pu me prévenir, dit Baley d'une voix dure, qu'il avait tout à fait l'air d'un homme.

— Comment, je ne l'avais pas fait ? répliqua le commissaire en prenant l'air surpris. Mais pourtant ! ajouta-t-il soudain véhément, vous deviez vous en douter ! Je ne vous aurais pas demandé de le loger, s'il avait ressemblé à R. Sammy, voyons !

— Je comprends votre pensée, monsieur le commissaire. Mais, moi, je n'avais encore jamais vu ces robots-là, tandis que vous, vous les connaissez depuis longtemps. Je ne savais même pas que l'on pouvait en construire de pareils. Je regrette seulement que vous ne m'ayez pas précisé le fait ; c'est tout.

— Ecoutez, Lije, je m'en excuse. J'aurais dû vous prévenir, en effet, et vous avez raison. Cela tient à ce que cette enquête et toute cette affaire me mettent tellement sur des charbons ardents que, la plupart du temps, je ne suis pas dans mon assiette. En tout cas, ce Daneel est un robot d'un type nouveau, qu'on n'a pas encore achevé d'expérimenter ; il en est encore à la période des essais.

— C'est ce qu'il m'a expliqué.

— Ah ! vraiment ?

Baley se raidit un peu, et serrant les dents sur son tuyau de pipe, il dit, sans avoir l'air d'y attacher d'importance :

— R. Daneel a organisé pour moi une visite à Spacetown.

— A Spacetown ! s'écria Enderby, soudain indigné.

— Oui. Logiquement, c'est la principale démarche que je dois maintenant faire. Il faut que je voie les lieux du crime et que je pose quelques questions.

— Je ne crois pas du tout que ce soit une bonne idée, répliqua le commissaire, en secouant énergiquement la tête. Nous avons examiné le terrain de fond en comble ; je ne vois donc pas ce que vous pourriez y trouver de nouveau. Et puis, ce sont des gens si étranges, Lije ! Il faut y aller en gants blancs. On ne peut les manier qu'avec beaucoup de formes, et vous n'en avez pas l'expérience !

Il porta à son front une main potelée et ajouta d'un ton étrangement passionné :

— Je les hais !

Baley ne put s'empêcher de laisser percer quelque hostilité dans sa réponse.

— Bon sang de bon sang, monsieur le commissaire ! Puisque ce robot est venu ici, je ne vois pas pourquoi je n'irais pas là-bas ! C'est déjà assez désagréable de partager avec lui la responsabilité de l'enquête, et je ne veux pas par surcroît me trouver en position d'infériorité. Mais, bien entendu, si vous ne me jugez pas capable de mener l'enquête...

— Mais non, Lije, ce n'est pas cela. Vous n'êtes pas en cause. Ce sont les Spaciens qui m'inquiètent. Vous ne savez pas ce qu'ils sont !

— Eh bien, alors, répliqua Baley en fronçant les sourcils, pourquoi ne viendriez-vous pas avec moi, monsieur le commissaire ?

Ce disant, il tambourina négligemment de ses doigts sur son genou. Le commissaire écarquilla les yeux, et répliqua :

— Non, Lije. Je n'irai pas là-bas. Ne me demandez pas cela !

Il parut chercher à rattraper ses mots, trop vite échappés, et ajouta, plus calmement, avec un sourire forcé :

— J'ai un travail fou ici, vous savez, et je me suis laissé mettre en retard.

Baley le regarda un long moment, puis, songeur, il lui dit :

— S'il en est ainsi, voici ce que je propose : quand je serai là-bas, vous vous mettrez en communication avec Spacetown par télévision ; juste un instant, vous comprenez, pour le cas où j'aurais besoin d'aide.

— Eh bien... oui ; ça, je crois que je peux le faire, répondit Enderby sans enthousiasme.

— Bon ! fit Baley, qui, jetant un coup d'œil à la pendule accrochée au mur, se leva. Je resterai donc en contact avec vous.

En quittant le bureau, Baley laissa une seconde la porte entrouverte et jeta un regard en arrière ; il put ainsi voir que son chef baissait la tête et l'enfouissait dans le creux de son coude, posé sur sa table ; le détective crut même entendre un sanglot étouffé. Il en reçut un coup si violent que, s'étant assis sur un coin de table, dans la salle voisine, il resta un instant sans bouger, ignorant l'employé qui, après lui avoir dit un bonjour machinal, se remit à travailler. Il détacha le couvercle de sa pipe, et renversant celle-ci, vida dans un cendrier un peu de poussière grise. Il la contempla d'un air morose, referma sa pipe et la remit en poche : encore une ration disparue pour toujours !...

Il réfléchit à ce qui venait de se passer. Dans un sens, Enderby ne l'avait pas surpris. Baley s'était attendu à voir son chef s'opposer à ce qu'il se rendît à Spacetown ; il l'avait en effet toujours entendu insister sur les difficultés que suscitaient les relations avec les Spaciens, et sur le danger que l'on courrait si on laissait des négociateurs non expérimentés discuter avec ces gens-là de questions importantes.

Il n'avait pas pensé cependant que le commissaire principal céderait si facilement. Il s'était dit que son chef aurait au moins insisté pour l'accompagner. L'abondance du travail en retard était un prétexte sans valeur, vu l'importance du problème à résoudre. Au reste, Baley ne désirait pas du tout qu'Enderby vînt avec lui. Il avait précisément obtenu ce qu'il voulait : il entendait que son chef assistât, le cas échéant, aux discussions de l'enquête, par le moyen de la télévision à trois dimensions, ce qui lui permettrait d'en être témoin en toute sécurité.

La sécurité ! C'était là le mot clef. Baley aurait certainement besoin d'un témoin que l'on ne pût pas éliminer d'une seconde à l'autre. Il le lui faudrait, ne fût-ce que pour garantir et sauvegarder sa propre sécurité. Or, le commissaire principal avait accepté ce plan sur-le-champ ; et Baley, songeant au sanglot qu'il avait entendu — ou cru entendre — se dit que son chef était vraiment empêtré dans cette affaire jusqu'au cou...

Une voix trop bien connue, et non moins déplaisante, se fit entendre soudain derrière son épaule et le fit sursauter :

— Qu'est-ce que tu me veux encore ? demanda-t-il, furieux.

Le sourire stupide de R. Sammy demeura figé sur son visage.

— Jack m'a prié de vous dire que Daneel est prêt, Lije.

— C'est bon. Maintenant, fous le camp !

Il regarda en fronçant les sourcils le robot qui s'en allait. Rien ne l'exaspérait plus que d'entendre cet assemblage d'organes métalliques l'appeler ainsi par son petit nom. Il s'en était plaint au commissaire, lors de la mise en service de R. Sammy, mais Enderby avait répliqué en haussant les épaules :

— On ne peut pas faire autrement, Lije. Le public a insisté pour que les robots que nous fabriquons soient conçus de telle façon qu'ils agissent toujours sous l'impulsion des intentions les plus amicales. Leurs circuits ont été calculés dans cet esprit. Vous devez donc admettre que R. Sammy a pour vous le maximum de sympathie, et comprendre qu'il ne peut vous appeler que par le nom le plus amical, à savoir votre petit nom...

Des circuits amicaux !... C'était la loi ; aucun robot, quelle que fût son utilisation, ne devait être capable, en quelque circonstance que ce fût, de faire du mal à un être humain. C'était l'axiome de base de toute la Robotique, cette science qui avait, dès sa création, proclamé : « Un robot ne peut porter atteinte à un être humain ni, restant passif, laisser cet être humain exposé au danger. »

On n'avait jamais construit de cerveau positronique sans que ce principe eût été si profondément intégré dans ses circuits fondamentaux qu'aucun détraquement de ses organes ne pût se concevoir dans ce domaine. Il n'y avait donc pas besoin de circuits amicaux spéciaux ! Et cependant le commissaire principal avait raison : la méfiance des Terriens à l'égard des robots était quelque chose d'absolument irraisonné, et c'est pourquoi il avait fallu les doter de circuits amicaux, si bien qu'un robot devait toujours sourire. Il en était en tout cas ainsi sur Terre.

Mais R. Daneel, lui, ne souriait jamais.

Baley soupira profondément, et, se relevant, il se dit :

« Et maintenant, Spacetown, prochaine et peut-être dernière étape ! »

Les services de police de la ville, ainsi que certains hauts fonctionnaires, disposaient encore de véhicules individuels pour circuler dans les avenues et dans certains tunnels souterrains, ouverts autrefois au trafic, mais interdits maintenant aux piétons. Les groupement libéraux ne cessaient jamais de demander que ces routes carrossables fussent transformées en terrains de jeux pour les enfants, ou aménagées en boutiques, ou encore utilisées pour augmenter le réseau des tapis roulants secondaires et celui de l'express.

Mais les impératives exigences de la sécurité civique demeuraient inflexibles. Il était en effet essentiel de prévoir des incendies trop importants pour qu'on pût les maîtriser par les moyens habituels, des ruptures massives de courant ou de ventilation, et surtout de graves émeutes ; et, en vue de telles éventualités, il fallait que les forces de l'ordre de la Cité pussent être dirigées en hâte vers les points névralgiques. Pour cela, il n'existait et ne pouvait exister aucun autre mode d'acheminement de troupes que les autoroutes.

Baley avait déjà circulé dans ces tunnels à maintes reprises, mais, chaque fois, le vide de ces espaces lui avait paru choquant et déprimant. Ils semblaient être à des milliers de kilomètres de la vie ardente et chaude de New York. Tels de longs serpents sinistres et aveugles, ces routes se déroulèrent sous ses yeux, tandis qu'il conduisait la voiture de police ; à tout moment, elles s'ouvraient sur de nouvelles avenues, à mesure qu'elles s'incurvaient dans telle ou telle direction ; et, sans qu'il eût besoin de se retourner, il savait que, derrière lui, un autre long et sombre serpent se déroulait de même et disparaissait au loin. L'autoroute était bien éclairée, mais cette lumière ne signifiait rien dans un tel silence et un tel vide.

R. Daneel ne fit rien pour rompre ce silence ; il regardait droit devant lui, aussi indifférent au vide de l'autoroute qu'à la cohue de l'express. En l'espace d'un éclair, et tandis que la sirène de la voiture hurlait sinistrement, ils bondirent hors de l'autoroute pour gagner, par une rampe incurvée, la chaussée carrossable d'une avenue de la ville. Des chaussées carrossables continuaient en effet à être entretenues dans les principales artères, et demeuraient un des rares vestiges du passé. Car il n'y avait plus de véhicules automobiles, à l'exception des voitures de police, de pompiers ou de quelques camions du service de la voirie. Aussi les piétons en usaient-ils en toute tranquillité, de sorte que l'arrivée inopinée de la voiture mugissante les fit s'écarter avec autant de hâte que d'indignation. Baley se sentit respirer plus librement dès qu'il entendit autour de lui le bruit familier de la foule ; mais cela ne dura guère, car moins de deux cents mètres plus loin, il quitta l'avenue pour s'engager dans les couloirs à nouveau déserts qui menaient à Spacetown.

On les attendait à la barrière. De toute évidence, les factionnaires du poste de garde connaissaient R. Daneel, car, tout humains qu'ils fussent, ils lui firent un petit signe d'amitié, sans prendre le moins du monde un air de supériorité.

L'un des gardiens s'approcha de Baley et le salua avec une courtoisie toute militaire, dont la perfection n'excluait pas la froideur. Il était grand et avait l'air grave, mais son physique ne répondait pas aussi parfaitement que celui de R. Daneel à la définition du Spacien.

— Votre carte d'identité, s'il vous plaît, monsieur, dit-il.

Le document fut examiné rapidement, mais avec soin. Baley remarqua que l'homme portait des gants couleur chair, et que, dans chaque narine, se trouvait un petit filtre à peine visible.

Le factionnaire salua de nouveau et lui rendit la carte ; puis il lui dit :

— Il y a ici des Toilettes où vous pouvez prendre une douche.

Baley eut envie de refuser l'offre, car il n'avait aucun besoin de se laver, mais, comme la sentinelle regagnait sa place, R. Daneel intervint :

— Il est d'usage, mon cher Elijah, dit-il en tirant son associé par la manche, que les citoyens de New

York prennent une douche avant de pénétrer dans Spacetown. Je me permets de vous le signaler, car je sais que vous ne désirez pas compliquer les choses, ni pour vous ni pour nous, par manque d'information sur nos coutumes. C'est également dans cet esprit que je dois vous prier de prendre toutes vos précautions au point de vue hygiénique, car, à l'intérieur de Spacetown, vous ne disposerez pas de water-closet.

— Pas de water-closet ? s'écria Baley, scandalisé. Mais c'est inimaginable !

— Je veux dire, bien entendu, qu'il n'y en a pas à la disposition des citoyens de New York.

Baley ne put cacher son indignation.

— Je suis désolé, reprit Daneel, mais il s'agit d'un règlement qui ne comporte aucune exception.

Sans répliquer un mot, Baley entra donc dans les Toilettes, et sentit, plus qu'il ne le vit, R. Daneel qui y pénétrait derrière lui.

« Qu'est-ce qu'il veut ? se dit-il. Me contrôler, sans doute, et s'assurer que je me libère des microbes de la ville ! »

Pendant un instant, il eut peine à maîtriser son exaspération, et il n'y parvint qu'en se délectant par avance à l'idée du coup qu'il allait bientôt porter à Spacetown ; il s'en réjouit tellement qu'il en vint à considérer comme négligeable le risque qu'il courait lui-même.

Les Toilettes étaient de petites dimensions, mais bien agencées, et d'une propreté si méticuleuse qu'on pouvait les qualifier d'antiseptiques. L'air avait une odeur que Baley, un peu déconcerté tout d'abord, reconnut bientôt :

« C'est de l'ozone ! se dit-il. La pièce est soumise à l'action de rayons ultra-violets ! »

Un écran s'alluma puis s'éteignit tour à tour et à plusieurs reprises ; quand il demeura définitivement allumé, Baley put y lire l'indication suivante :

— Le visiteur est prié d'enlever tous ses vêtements, y compris ses souliers, et de les placer dans la cavité ci-dessous.

Baley s'exécuta. Il dégrafa son ceinturon et son baudrier, et quand il se fut déshabillé, il les remit sur son corps nu ; le revolver qui y était accroché pesait lourd, et la sensation était fort désagréable.

Avec un bruit sec, le tiroir dans lequel il avait placé ses vêtements fut tiré vers l'extérieur. Le panneau lumineux s'éteignit, puis se ralluma, et une nouvelle inscription y parut :

« Le visiteur est prié de satisfaire à ses besoins hygiéniques, puis de passer sous la douche en suivant le chemin indiqué par la flèche. »

Baley eut l'impression qu'il n'était plus qu'une pièce de machine, manœuvrée à distance par un bras invisible sur une chaîne de montage.

Son premier geste en entrant dans la petite cabine de douche, fut de veiller à ce que son étui-revolver ne laissât pas pénétrer d'eau ; il tint fermement sa main serrée contre le rabat de l'étui ; il savait, pour en avoir fait l'expérience au cours de nombreux exercices, qu'il pouvait cependant tirer son arme et s'en servir en moins de cinq secondes.

Il n'y avait au mur ni crochet ni patère où la suspendre, et comme Baley ne vit même pas où se trouvait apparemment la douche, il alla placer le revolver dans le coin le plus éloigné de l'entrée de la cabine.

A ce moment, l'écran lumineux s'éclaira de nouveau pour signaler :

« Le visiteur est prié d'ouvrir les bras perpendiculairement à son corps, et de se tenir au centre du cercle tracé sur le sol, les pieds orientés dans la position indiquée. »

Dès qu'il eut placé ses pieds dans les petites cavités prévues à cet effet, l'écran s'éteignit, et instantanément une poussière d'eau à grande pression jaillit, chaude et piquante, du plafond, du plancher et des quatre murs à la fois ; elle fouetta son corps de tous côtés, et il sentit même qu'elle giclait sous la plante de ses pieds. Cela dura environ une minute, pendant laquelle, sous l'action combinée de la chaleur et de la pression du jet, sa peau rougit violemment, tandis que ses poumons parvenaient difficilement à respirer dans cette vapeur. Puis, pendant une autre minute, la douche fut moins violente et plus fraîche ; enfin, un courant d'air chaud l'enveloppa, et le laissa non seulement sec, mais avec une réelle impression de bien-être.

Il ramassa son arme et son ceinturon, et s'aperçut qu'eux aussi étaient chauds et secs. Il les remit et sortit de la douche juste pour voir R. Daneel qui émergeait d'une cabine voisine.

« Bien sûr ! se dit-il. R. Daneel n'est pas un citoyen de New York, mais il rapporte ici des microbes de la ville ! »

Par la force de l'habitude, Baley détourna automatiquement les yeux ; puis il se dit que, après tout, les coutumes de R. Daneel n'étaient pas les mêmes que celles des New-Yorkais, et il se contraignit à regarder un instant le robot. Ses lèvres ne purent alors réprimer un léger sourire : la ressemblance de R. Daneel avec un être humain ne se limitait pas à son visage et à ses mains ; on avait pris la peine de l'étendre à toutes les parties de son corps, et cela de la façon la plus parfaite.

Baley continua d'avancer de quelques pas dans la direction qu'il n'avait pas cessé de suivre depuis son entrée dans les Toilettes, et c'est ainsi qu'il retrouva un peu plus loin ses vêtements soigneusement pliés, qui l'attendaient, répandant une odeur chaude et propre.

Un nouvel écran lumineux s'alluma, et l'indication suivante apparut :

« Le visiteur est prié de se rhabiller, puis de placer son doigt dans l'alvéole ci-contre. »

Baley, se conformant à la prescription, posa le bout de son index sur une surface laiteuse et particulièrement propre. Aussitôt, il sentit une vive piqûre à son doigt et, relevant en hâte celui-ci, il constata qu'une petite goutte de sang y perlait ; mais une seconde plus tard, elle disparut. Il secoua son doigt et le pressa, sans réussir à le faire saigner de nouveau.

Il était clair que l'on analysait son sang, et, à cette pensée, il ne put se défendre d'une légère inquiétude ; il était certes habitué à subir périodiquement des examens médicaux, mais il fut convaincu que les médecins de la police new-yorkaise y avaient procédé de façon moins complète que ces fabricants de robots n'allaient le faire : peut-être même ces derniers savaient-ils mieux s'y prendre !... Et Baley n'était pas certain de désirer qu'un examen approfondi révélât exactement son état de santé...

Il attendit un moment qui lui sembla long, puis l'écran se ralluma, et il y lut :

« Le visiteur est prié d'avancer. »

Poussant un soupir de soulagement, il fit quelques pas qui l'amenèrent sous un portail ; mais là, deux barres d'acier se rabattirent soudain devant lui, barrant le passage, et, sur un autre écran lumineux, les mots suivants apparurent :

« Le visiteur est prié de ne pas aller plus loin. »

— Qu'est-ce que ça signifie ? s'écria-t-il, oubliant dans sa colère qu'il se trouvait encore dans les Toilettes.

A ce moment, la voix de R. Daneel murmura, tout près de son oreille :

— Des détecteurs spéciaux ont dû, je pense, déceler que vous êtes armé, Elijah. Avez-vous votre revolver dans l'étui ?

Baley, cramoisi, se retourna, et il eut de la peine à s'exprimer, tant il était furieux.

— Evidemment ! finit-il par rétorquer d'une voix rauque. Un policier doit toujours avoir son arme sur lui, ou à portée immédiate de sa main, qu'il soit ou non en service.

C'était la première fois, depuis l'âge de dix ans, qu'il lui arrivait de parler dans les Toilettes. A cette époque, il l'avait fait en présence de son oncle Boris, et ç'avait été pour se plaindre, parce qu'il s'était tordu un doigt de pied. Mais quand ils étaient rentrés chez eux, l'oncle Boris lui avait donné une fessée pour le punir de ce manquement aux bonnes manières...

— Aucun visiteur ne peut pénétrer armé dans Spacetown, répliqua R. Daneel. C'est la règle, et votre chef, le commissaire principal, s'y soumet à chacune de ses visites, Elijah.

En toute autre circonstance, Baley aurait tourné

les talons et planté là Spacetown et son robot. Mais, en cet instant même, il n'avait qu'un désir, celui de mener à bien son plan, grâce auquel il comptait prendre une revanche éclatante, qui compenserait toutes ces humiliations.

« Voilà donc, se dit-il, en quoi consiste cette discrète inspection, qui a remplacé les fouilles détaillées d'autrefois ! Rien d'étonnant, vraiment, à ce que les gens en aient été indignés et se soient révoltés, quand on a commencé à appliquer ici ces méthodes ! »

Furieux, il détacha de son ceinturon son étui-revolver. R. Daneel le lui prit des mains, le plaça dans une cavité du mur, et, montrant une petite plaque métallique située juste au-dessus, il dit :

— Veuillez appuyer avec votre pouce sur cette plaque, Elijah. Seul, votre propre pouce pourra rouvrir ce tiroir, quand nous ressortirons.

Baley, ainsi désarmé, se sentit bien plus nu qu'il ne l'avait été sous la douche. Les barres d'acier s'étant relevées, il franchit le passage et sortit enfin des Toilettes.

Celles-ci donnaient sur un couloir, mais Baley y décela aussitôt quelque chose d'anormal. D'une part, la lumière qu'il aperçut au bout du corridor n'était pas celle à laquelle il était habitué ; d'autre part, il sentit sur son visage un souffle d'air, comme si une voiture venait de passer près de lui. R. Daneel parut se rendre compte que son compagnon n'était pas à son aise et lui dit :

— A partir de maintenant, Elijah, vous serez constamment à l'air libre, et non plus dans un air conditionné.

Baley éprouva un léger vertige, et il se demanda

pourquoi les Spaciens, si stricts dans leur examen d'un corps humain provenant de la Cité, respiraient cependant un air nécessairement impur. Il pinça ses narines, comme pour mieux filtrer ainsi cet air dangereux. Mais R. Daneel reprit :

— Je suis convaincu, Elijah, que vous allez constater que l'air libre n'a rien de délétère, et n'est pas du tout mauvais pour votre santé.

— Bon ! répliqua Baley, laconiquement.

Cependant ces courants d'air lui fouettaient désagréablement le visage ; ils n'étaient sans doute pas violents, mais ils avaient quelque chose d'impalpable qui le troubla. Ce qui survint ensuite fut bien pire : à l'extrémité du couloir, le ciel bleu parut, et, au moment où ils sortirent, une clarté intense et blanche les inonda. Baley avait déjà vu la lumière solaire, car son service l'avait un jour obligé à se rendre dans un solarium naturel ; mais là, une carapace de verre tamisait les rayons et transformait l'énergie même du soleil en une clarté moins aveuglante. A l'air libre, c'était tout différent, et le détective tourna automatiquement ses regards vers l'astre ; mais il lui fallut bientôt renoncer à le contempler, car ses yeux s'embuèrent de larmes et il dut les fermer à demi.

Comme un Spacien s'avançait vers lui, Baley ne put tout d'abord réprimer une réaction faite de méfiance et d'inquiétude. Mais R. Daneel, pressant le pas, alla au-devant du nouveau venu, le salua, lui serra la main, et le Spacien, se tournant vers Baley, lui dit :

— Voulez-vous m'accompagner, je vous prie, monsieur ? Je suis le Dr Han Fastolfe.

Quand ils eurent pénétré dans l'une des maisons

au toit bombé en forme de dôme, les choses s'améliorèrent. Baley ne put que s'ébahir à la vue des pièces aux vastes dimensions, qui prouvaient combien on se souciait peu, à Spacetown, de ménager l'espace vital de chaque demeure ; mais il fut heureux de constater que l'air y était à nouveau conditionné.

— J'ai idée, lui dit le Dr Fastolfe, en s'asseyant et en croisant ses longues jambes, que vous préférez au souffle du vent l'air conditionné auquel vous êtes habitué.

L'homme paraissait sincèrement aimable. Son front était finement ridé, et sa peau paraissait un peu flasque sous les yeux et sous le menton. Il avait peu de cheveux, mais ceux-ci n'étaient pas grisonnants ; quant à ses grandes oreilles, légèrement décollées, elles lui donnaient un aspect bon enfant et cordial qui plut au détective.

Le matin même, avant de quitter son domicile, Baley avait jeté de nouveau un coup d'œil aux photographies qu'Enderby avait prises à Spacetown. R. Danell venait d'organiser leur visite, et Baley avait voulu se préparer à rencontrer des Spaciens en chair et en os. Ce ne pouvait être que très différent des entretiens qu'il avait eus, à plusieurs reprises, avec ces gens-là, par téléphone télévisé. Ces photographies montraient, en général, des Spaciens de même type que ceux dont parlaient les livres filmés des bibliothèques : des hommes de haute taille, au visage coloré, à l'air grave, mais ayant bel aspect. R. Daneel Olivaw en était un représentant caractéristique.

A mesure qu'ils examinaient ces instantanés, Daneel avait nommé à Baley les Spaciens qu'ils représentaient ; et tout à coup, Baley s'était écrié :

— Tiens ! mais vous voilà, n'est-ce pas ?

— Non, avait répondu Daneel. Ce n'est pas moi, mais celui qui m'a inventé, le Dr Sarton.

Il avait dit cela sans émotion, et Baley avait répliqué d'un ton ironique :

— Ah ! c'est donc ça ! Lui aussi, il vous a créé à son image !...

Mais Daneel n'avait pas relevé la plaisanterie, et, à la vérité, Baley s'y attendait : la Bible n'était en effet diffusée parmi les Mondes Extérieurs que dans une très faible mesure.

Et maintenant que Baley examinait son interlocuteur, il constata que le Dr Han Fastolfe était un homme dont les traits différaient très sensiblement de ceux des Spaciens : ce fait lui plut beaucoup.

— Ne voulez-vous pas vous restaurer un peu ? demanda Fastolfe.

Ce disant, il montra du doigt la table qui les séparait, Daneel et lui du détective. Elle ne portait qu'un récipient contenant quelques boules de couleurs variées. Baley fut un peu surpris : il avait cru que cette coupe servait d'ornement. Mais R. Daneel lui expliqua de quoi il s'agissait :

— Ce sont des fruits naturels cultivés sur la planète Aurore. Je vous conseille de goûter celui-ci. Ça s'appelle une pomme, et on trouve généralement son goût agréable.

Fastolfe eut un sourire et dit :

— R. Daneel ne parle évidemment pas par expérience, mais il a tout à fait raison.

Baley porta la pomme à sa bouche. Elle avait une surface rouge et verte. Elle était fraîche au toucher, et il s'en dégageait un parfum léger mais agréable.

Il mordit dedans sans effort, et l'acidité inattendue de la pulpe lui fit mal aux dents.

Il la mâcha délicatement. Les citoyens de New York consommaient, bien entendu, des denrées naturelles, chaque fois que les rations en comportaient. Baley lui-même avait souvent mangé de la viande naturelle et du pain. Mais ce genre de nourriture avait toujours subi une préparation ; elle avait été ou cuite, ou moulue, ou fondue, ou mélangée. Les fruits, par exemple, étaient consommés sous forme de sauces ou de conserves. Ce que Baley tenait dans sa main devait provenir tout droit du sol impur d'une planète.

« J'espère qu'au moins ils l'ont bien nettoyée », se dit-il.

Et de nouveau il s'étonna des anomalies qui caractérisaient les notions des Spaciens en matière de propreté.

Cependant, Fastolfe lui dit :

— Permettez-moi de me présenter d'une façon un peu plus précise. Je suis chargé, à Spacetown, de l'enquête sur l'assassinat du Dr Sarton, tout comme le commissaire principal Enderby la dirige à New York. Si je peux vous aider de quelque manière que ce soit, je suis prêt à le faire. Nous sommes aussi désireux que vous de voir l'affaire se terminer tranquillement, et d'empêcher le retour d'incidents de ce genre dans l'avenir.

— Je vous remercie, docteur Fastolfe, répondit Baley. Soyez certain que j'apprécie à sa valeur votre attitude.

Mais en lui-même, il se dit que cet échange de politesses suffisait. Il mordit au centre de la pomme, et de petits grains ovales, et de couleur foncée, emplirent sa bouche. Il les cracha aussitôt, et ils tombèrent à terre. L'un d'eux aurait même touché la jambe de Fastolfe, si le Spacien ne l'avait pas retirée en hâte.

Baley rougit, et voulut les ramasser, mais Fastolfe lui dit très aimablement :

— Cela n'a aucune importance, monsieur Baley. Laissez-les donc, je vous en prie.

Baley se redressa, et reposa doucement le trognon de pomme sur la table. Il eut l'impression, assez désagréable, qu'après son départ on ferait disparaître, non seulement les petits grains, mais encore la coupe de fruits, qui serait emportée et jetée hors de Spacetown ; quant à la pièce, on la désinfecterait avec du viricide...

Il masqua son embarras en brusquant les choses.

— Je me permets de vous demander que le commissaire principal Enderby assiste à notre entretien par téléphone télévisé.

— Rien n'est plus facile, répondit Fastolfe en haussant les sourcils. Daneel, voulez-vous établir la communication ?

Baley, très tendu et mal à l'aise, attendit qu'un large écran situé dans un coin de la pièce s'allumât ; en quelques secondes, on y vit paraître la silhouette du commissaire Enderby assis à son bureau. Dès lors, le détective se sentit beaucoup mieux, et ce fut avec une sorte de tendresse qu'il retrouva le visage familier de son chef. Mieux encore, il n'eut plus qu'un désir, celui de rentrer sain et sauf dans ce bureau, ou, à défaut, en n'importe quel autre endroit de la Cité, pourvu qu'il y fût avec Enderby. Il se sentit même prêt à accepter qu'on le logeât dans un des quartiers les plus discrédités du secteur des usines à levure.

Du moment qu'il disposait d'un témoin, Baley n'avait plus aucune raison de tergiverser.

— Je crois, déclara-t-il donc, que je peux expliquer la mystérieuse disparition du Dr Sarton.

Tout en observant de près ses interlocuteurs, il vit, du coin de l'œil, Enderby se lever d'un bond et rattraper au vol ses lunettes ; mais en se tenant debout, le commissaire avait la tête hors du champ de la télévision ; il se rassit donc, montrant un visage cramoisi, et ne dit pas un mot.

De son côté, le Dr Fastolfe semblait tout aussi bouleversé, mais s'efforçant de ne pas le montrer, il garda la tête penchée. Seul, R. Daneel demeura impassible.

— Voulez-vous dire, demanda Fastolfe, que vous avez découvert le meurtrier ?

— Non, dit Baley. Je veux dire qu'il n'y a pas eu de meurtre.

— Quoi ? s'écria Enderby.

— Un instant, je vous prie, monsieur le commissaire principal, dit Fastolfe en levant la main. Par conséquent, monsieur Baley, ajouta-t-il, en regardant le détective bien en face, vous prétendez que le Dr Sarton est toujours vivant ?

— Oui, monsieur, et je crois savoir où il se trouve.

— Ah ? Où ça ?

— Ici même ! déclara Baley, en tendant fermement le bras vers R. Daneel Olivaw.

8

DISCUSSION AU SUJET D'UN ROBOT

Sur le moment, Baley eut surtout conscience que son pouls battait très fort. Il lui sembla qu'il vivait une minute exceptionnelle, où le temps suspendait sa course. Si R. Daneel ne manifestait aucune émotion, en revanche, Han Fastolfe ne cacha pas une stupéfaction empreinte d'ironie.

Ce fut la réaction du commissaire Julius Enderby qui frappa le plus Baley. L'écran de télévision ne reproduisait pas de façon rigoureusement exacte son visage ; il y avait toujours un peu de flottement dans ses traits ; on voyait bien qu'il suivait ardemment l'entretien, mais le manque de netteté de l'image et les lunettes du commissaire empêchèrent Baley de saisir le regard de son chef.

« Eh là, Julius, se dit-il. Ne vous effondrez pas ! J'ai besoin de vous ! »

Il ne pensait vraiment pas que, cédant à un mouvement d'humeur, Fastolfe se livrerait à quelque geste inconsidéré. Au cours de ses nombreuses lectures, il avait appris que les Spaciens n'avaient pas de religion, et remplaçaient celle-ci par un rationalisme froid et flegmatique, érigé en dogme philosophique. Convaincu que c'était vrai, il comptait là-dessus : ces gens-là ne manqueraient pas d'agir lentement, en se basant uniquement sur leur raisonnement.

S'il avait été seul avec eux, pour leur dire ce qu'il venait de déclarer, il ne serait jamais revenu à New York ; il en était convaincu, car on l'aurait froidement supprimé, conformément aux conclusions d'un raisonnement ; la vie d'un citoyen new-yorkais n'aurait pas pesé lourd en regard du succès d'un plan mûrement calculé. On aurait fait des excuses au commissaire Enderby, on lui aurait même montré sans doute le cadavre de son détective, et, en hochant la tête, on lui aurait encore parlé d'une conspiration montée par les Terriens. Le brave Julius l'aurait cru ; il était ainsi fait ; s'il haïssait les Spaciens, c'était surtout par peur, et il n'aurait jamais osé leur dire qu'il ne les croyait pas.

C'était bien pour cette raison qu'il fallait absolument qu'Enderby fût témoin du déroulement de l'enquête, et surtout qu'il y assistât à distance, de façon qu'aucune « mesure de sécurité » prise par les Spaciens ne pût l'atteindre... Or, voici que le commissaire principal s'écria d'une voix rauque :

— Vous vous trompez complètement, Lije ! J'ai vu moi-même le cadavre du Dr Sarton.

— Vous avez vu les débris informes de quelque chose qu'on vous a désigné comme étant le cadavre du Dr Sarton, répliqua audacieusement Baley, en songeant aux lunettes cassées du commissaire, circonstance singulièrement propice au plan des Spaciens.

— Non, non, Lije, dit Enderby. Je connaissais bien

le Dr Sarton, et sa tête était intacte. C'était bien lui.

Il porta la main à ses lunettes, comme pour mieux prouver que sa mémoire était fidèle, et il ajouta :

— Je l'ai examiné de près, de très près !

— Et que pensez-vous de celui-ci, monsieur le commissaire ? demanda Baley en désignant R. Daneel. Ne ressemble-t-il pas à s'y méprendre au Dr Sarton ?

— Oui, sans doute, comme une statue ressemble à son modèle.

— Un être humain peut parfaitement se composer une attitude inexpressive, monsieur le commissaire. Supposez que ce soit un robot dont vous avez vu les restes. Vous me dites que vous les avez examinés de très près. Avez-vous regardé d'assez près pour voir si la surface carbonisée, à l'endroit où le projectile est entré, était vraiment un tissu organique humain, ou la couche d'un produit qui avait brûlé, en même temps que le métal des organes du robot fondait ?

Enderby parut scandalisé et déclara :

— Votre question est positivement ridicule, Lije !

Baley se tourna alors vers le Spacien et lui demanda :

— Consentez-vous à faire procéder à l'exhumation du corps, aux fins d'autopsie, Dr Fastolfe ?

— Normalement, répondit en souriant celui-ci, je n'aurais rien à objecter à votre proposition, monsieur Baley. Mais l'ennui, c'est que nous n'enterrons pas nos morts. Nous les incinérons toujours.

— C'est, en l'occurrence, très avantageux ! dit Baley.

— Mais voyons ! reprit Fastolfe. Dites-moi donc,

monsieur Baley, comment êtes-vous parvenu à cette conclusion vraiment étonnante ?

« Il ne cède pas, se dit Baley. Il va crâner tant qu'il pourra ! »

— Oh ! c'est bien simple ! déclara-t-il. Pour imiter un robot, il ne suffit pas de se composer un visage impassible et de s'exprimer en un langage conventionnel. Votre faiblesse, à vous autres hommes des Mondes Extérieurs, c'est que vous avez trop l'habitude des robots. Vous en êtes arrivés à les considérer presque comme des êtres humains, et vous ne savez même plus reconnaître en quoi ils diffèrent de nous. Mais, sur Terre, il n'en est pas de même. Nous, nous savons très bien ce qu'est un robot. Ainsi, par exemple, R. Daneel est beaucoup trop humain pour qu'on le prenne pour un robot. Dès mon premier contact avec lui, j'ai senti que j'avais affaire à un Spacien. J'ai dû faire un gros effort pour admettre comme véridiques ses déclarations touchant sa qualité de robot. Et maintenant je comprends très bien ma réaction première, puisque effectivement il est un Spacien et non pas un robot.

A ce moment R. Daneel intervint lui-même, sans se montrer aucunement blessé de faire ainsi l'objet de la discussion.

— Je vous ai déjà expliqué, mon cher associé, que j'ai été construit pour prendre provisoirement place parmi les Terriens. C'est donc à dessein que l'on m'a donné une ressemblance aussi complète avec les hommes.

— Même au point de vous doter, au prix de grands efforts, d'organes prétendus humains, qui habituellement sont toujours recouverts de vêtements, et qui, pour un robot, ne peuvent servir à rien ?

— Comment donc l'avez-vous découvert ? demanda Enderby.

— Je n'ai pas pu ne pas le remarquer, répliqua Baley en rougissant... dans les Toilettes...

Enderby parut profondément choqué ; mais Fastolfe riposta aussitôt :

— Vous devez sûrement comprendre que, si l'on désire utiliser un robot ressemblant vraiment à un homme, cette ressemblance doit être complète. Etant donné le but que nous cherchons à atteindre, mieux vaut ne rien faire du tout que prendre des demi-mesures.

— Puis-je fumer ? demanda brusquement Baley.

Trois pipes dans la même journée constituaient une extravagance ridicule ; mais, dans le tourbillon de cette discussion qu'il avait témérairement engagée, il avait besoin de la détente que lui procurait le tabac. Après tout, il était en train de clouer le bec à ces Spaciens, et de les obliger à ravaler leurs mensonges. Mais Fastolfe lui répondit :

— Veuillez m'excuser, mais je préférerais que vous ne fumiez pas.

Cette « préférence », Baley sentit qu'elle avait la force d'un ordre. Il remit donc en poche sa pipe, qu'il avait tirée, comptant sur une autorisation automatique.

« Bien sûr ! se dit-il amèrement. Enderby ne m'a pas averti, parce qu'il ne fume pas ; mais c'est évident, tout se tient ; dans leurs Mondes Extérieurs, on ne fume pas, on ne boit pas, on n'a aucun des vices humains ! Rien d'étonnant à ce qu'ils acceptent des robots dans leur sacrée société ! Comment donc R. Daneel l'appelait-il ?... Ah ! oui : la société C/Fe !... Ce n'est pas surprenant que R. Daneel puisse faire le robot aussi bien ! Ce sont tous des robots ces gens-là ! »

Reprenant la discussion, il répondit à Fastolfe :

— La ressemblance trop complète n'est qu'un des points que je désirais signaler, parmi beaucoup d'autres. Hier, tandis que je *le* ramenais chez moi, il y eut presque une émeute dans mon quartier.

Il marqua un temps ; il ne pouvait se résoudre à dire soit R. Daneel, soit le Dr Sarton...

— C'est *lui* qui y a mis fin, et il y est parvenu en menaçant de son arme les gens qui voulaient fomenter l'émeute.

— Ça alors ! s'écria Enderby violemment. Le rapport de police a dit que c'était vous !

— Je le sais, monsieur le commissaire, dit Baley. Mais ce rapport a été rédigé d'après les renseignements que j'ai moi-même fournis. Comme vous pouvez le comprendre, je n'ai pas voulu que l'on raconte qu'un robot avait menacé des hommes et des femmes de leur tirer dessus !

— Non, non !... Evidemment pas !

Enderby était visiblement horrifié. Il se pencha en avant pour examiner quelque chose qui se trouvait hors du champ de télévision. Baley devina facilement ce que c'était. Le commissaire devait vérifier que la communication ne pouvait pas être interceptée.

— Considérez-vous ce fait comme un argument à l'appui de votre thèse ? demanda Fastolfe.

— Sans aucun doute. La première loi fondamentale de la Robotique déclare qu'un robot ne peut porter atteinte à un être humain.

— Mais R. Daneel n'a fait de mal à personne !

— C'est vrai. Il m'a même dit ensuite que, en aucune circonstance, il n'aurait tiré. Et cependant je n'ai jamais entendu parler d'un robot capable de violer l'esprit de la première loi au point de menacer un homme de lui tirer dessus, même s'il n'avait aucunement l'intention de le faire.

— Je vois ce que vous voulez dire. Etes-vous expert en Robotique, monsieur Baley ?

— Non, monsieur. Mais j'ai suivi des cours de Robotique, et d'analyse positronique. Je ne suis pas complètement ignare !...

— C'est parfait, dit aimablement Fastolfe. Mais moi, voyez-vous, je suis expert en Robotique, et je peux vous asssurer que l'essence même de l'esprit d'un robot consiste en une interprétation absolument positive de l'univers ambiant. Le robot ne connaît rien de l'esprit de la première loi, il n'en connaît que la lettre. Les robots très simples que vous utilisez sur Terre ont sans doute été conçus, non seulement d'après la première loi, mais selon des principes supplémentaires si restrictifs qu'en fait ils sont vraisemblablement incapables de menacer un être humain. Mais un type de robot aussi perfectionné que R. Daneel représente tout autre chose. Si je ne me trompe, dans la circonstance que vous venez d'évoquer, la menace de Daneel a été nécessaire pour empêcher une émeute d'éclater. Elle a donc eu pour objet d'éviter que des êtres humains subissent un dommage. Par conséquent il a obéi à la première loi, et non pas agi à l'encontre de celle-ci.

Baley se crispa intérieurement, mais, n'en laissant rien paraître, il parvint à garder un calme imperturbable. La partie serait dure à jouer, mais il battrait le Spacien à son propre jeu.

— Vous aurez beau tenter de contredire chacun de

mes arguments, répliqua-t-il, vous n'empêcherez pas qu'ils se tiennent et s'enchaînent les uns aux autres. Hier soir, en discutant sur le prétendu meurtre avec ce soi-disant robot, je l'ai entendu me déclarer qu'on avait fait de lui un détective, en dotant ses circuits positroniques d'une aspiration nouvelle ; il s'agit, m'a-t-il dit, d'un besoin permanent et absolu de justice.

— Je m'en porte garant, dit Fastolfe. Cette opération a eu lieu il y a trois jours, et c'est moi-même qui l'ai contrôlée.

— Un besoin de justice ? La justice, docteur Fastolfe, est quelque chose d'abstrait, et ce terme-là ne peut être utilisé que par un être humain.

— Si vous définissez le mot justice de façon à en faire une abstraction, si vous dites qu'elle consiste à donner à chacun son dû, à faire prévaloir le droit, ou quoi que ce soit de ce genre, je suis d'accord avec vous, monsieur Baley. Dans l'état actuel de nos connaissances scientifiques, on ne peut inculquer à un cerveau positronique une compréhension humaine de données abstraites.

— Vous donc, expert en Robotique, vous admettez cela ?

— Certainement. Pour moi, la seule question qui se pose, c'est de savoir ce que R. Daneel voulait dire en usant du terme « justice ».

— Si j'en juge d'après le début de votre entretien, il attribuait à ce mot la même signification que vous ou moi lui donnons, c'est-à-dire un sens qu'aucun robot ne peut concevoir.

— Mais pourquoi donc, monsieur Baley, ne lui demandez-vous pas tout simplement de vous définir ce qu'il entend par ce terme ?

Baley sentit un peu de son assurance l'abandonner ; se tournant vers R. Daneel il lui dit :

— Eh bien ?

— Oui, Elijah ?

— Comment définissez-vous la justice ?

— La justice, Elijah, c'est ce qui existe quand toutes les lois sont respectées.

— Voilà une excellente définition, monsieur Baley ! dit Fastolfe, en approuvant d'un signe de tête la réponse de R. Daneel. On ne peut demander mieux à un robot. Or, le désir de voir toutes les lois respectées a précisément été inculqué à R. Daneel. Pour lui, la justice est un terme très concret, du moment qu'il signifie le respect des lois, lesquelles sont supposées être très clairement et spécifiquement énoncées. Rien d'abstrait dans tout cela. Un être humain peut reconnaître que, sur la base d'un code moral abstrait, certaines lois peuvent être mauvaises, et que, dans ce cas, les appliquer constitue une injustice. Qu'en dites-vous, R. Daneel ?

— Une loi injuste, répondit tranquillement celui-ci, est un contresens.

— Voilà comment raisonne un robot, monsieur Baley. C'est vous dire que vous ne devez pas confondre votre conception de la justice avec celle de R. Daneel.

Baley se tourna brusquement vers R. Daneel, et lui dit :

— Vous êtes sorti de mon appartement, hier soir !

— En effet, répliqua le robot. Si j'ai troublé votre sommeil, je m'en excuse.

— Où êtes-vous allé ?

— Dans les Toilettes des hommes.

Baley fut un peu déconcerté. Cette réponse correspondait bien à ce qu'il avait lui-même pensé, mais il ne s'attendait pas à ce que R. Daneel reconnût le fait. Il sentit qu'il perdait encore un peu de son assurance, mais il n'en poursuivit pas moins fermement sa démonstration. Le commissaire principal suivait intensément la controverse, et, derrière ses lunettes, ses yeux ne cessaient d'observer tour à tour les trois participants. Baley ne pouvait plus reculer, et, quels que fussent les arguments qu'on lui opposerait, il lui fallait s'accrocher à sa thèse.

— En arrivant chez moi, reprit-il, *il* a insisté pour pénétrer avec moi dans les Toilettes. La raison qu'il m'a alors donnée ne valait pas grand-chose. Or, pendant la nuit, il est sorti de chez moi pour retourner dans les Toilettes, comme il vient de le reconnaître. En tant qu'homme, j'ose dire qu'il avait toutes les raisons et tous les droits d'agir ainsi : c'est l'évidence même. Mais en tant que robot, ce déplacement ne signifiait rien. On ne peut donc qu'en conclure que Daneel est un homme.

Fastolfe fit un signe d'acquiescement, mais ne parut nullement démonté.

— Très intéressant, fit-il. Mais pourquoi ne pas demander à Daneel ce qu'il est allé faire hier soir dans ces Toilettes ?

Le commissaire Enderby se pencha en avant et intervint :

— Je vous en prie, docteur Fastolfe ! Ce n'est vraiment pas convenable !...

— Ne vous tracassez pas, monsieur le commissaire principal ! répliqua le Spacien, dont les lèvres pincées esquissèrent un sourire qui, cette fois, n'avait rien de plaisant. Je suis certain que la réponse de

Daneel n'offusquera ni votre pudeur ni celle de monsieur Baley. Qu'avez vous à nous dire, Daneel ?

— Hier soir, répondit celui-ci, quand Jessie, la femme d'Elijah, a quitté l'appartement, elle m'a témoigné beaucoup de sympathie, et il était évident qu'elle n'avait aucune raison de ne pas me croire un être humain normal. Quand elle est rentrée dans l'appartement, un peu plus tard, elle savait que j'étais un robot. J'en ai automatiquement déduit qu'elle avait appris la chose dehors, et que ma conversation avec Elijah avait été interceptée. Le secret de ma véritable nature n'avait pas pu être découvert autrement. Elijah m'avait assuré que l'appartement était parfaitement insonorisé. Nous avons parlé à voix basse, et on ne pouvait nous entendre en écoutant à la porte. Or, Elijah est connu à New York pour être détective. Si donc il existe dans la Cité un groupe de conspirateurs assez bien organisé pour avoir préparé et exécuté l'assassinat du Dr Sarton, ces gens-là peuvent très bien savoir que l'on a chargé Elijah de l'enquête sur ce crime. Dès lors, j'ai estimé non seulement possible mais probable qu'ils aient placé dans l'appartement un microphone, permettant d'écouter ce qui s'y disait. Quand Elijah et Jessie se sont couchés, j'ai donc fouillé autant que j'ai pu l'appartement, mais je n'ai trouvé aucun fil conducteur, aucun microphone. Cela compliquait encore le problème. Pour pouvoir détecter à distance un tel entretien, il fallait disposer d'un matériel compliqué. L'analyse de la situation m'a amené aux conclusions suivantes : le seul endroit où un New-Yorkais peut faire à peu près n'importe quoi sans être dérangé ni interrogé, c'est dans les Toilettes ; on peut très bien y installer un détecteur de son à distance. L'usage selon lequel nul ne doit s'occuper d'autrui dans les Toilettes interdit à quiconque de remarquer l'installation d'un tel matériel. Comme les Toilettes se trouvent tout près de l'appartement d'Elijah, la puissance du détecteur électronique n'avait pas besoin d'être grande, et l'on pouvait utiliser un modèle pas plus encombrant qu'une valise. J'ai donc été dans les Toilettes pour perquisitionner.

— Et qu'avez-vous trouvé ? demanda vivement Baley.

— Rien, Elijah. Pas trace de détecteur de son.

— Eh bien, monsieur Baley, dit Fastolfe, qu'en dites-vous ? Cette explication vous semble-t-elle plausible ?

— Plausible en elle-même, sans doute, répliqua Baley dont les doutes venaient de se dissiper, mais elle est fort loin de contredire ma thèse. Car ce qu'*il* ne sait pas, c'est que ma femme m'a dit où et quand elle a appris la chose. Elle a appris que Daneel était un robot peu après nous avoir quittés, et à ce moment le bruit courait déjà en ville, depuis plusieurs heures. Par conséquent ce ne peut pas être à la suite d'un espionnage de notre entretien qu'on a découvert la présence d'un robot spacien en ville.

— Néanmoins, répéta Fastolfe, j'estime que la visite de Daneel aux Toilettes, hier soir, est clairement expliquée.

— Peut-être, rétorqua Baley avec feu, mais ce qui n'est pas expliqué, c'est où, quand et comment, on a découvert la vérité ! Comment ces bruits ont-ils pu être lancés en ville ? Autant que je sache, nous n'étions que deux personnes au courant de cette enquête : le commissaire Enderby et moi-même, et nous n'en avons parlé à personne. Monsieur le commissaire principal, quelqu'un d'autre que nous, dans nos services, a-t-il été mis dans le secret ?

— Non, dit Enderby, qui sembla inquiet. Personne. Pas même le maire. Rien que nous et le Dr Fastolfe.

— Et *lui*, dit Baley, montrant Daneel Olivaw.

— Moi ? fit celui-ci.

— Pourquoi pas ?

— J'ai été constamment avec vous.

— C'est faux ! s'écria Baley, farouchement. Avant d'entrer chez moi, j'ai passé plus d'une demi-heure dans les Toilettes, et, pendant ce temps, nous n'avons plus été en contact, vous et moi. C'est à ce moment que vous vous êtes mis en communication avec vos complices en ville.

— Quels complices ? demanda le Dr Fastolfe.

— Quels complices ? s'écria presque simultanément Enderby.

Baley se leva et se tourna vers l'écran du téléphone télévisé.

— Monsieur le commissaire principal, fit-il gravement, je vous demande de m'écouter très attentivement, et de me dire si mon raisonnement ne se tient pas parfaitement. Un assassinat est commis, et, par une étrange coïncidence, il survient juste au moment où vous pénétrez dans Spacetown pour rendre visite à la victime. On vous montre les restes de quelque chose que l'on prétend être un homme, mais, depuis, le cadavre a disparu et ne peut donc faire l'objet d'une autopsie. Les Spaciens affirment que le meurtre a été commis par un Terrien ; or, cette accusation présuppose qu'un New-Yorkais a pu quitter la ville, et se rendre, seul, de nuit, à Spacetown, à travers la campagne ; et vous savez très bien que cette supposition est absolument invraisemblable. Que se passe-t-il alors ? On envoie en ville un prétendu robot, et on insiste beaucoup pour vous l'envoyer. Le premier acte de ce robot en arrivant ici est de menacer des hommes et des femmes de leur tirer dessus. Son second acte consiste à répandre le bruit qu'un robot spacien circule librement dans la cité ; et, en fait, la rumeur publique a été si précise qu'on a même annoncé que ce robot travaille avec la police de New York. Cela signifie que, d'ici peu, on saura que c'était lui qui se trouvait dans le magasin de chaussures. Il est très possible qu'à l'heure actuelle, la rumeur publique en circule dans les quartiers des usines de levure et dans les centrales hydroponiques...

— Mais voyons, gronda Enderby, ce que vous dites là est insensé ! C'est impossible, Lije !

— Non, non, ce n'est pas impossible ! C'est au contraire exactement ce qui se passe, monsieur le commissaire principal ! Ne voyez-vous donc pas l'opération ? Il y a en ville une conspiration, c'est bien d'accord ! Mais elle est fomentée par Spacetown ! Les Spaciens veulent annoncer un meurtre, ils veulent des émeutes, ils veulent que nous les attaquions, et plus les choses s'envenimeront, mieux cela vaudra, car cela servira de prétexte aux flottes aériennes des Mondes Extérieurs pour nous tomber dessus et occuper les villes de la Terre.

— Vous semblez oublier, répliqua doucement Fastolfe, qu'il y a vingt-cinq ans nous avions une excellente excuse pour agir ainsi, lors des émeutes de la Barrière.

— A ce moment-là, s'écria Baley dont le cœur battait à coups précipités, vous n'étiez pas prêts. Mais maintenant vous l'êtes.

— Vous nous prêtez là des plans très compliqués, monsieur Baley, dit Fastolfe. Si nous désirions occuper la Terre, nous pourrions le faire beaucoup plus simplement que cela.

— Ce n'est pas certain, docteur Fastolfe. Votre soi-disant robot m'a déclaré lui-même que l'opinion publique n'est pas chez vous unanime, quant à la politique à suivre à l'égard de la Terre. Et je crois que pour une fois, il a dit la vérité. Il se peut fort bien qu'une occupation non motivée de la Terre ne serait pas populaire dans vos Mondes, et dans ce cas, vous avez besoin de créer un incident, un gros incident monté par des agents provocateurs.

— Par exemple un meurtre, n'est-ce pas ? C'est cela que vous prétendez ? Mais vous admettrez que ce serait un simulacre de meurtre, et vous ne supposeriez tout de même pas que nous assassinerions nous-mêmes un de nos compatriotes pour le plaisir de créer cet incident ?

— Vous avez construit un robot à l'image du Dr Sarton, vous l'avez détruit, et vous avez montré ses restes au commissaire Enderby.

— Après quoi, dit Fastolfe, ayant utilisé R. Daneel pour représenter le Dr Sarton dans le faux meurtre, nous utilisons le Dr Sarton pour personnifier R. Daneel dans la fausse enquête ?

— C'est exactement cela. Et je vous fais cette déclaration en présence d'un témoin qui n'est pas dans cette pièce en chair et en os, que vous ne pouvez donc pas supprimer, et dont la qualité est telle que son témoignage sera accepté et cru par les gouvernements de la ville et de Washington. Nous serons désormais en garde contre vos agissements, maintenant que nous connaissons vos intentions. Et notre gouvernement pourra, au besoin, s'adresser directement à votre peuple et lui exposer la situation telle qu'elle est. Pour ma part, je doute fort qu'une telle piraterie interstellaire soit admise.

— Mon cher monsieur Baley, répliqua Fastolfe en secouant tristement la tête, permettez-moi de vous dire que vous déraisonnez complètement. Vraiment, vous nous attribuez d'incroyables idées ! Voyons, supposez maintenant, supposez tout simplement, que R. Daneel soit réellement R. Daneel. Supposez qu'il soit vraiment un robot.

« Il en résultera tout naturellement que le cadavre examiné par le commissaire Enderby était bien celui du Dr Sarton. Vous ne pourriez raisonnablement plus prétendre que ce corps déchiqueté était celui d'un autre robot : en effet, le commissaire Enderby a assisté à la construction de R. Daneel et il peut se porter garant qu'il n'en existe qu'un seul exemplaire.

— Oh ! répliqua Baley, si vous en arrivez là, le commissaire principal ne m'en voudra pas de dire qu'il n'est pas un expert en Robotique, et, pour ma part, je ne trouverais rien d'étonnant à ce que vous ayez construit des douzaines de robots comme R. Daneel !

— Ne nous écartons pas du sujet, monsieur Baley, je vous prie. Que direz-vous, si R. Daneel est vraiment un robot ? Tout votre raisonnement ne va-t-il pas aussitôt s'effondrer ? Quelle autre base pourrez-vous donner à ce complot interstellaire, aussi mélodramatique qu'invraisemblable, auquel vous croyez ?...

— S'il est un robot ! Mais, moi, je vous dis que c'est un homme !

— Vous n'avez cependant pas étudié à fond la

question, monsieur Baley. Pour établir la différence entre un robot, même le plus humanoïde des robots, et un être humain, il n'est pas nécessaire de se creuser la tête ni de se livrer à des déductions compliquées et hasardeuses, sur les actes ou les paroles de ce robot. Il suffit par exemple d'essayer de le piquer avec une épingle. Avez-vous essayé de piquer R. Daneel, monsieur Baley ?

— Quoi ? fit le détective, bouche bée.

— Eh bien oui ! L'expérience est facile à faire. Il y en a d'ailleurs d'autres moins simples. Sa peau et ses cheveux ont l'air naturel, mais les avez-vous examinés à la loupe ? D'autre part, il semble respirer, surtout quand il se sert d'air pour parler ; mais, avez-vous remarqué que son souffle est irrégulier, et que des minutes entières peuvent s'écouler sans qu'il respire ? Vous auriez même pu recueillir de l'air qu'il expire et mesurer la proportion de gaz carbonique qu'il contient. Vous auriez pu essayer de lui faire une prise de sang, de lui tâter le pouls, d'écouter battre son cœur. Vous me comprenez, monsieur Baley ?...

— Tout cela, ce sont des phrases, répliqua Baley, fort mal à l'aise. Mais je ne suis pas disposé à me laisser bluffer, docteur Fastolfe. J'aurais pu évidemment tenter l'une de ces expériences ; mais vous imaginez-vous que ce prétendu robot m'aurait laissé le piquer avec une seringue ? Ou l'examiner au microscope, ou encore l'ausculter avec un stéthoscope ?

— Ah, oui ! Je vois ce que vous voulez dire, murmura Fastolfe, qui, se tournant vers R. Daneel, lui fit un petit signe de la main.

R. Daneel toucha le poignet de la manche droite de sa chemise, et la fermeture éclair diamagnétique de la manche s'ouvrit d'un seul coup sur toute sa longueur, découvrant ainsi un bras musclé dont la peau avait absolument l'aspect de la chair humaine ; il était couvert de poils courts et dorés, dont la quantité et la répartition correspondaient tout à fait à ceux d'un bras naturel.

— Eh bien ? dit Baley.

R. Daneel pinça alors légèrement, entre le pouce et l'index de sa main gauche, l'extrémité du médius de sa main droite. Baley ne put voir en quoi consistèrent exactement les détails des manipulations qui suivirent ce geste. Mais d'un seul coup, le bras du robot s'ouvrit en deux, comme l'avait fait la manche de sa chemise, quand la fermeture diamagnétique s'était défaite. Et là, aux yeux stupéfaits du détective, apparut, sous une mince couche de matière ressemblant à de la chair, un enchevêtrement compliqué de tiges et de fils d'acier brillant et gris bleu, de cordes et de joints métalliques.

— Voulez-vous vous donner la peine d'examiner de plus près comment Daneel a été construit, monsieur Baley ? demanda poliment le Dr Fastolfe.

Mais Baley entendit à peine la proposition qui lui était faite ; ses oreilles en effet se mirent à bourdonner, et ce qu'il perçut par-dessus tout, ce fut un éclat de rire aigu et presque hystérique du commissaire Enderby.

9

ECLAIRCISSEMENTS FOURNIS PAR UN SPACIEN

Quelques minutes passèrent et le bourdonnement s'accrut, au point de couvrir l'éclat de rire. Le dôme et tout ce qu'il contenait vacillèrent, et Baley perdit complètement la notion du temps.

Finalement il se retrouva assis dans la même position, mais sans pouvoir s'expliquer ce qu'il faisait là. Le commissaire principal avait disparu de l'écran de la télévision, qui n'était plus qu'une surface laiteuse et opaque. Quant à R. Daneel, il était assis à côté de lui, et il lui pinçait le haut du bras, dont il avait retroussé la manche. Juste sous sa peau, Baley aperçut la petite raie sombre d'une aiguille, et, tandis qu'il regardait R. Daneel lui faire cette piqûre, il sentit le liquide qu'on lui injectait pénétrer sa chair, puis son sang, puis son corps tout entier. Et, petit à petit, il reprit conscience de la réalité.

— Vous sentez-vous mieux, mon cher associé ? demanda R. Daneel.

— Oui, merci, répondit-il en retirant son bras, que le robot ne retint pas.

Il rabattit sa manche et regarda autour de lui. Le Dr Fastolfe était toujours à la même place, et un léger sourire atténuait un peu la lourdeur de ses traits.

— Est-ce que je me suis évanoui ? demanda Baley.

— Dans un certain sens, oui. Vous avez, je crois reçu un coup très brutal.

Et soudain, le détective se rappela toute la scène qu'il venait de vivre. Il saisit vivement le bras de Daneel, en remonta la manche autant qu'il le put, découvrant ainsi le poignet. La chair du robot était douce au toucher, mais on sentait que, sous cette couche, il y avait une matière plus dure que des os. R. Daneel laissa le policier lui serrer le bras, et Baley l'examina longuement, pinçant la peau le long de la ligne médiane. Comportait-elle une légère couture ? Logiquement, il devait y en avoir une. Un robot, recouvert de peau synthétique, et construit pour ressembler vraiment à un être humain, ne pouvait être préparé par des procédés ordinaires. On ne pouvait, dans ce but, dériveter une poitrine métallique, ou retirer un crâne. Il fallait, au lieu de cela, dissocier les diverses parties d'un corps mécanique assemblées par une succession de joints micromagnétiques. Un bras, ou une tête, ou un corps tout entier, devait pouvoir, sur un simple contact en un point déterminé, s'ouvrir en deux, et se refermer de même par une manœuvre contraire.

Baley, rouge de confusion, leva les yeux vers le Dr Fastolfe.

— Où est donc le commissaire principal ? demanda-t-il.

— Il avait à s'occuper d'affaires urgentes. Je l'ai vivement encouragé à nous quitter, en l'assurant que nous prendrions soin de vous.

— Vous venez déjà de le faire fort bien, dit Baley,

d'un ton bourru. Et maintenant, je crois que nous n'avons plus rien à nous dire.

Il se leva péniblement ; ses articulations lui faisaient mal, et, subitement, il se sentit un vieil homme, trop vieux pour repartir à zéro...

Il n'avait certes pas besoin de beaucoup réfléchir pour imaginer ce que l'avenir lui réservait. Son chef allait être moitié furieux, moitié épouvanté ; il le regarderait froidement, et ôterait ses lunettes pour les essuyer toutes les trente secondes ; comme il ne criait presque jamais, il expliquerait d'une voix douce à Baley toutes les raisons pour lesquelles les Spaciens avaient été mortellement offensés ; et le détective pouvait entendre déjà, jusque dans ses moindres intonations, cette diatribe :

« On ne parle pas aux Spaciens de cette façon-là, Lije ! C'est tout simplement impossible, car ils ne l'admettent pas. Je vous avais prévenu. Je me sens incapable d'évaluer le mal que vous venez de faire. Remarquez que je vois où vous vouliez en venir. Si vous aviez eu affaire à des Terriens, c'eût été tout différent ; je vous aurais dit : « D'accord, risquez le paquet ! Tant pis pour la casse, pourvu que vous les possédiez ! » Mais avec des Spaciens, c'était de la folie ! Vous auriez dû m'en parler et me demander conseil, Lije ! Parce que, moi, je les connais. Je sais comment ils agissent et je sais ce qu'ils pensent ! »

A cela, que pouvait-il répondre ? Qu'Enderby était précisément le seul homme à qui il ne pouvait pas en parler, parce que ce plan était terriblement risqué, alors que le commissaire principal était la prudence même ?... Il rappellerait à son chef comment celui-ci avait lui-même montré le très grave danger que comportaient aussi bien un échec flagrant qu'un succès mal venu ; et il lui déclarerait que le seul moyen d'échapper à un déclassement consistait à prouver la culpabilité de Spacetown.

Mais Enderby ne manquerait pas de répliquer :

« Il va falloir faire un rapport sur tout ça, Lije ; et cela va entraîner toutes sortes de complications. Je connais les Spaciens : ils vont demander qu'on vous décharge de l'enquête, et il faudra nous exécuter. Vous devez bien le comprendre, n'est-ce pas, Lije ? Moi, je tâcherai d'arranger les choses pour vous, et vous pouvez compter sur moi à ce sujet. Je vous couvrirai autant que je le pourrai, Lije !...

Baley savait que ce serait exact. Son chef le couvrirait, du mieux qu'il le pourrait, mais pas au point, par exemple, d'exaspérer encore plus un maire furibond. Il pouvait également entendre glapir le maire :

« Mais alors, Enderby, qu'est-ce que tout cela signifie ? Pourquoi ne m'a-t-on pas demandé mon avis ? Qui donc a la responsabilité de diriger la Cité ? Pourquoi a-t-on laissé entrer en ville un robot non muni des autorisations réglementaires ? Et enfin, de quel droit ce Baley... »

Si l'on en venait à mettre en balance l'avenir de Baley et celui du commissaire principal, dans les services de police, comment douter de ce qui se passerait ? Au surplus, il ne pourrait en conscience s'en prendre à Enderby. La moindre des sanctions qui allait le frapper serait la rétrogradation, mesure déjà fort redoutable. Sans doute, le simple fait d'habiter une Cité moderne comportait implicitement l'assurance que l'on pouvait y subsister. Mais à quel point une telle existence était étriquée, cela Baley ne le savait que trop bien. Ce qui, petit à petit, valait d'appréciables avantages, c'était de bénéficier d'un statut s'améliorant à mesure que l'on gravissait l'échelle administrative ; on obtenait ainsi une place plus confortable au spectacle, une meilleure qualité de viande dans la ration quotidienne, ou encore le droit de faire moins longtemps la queue à tel magasin. Quiconque aurait jugé de ces choses en philosophe n'aurait sans doute pas estimé que des privilèges aussi minimes valaient la peine qu'on se donnait pour les obtenir. Et pourtant personne, si philosophe que l'on fût, ne pouvait renoncer sans douleur à ces droits, une fois qu'on les avait acquis. C'était là un fait incontestable.

Ainsi, c'était sans doute un insignifiant avantage que de posséder, dans un appartement, un lavabo à eau courante, surtout quand on avait pris l'habitude, pendant trente ans, d'aller automatiquement se laver dans les Toilettes, sans même y faire attention. Bien plus, on pouvait à bon droit considérer cet appareil sanitaire comme inutile, surtout en tant que privilège accordé par statut spécial, car rien n'était plus impoli que de se vanter des avantages dont on bénéficiait ainsi. Et cependant, Baley se dit que, si l'on venait à lui supprimer ce lavabo, chaque déplacement supplémentaire qu'il aurait alors à faire aux Toilettes serait plus humiliant et plus intolérable, et qu'il garderait toujours le souvenir lancinant du plaisir qu'il avait à se raser chez lui, dans sa chambre à coucher : ce serait pour lui le symbole même d'un luxe à jamais perdu...

Dans les milieux politiques avancés, il était de bon ton de parler de l'Epoque Médiévale avec dédain, et de dénigrer le « fiscalisme » de ces régimes qui basaient l'économie des Etats sur la monnaie. C'est ainsi que les écrivains politiques dénonçaient les concurrences effroyables et la brutale « lutte pour la vie » qui sévissaient en ce temps-là ; et ils affirmaient que, à cause du souci permanent du pain quotidien, qui obsédait alors tout le monde, il avait toujours été impossible de créer une société vraiment moderne et complexe.

A ce système « fiscaliste » périmé, ils opposaient le « civisme » moderne, dont ils vantaient le haut rendement et l'agrément. Peut-être avaient-ils raison ; cependant, dans les romans historiques, qu'ils fussent d'inspiration sentimentale ou des récits d'aventures, Baley avait pu constater que les Médiévalistes de jadis attribuaient au « fiscalisme » la vertu d'engendrer des qualités telles que l'individualisme et l'initiative personnelle. Certes, Baley n'en aurait pas juré, mais écœuré à la pensée de ce qu'il allait bientôt endurer, il se demanda si jamais un homme avait jadis lutté farouchement pour son pain quotidien — peu importait le symbole utilisé pour définir ce dont on avait besoin pour vivre — et ressenti plus douloureusement la perte de ce pain, qu'un citoyen new-yorkais s'efforçant de ne pas perdre son droit à percevoir, le dimanche soir, un pilon de poulet, en chair et en os, de vrai poulet ayant réellement existé.

« Ce n'est pas tant pour moi ! songea-t-il. Mais il y a Jessie et Ben !... »

La voix du Dr Fastolfe l'arracha soudain à sa méditation :

— Monsieur Baley, est-ce que vous m'entendez ?

— Oui, fit-il en clignant des yeux, et en se demandant combien de temps il était ainsi resté planté au milieu de la pièce, comme un imbécile ahuri.

— Ne voulez-vous pas vous asseoir, monsieur ? Maintenant que vous avez sans doute réfléchi à ce qui vous préoccupe, peut-être cela vous intéresserait-il de voir quelques films que nous avons pris sur le lieu du crime, au cours de l'enquête faite ici.

— Non, merci. J'ai à faire en ville.

— Cependant, l'enquête sur l'assassinat du Dr Sarton doit sûrement primer toutes vos autres occupations !

— Plus maintenant. J'ai idée que, d'ores et déjà, j'en suis déchargé. Enfin, tout de même, s'écria-t-il, éclatant soudain de rage, si vous pouviez prouver que R. Daneel était un robot, voulez-vous me dire pourquoi vous ne l'avez pas fait tout de suite ? Quel besoin aviez-vous de vous livrer à toute cette mascarade ?

— Mon cher monsieur Baley, répliqua le Spacien, j'ai été extrêmement intéressé par vos raisonnements. Quant à vous décharger de l'enquête, j'en doute fort. Car, avant de couper la communication avec le commissaire principal, j'ai spécialement insisté pour que l'on vous en laisse la pleine responsabilité. Et je suis convaincu que votre chef continuera, comme vous, à nous aider à la mener à bien.

Baley s'assit, d'assez mauvaise grâce, et dit durement :

— Et pourquoi en êtes-vous donc si convaincu ?

Le Dr Fastolfe croisa les jambes et soupira.

— Monsieur Baley, dit-il, jusqu'à présent, j'ai en général rencontré deux types de New-Yorkais : des émeutiers et des politiciens. Votre chef nous est utile, mais c'est un politicien. Il nous dit ce que nous désirons entendre, il s'efforce de savoir nous prendre : vous voyez ce que je veux dire. Or, voilà que vous entrez en scène, vous venez nous voir, et, courageusement, vous nous accusez de crimes abominables, que vous tentez de prouver. J'ai eu beaucoup de plaisir à assister à votre démonstration, et j'ai estimé qu'elle permet de fonder de sérieux espoirs sur notre collaboration.

— Eh bien, vous n'êtes pas difficile ! s'écria Baley, sarcastique.

— Oh ! si, oh ! si, reprit l'autre, calmement. Vous êtes un homme avec lequel je peux jouer cartes sur table. La nuit dernière, monsieur Baley, R. Daneel s'est mis en communication avec moi, par radio, car il a, sur lui, un appareil émetteur-récepteur ; il m'a fait son rapport, et certains renseignements qu'il m'a donnés sur vous m'ont vivement intéressé : par exemple, la composition de votre bibliothèque.

— Ah ? Qu'est-ce qu'elle a donc d'extraordinaire ?

— Un bon nombre de vos livres filmés traitent d'histoire et d'archéologie. Cela prouve que vous vous intéressez aux questions sociales, et que vous avez quelques connaissances sur l'évolution de la société humaine.

— Même un policier peut passer ses loisirs à lire, si cela lui plaît...

— Entièrement d'accord, et je suis heureux précisément que vous ayez de tels goûts, car cela va m'aider à mener à bien mon entreprise. En premier lieu, je désire vous expliquer, ou essayer de vous faire comprendre, l'exclusivisme des hommes des Mondes Extérieurs. Ainsi, nous vivons ici, à Spacetown, sans jamais pénétrer dans la Cité ; et nous ne fréquentons les New-Yorkais que selon des règles extrêmement strictes. Nous respirons à l'air libre, mais nous portons des filtres dans nos narines ; j'en ai sur moi en ce moment, mes mains sont gantées, et je suis tout à fait résolu à ne pas approcher de vous plus que cela n'est indispensable pour m'entretenir avec vous. Quelle est, à votre avis, la cause de tout cela ?

— Rien ne sert de jouer à la devinette ! grommela Baley, bien décidé cette fois à laisser parler son interlocuteur.

— Si vous vous laissiez aller à deviner, comme le font certains de vos compatriotes, vous diriez que nous méprisons les Terriens, et que nous croirions déroger si nous laissions, ne fût-ce que leur ombre, nous atteindre. Or, c'est faux. La vraie réponse est, en fait, l'évidence même. L'examen médical et les précautions sanitaires dont vous avez été l'objet ne sont pas des mesures arbitraires et sans signification. Elles ont été dictées par une impérieuse nécessité.

— La maladie ?

— Oui, la maladie. Mon cher monsieur Baley, les Terriens qui ont colonisé les Mondes Extérieurs se sont trouvés dans des planètes absolument vierges de virus et de bactéries. Il va sans dire qu'ils y ont apporté les leurs, mais, en même temps, ils disposaient des plus modernes techniques médicales et micro-biologiques. Ils ont eu seulement à lutter contre une petite communauté de micro-organismes, sans parasites intermédiaires. Il n'y avait là ni moustiques propageant le paludisme, ni limaces véhiculant la schistosomiase. On supprima donc les porteurs de germes de maladie, et l'on cultiva systématiquement en symbiotes les bactéries. Ainsi, graduellement, les Mondes Extérieurs devinrent absolument libres de toute maladie. Et, naturellement, à mesure que le temps passait, la réglementation touchant les immigrations des Terriens devint de plus en plus rigoureuse, attendu que les Mondes Extérieurs pouvaient de moins en moins risquer d'introduire chez eux des germes nocifs.

— Ainsi donc, vous n'avez jamais été malade, docteur Fastolfe ?

— Jamais par l'action d'un microbe parasite, monsieur Baley. Nous sommes tous sujets à des maladies dues à la dégénérescence, bien entendu, par exemple, à l'artériosclérose, mais je n'ai jamais eu ce que vous appelez la grippe. Si j'attrapais la grippe, je pourrais fort bien en mourir, car je n'ai en moi-même aucune capacité de résistance à l'action de ce microbe. Voilà quel est notre point faible, à nous autres Spaciens. Ceux d'entre nous qui viennent habiter Spacetown courent un très grand risque. La Terre est une fourmilière de maladies contre lesquelles nous n'avons aucun moyen de nous défendre ; j'entends aucune défense naturelle. Vous-même, vous êtes porteur des germes d'à peu près toutes les maladies actuellement connues. Vous ne vous en rendez pas compte, parce que, la plupart du temps, vous réussissez à en contrôler l'évolution, grâce aux anticorps qui, d'année en année, se sont développés dans votre organisme. Mais moi, je n'ai pas d'anticorps. Dans ces conditions, vous étonnez-vous de ce que je ne m'approche pas plus de vous ? Croyez-moi, monsieur Baley, je ne me tiens à distance que par mesure d'auto-défense.

— S'il en est ainsi, dit Baley, pourquoi ne pas faire connaître ce fait aux Terriens ? Je veux dire, pourquoi ne pas expliquer ouvertement que les Terriens ne vous dégoûtent pas, mais que vous devez prendre vos précautions contre un réel danger physique ?

— Ce n'est pas si simple que cela, répliqua Fastolfe

en secouant la tête. Nous sommes peu nombreux, et, en tant qu'étrangers, on ne nous a guère en sympathie. Nous arrivons à garantir notre sécurité, grâce à un prestige assez fragile, celui d'une race supérieure. Nous ne pouvons pas nous permettre de perdre la face, en reconnaissant ouvertement que nous avons peur d'approcher d'un Terrien ; nous ne le pouvons pas, en tout cas, tant qu'une meilleure compréhension n'aura pas été instaurée entre Terriens et Spaciens.

— Il ne pourra y en avoir de meilleure sur les bases actuelles, docteur Fastolfe, car c'est précisément à cause de votre prétendue supériorité que... nous vous haïssons.

— C'est un dilemme. Et ne croyez pas que nous ne nous en rendions pas compte !...

— Est-ce que le commissaire principal est au courant de cet état de choses ?

— Nous ne le lui avons jamais exposé carrément, comme je viens de le faire avec vous. Cependant, il se peut qu'il l'ait deviné ; c'est un homme très intelligent.

— S'il l'avait deviné, il aurait dû me le dire, murmura Baley, songeur.

— Ah ! fit le Spacien dont les sourcils se dressèrent. Et s'il vous avait averti, vous n'auriez jamais envisagé la possibilité que R. Daneel fût un Spacien, n'est-ce pas ?

Baley haussa légèrement les épaules, et ne jugea pas utile de continuer à discuter sur ce point. Mais son interlocuteur reprit :

— Voyez-vous, c'est pourtant la vérité. Toutes difficultés psychologiques mises à part, telles que le terrible effet que nous produisent vos foules et les bruits de la Cité, un fait capital demeure, c'est que, pour n'importe lequel d'entre nous, pénétrer dans New York équivaut à une condamnation à mort. Voilà pourquoi le Dr Sarton a lancé son projet de robots humanoïdes. Il comptait les substituer à nous autres hommes, pour les envoyer à notre place parmi vous.

— Oui, R. Daneel m'a expliqué cela.

— Et désapprouvez-vous un tel plan ?

— Ecoutez ! répliqua Baley. Du moment que nous nous parlons si librement, laissez-moi vous poser une question très simple : pourquoi, vous autres Spaciens, êtes-vous donc venus sur Terre ? Pourquoi ne pouvez-vous pas nous laisser tranquilles ?

— Permettez-moi à mon tour de répondre par une question, fit le Dr Fastolfe, manifestement très surpris. Etes-vous réellement satisfait de l'existence que vous menez sur Terre ?

— Ça peut aller !...

— Sans doute. Mais pour combien de temps encore ? Votre population ne cesse de croître, et le minimum de calories ne peut lui être fourni qu'aux prix d'efforts toujours plus pénibles. La Terre est engagée dans un tunnel sans issue, mon cher monsieur !

— Nous nous en tirons quand même, répéta Baley, obstinément.

— A peine. Une Cité comme New York doit faire des prodiges pour s'approvisionner en eau et évacuer ses détritus. Les centrales d'énergie nucléaire ne fonctionnent encore que grâce à des importations d'uranium de jour en jour plus difficiles à obtenir, même en provenance des autres planètes, et cela en même temps que les besoins augmentent sans cesse. L'existence même des citoyens dépend à tout moment de l'arrivée de la pulpe de bois nécessaire aux usines de levure, et du minerai destiné aux centrales hydroponiques. Il vous faut, sans jamais une seconde d'arrêt, faire circuler l'air dans toutes les directions, et il est de plus en plus délicat de maintenir l'équilibre de cette aération conditionnée. Que surviendrait-il si jamais le formidable courant d'air frais introduit et d'air vicié évacué s'arrêtait, ne serait-ce qu'une heure ?

— Cela ne s'est jamais produit !

— Ce n'est pas une raison pour qu'il n'arrive rien de tel dans l'avenir. Aux temps primitifs, les centres urbains individuels pouvaient virtuellement se suffire à eux-mêmes, et vivaient surtout du produit des fermes avoisinantes. Rien ne pouvait les atteindre que des désastres subits, tels qu'une inondation, une épidémie, ou une mauvaise récolte. Mais, à mesure que ces centres se sont développés, et que la technologie s'est perfectionnée, on a pu parer aux désastres locaux en faisant appel au secours des centres plus éloignés ; cela n'a cependant été possible qu'en accroissant toujours plus des régions, qui, obligatoirement, devinrent dépendantes les unes des autres. A l'Epoque Médiévale, les villes ouvertes, même les plus vastes, pouvaient subsister au moins pendant une semaine sur leurs stocks, et grâce à des secours d'urgence. Quand New York est devenu la première Cité moderne, elle pouvait vivre sur elle-même pendant une journée. Aujourd'hui, elle ne pourrait pas tenir une heure. Un désastre qui aurait été un peu gênant il y a dix mille ans, et à peine sérieux il y a mille ans, serait devenu il y a cent ans quelque chose de grave ; mais aujourd'hui, ce serait une catastrophe irrémédiable.

— On m'a déjà dit ça, répliqua Baley, qui s'agita nerveusement sur sa chaise. Les Médiévalistes veulent qu'on en finisse avec le système des Cités ; ils préconisent le retour à la terre et à l'agriculture naturelle. Eh bien, ils sont fous, parce que ce n'est pas possible. Notre population est trop importante, et on ne peut, en histoire, revenir en arrière ; il faut, au contraire, toujours aller de l'avant. Bien entendu, si l'émigration vers les Mondes Extérieurs n'était à ce point limitée...

— Vous savez maintenant pourquoi c'est nécessaire.

— Alors, que faut-il faire ? Vous êtes en train de brancher une canalisation sur une ligne électrique qui n'a plus de courant...

— Pourquoi ne pas émigrer vers de nouveaux mondes ? Il y a des milliards d'étoiles dans la Galaxie ; on estime qu'il doit y avoir cent millions de planètes habitables, ou que l'on peut rendre habitables.

— C'est ridicule.

— Et pourquoi donc ? riposta Fastolfe avec véhémence. Pourquoi cette suggestion est-elle ridicule ? Des Terriens ont colonisé des planètes dans le passé. Plus de trente, sur les cinquante Mondes Extérieurs, y compris la planète Aurore où je suis né, ont été colonisées directement par des Terriens. La colonisation ne serait-elle donc plus chose possible pour vos compatriotes ?

— C'est-à-dire que...

— Vous ne pouvez pas me répondre ? Alors, permettez-moi de prétendre que, si ce n'est en effet plus possible, cela tient au développement de la civilisation des Cités terrestres. Avant que celles-ci se multiplient, l'existence des Terriens n'était pas réglementée au point qu'ils ne pussent s'en affranchir ni recommencer une autre vie sur un territoire vierge. Vos ancêtres ont fait cela trente fois. Mais vous, leurs descendants, vous êtes aujourd'hui si agglutinés dans vos cavernes d'acier, si inféodés à elles, que vous ne pourrez jamais plus en sortir. Vous-même, monsieur Baley, vous vous refusez à admettre qu'un de vos concitoyens soit capable de traverser seul la campagne pour se rendre à Spacetown. A fortiori, traverser l'espace pour gagner un monde nouveau doit représenter pour vous une improbabilité cent fois plus grande. En vérité, monsieur, le civisme de vos Cités est en train de tuer la Terre.

— Et puis après ? s'écria Baley rageusement. En admettant que ce soit vrai, en quoi cela vous regarde-t-il ? C'est notre affaire, et nous résoudrons ce problème ! Et si nous n'y parvenons pas, eh bien, admettons que c'est notre façon à nous d'aller en enfer !

— Et mieux vaut votre façon d'aller en enfer que la façon dont les autres vont au paradis, n'est-ce pas ? Je comprends votre réaction, car il est fort déplaisant de se voir donner des leçons par un étranger. Et pourtant, j'aimerais que, vous autres Terriens, vous puissiez nous donner des leçons, à nous Spaciens, car, nous aussi, nous avons à résoudre un problème, et il est tout à fait analogue au vôtre !

— Surpopulation ? fit Baley en souriant méchamment.

— J'ai dit analogue et non pas identique. Le nôtre est sous-population. Quel âge me donnez-vous ?

Le détective réfléchit un instant, puis se décida à donner un chiffre nettement exagéré :

— Je dirai environ la soixantaine.

— Eh bien, vous devriez y ajouter cent ans !

— Quoi ?

— Pour être précis, j'aurai cent soixante-trois ans à mon prochain anniversaire. Je ne plaisante pas. J'utilise le calendrier normal terrien. Si j'ai de la chance, si je fais attention, et surtout si je n'attrape aucune maladie terrienne, je peux arriver à vivre encore autant d'années, et atteindre plus de trois cents ans. Dans ma planète Aurore, on vit jusqu'à trois cent cinquante ans, et les chances de survie ne font que croître actuellement.

Baley jeta un regard vers R. Daneel, qui avait écouté impassiblement tout l'entretien, et il eut l'air de chercher auprès du robot une confirmation de cette incroyable révélation.

— Comment donc est-ce possible ? demanda-t-il.

— Dans une société sous-peuplée, il est normal que l'on pousse l'étude de la gérontologie, et que l'on recherche les causes de la vieillesse. Dans un monde comme le vôtre, prolonger la durée moyenne de la vie serait un désastre. L'accroissement de population qui en résulterait serait catastrophique. Mais sur Aurore, il y a place pour des tricentenaires. Il en résulte que, naturellement, une longue existence y devient deux ou trois fois plus précieuse. Si, vous, vous mouriez maintenant, vous perdriez au maximum quarante années de vie, probablement moins. Mais, dans une civilisation comme la nôtre, l'existence de chaque individu est d'une importance capitale. Notre moyenne de naissances est basse, et l'accroissement de la population est strictement contrôlé. Nous conservons un rapport constant entre le nombre d'hommes et celui de nos robots, pour que chacun de nous bénéficie du maximum de confort. Il va sans dire que les enfants, au cours de leur croissance, sont soigneusement examinés, au point de vue de leurs défectuosités, tant physiques que mentales, avant qu'on leur laisse atteindre l'âge d'homme.

— Vous ne voulez pas dire, s'écria Baley, que vous les tuez, si...

— S'ils ne sont pas sains, oui, et sans la moindre souffrance, je vous assure. Je conçois que cette notion vous choque, tout comme le principe des enfantements non contrôlés sur Terre nous choque nous-mêmes.

— Notre natalité est contrôlée, docteur Fastolfe ! Chaque famille n'a droit qu'à un nombre limité d'enfants.

— Sans doute, fit le Spacien en souriant avec indulgence, mais à un nombre limité d'enfants de toutes espèces, et non pas d'enfants sains. Et, de plus, vous avez de nombreux bâtards, et votre population croît constamment.

— Et qui peut donc décider quels sont les enfants qu'on laissera vivre ?

— C'est assez compliqué, et je ne saurais vous le dire en quelques mots. Un de ces jours, nous en reparlerons en détail.

— Alors, je ne vois pas en quoi consiste votre problème, dit Baley. Vous me semblez très satisfait de votre société, telle qu'elle est.

— Elle est stable, et c'est là son défaut : elle est trop stable.

— Décidément, vous n'êtes jamais content ! A vous entendre, notre civilisation décadente est en train de sombrer, et maintenant c'est la vôtre qui est trop stable.

— C'est pourtant vrai, monsieur Baley. Voilà deux

siècles et demi qu'aucun Monde Extérieur n'a plus colonisé de nouvelle planète, et l'on n'envisage aucune autre colonisation dans l'avenir : cela tient à ce que l'existence que nous menons dans les Mondes Extérieurs est trop longue pour que nous la risquions, et trop confortable pour que nous la bouleversions dans des entreprises hasardeuses.

— Cela ne me semble pas exact, docteur Fastolfe, car, en venant sur la Terre, vous avez risqué de contracter des maladies.

— C'est vrai. Mais nous sommes un certain nombre, monsieur Baley, à estimer que l'avenir de la race humaine vaut la peine que l'on fasse le sacrifice d'une existence confortablement prolongée. Malheureusement, j'ai le regret d'avouer que nous sommes trop peu à penser cela.

— Bon ! Nous voici parvenus au point essentiel : en quoi les Spaciens peuvent-ils améliorer la situation ?

— En essayant d'introduire des robots sur Terre, nous faisons tout notre possible pour rompre l'équilibre de votre économie.

— Voilà, certes, une étrange façon de nous venir en aide ! s'écria Baley dont les lèvres tremblèrent. Si je vous comprends bien, vous vous efforcez de provoquer exprès la création d'une catégorie de plus en plus importante de gens déclassés et de chômeurs ?

— Ce n'est, croyez-moi, ni par cruauté ni par manque de charité. Cette catégorie de gens déclassés, comme vous dites, nous en avons besoin pour servir de noyau à des colonisations nouvelles. Votre vieille Amérique a été découverte par des navigateurs dont les vaisseaux avaient pour équipages des galériens tirés de prison. Ne voyez-vous donc pas que la Cité en est arrivée à ne plus pouvoir nourrir le citoven déclassé ? En quittant la Terre, non seulement il n'aura rien à perdre, mais il pourra gagner des Mondes Nouveaux.

— C'est possible, mais nous n'en sommes pas là, tant s'en faut !

— C'est hélas vrai ! soupira tristement le Dr Fastolfe. Il y a quelque chose qui ne va pas : c'est la phobie qu'ont les Terriens des robots qui paralyse tout. Et pourtant, ces robots qu'ils haïssent pourraient les accompagner, aplanir les difficultés de leur première adaptation à des Mondes Nouveaux, et faciliter la reprise de la colonisation.

— Alors quoi ? Il faut laisser l'initiative aux Mondes Extérieurs ?

— Non. Ceux-ci ont été organisés avant que la civilisation basée sur le Civisme se soit implantée sur la Terre, avant la création de vos Cités. Les nouvelles colonies devront être édifiées par des hommes possédant l'expérience du Civisme, et auxquels auront été inculqués les rudiments d'une culture C/Fe. Ces êtres-là constitueront une synthèse, un croisement de deux races distinctes, de deux esprits jadis opposés, et parvenus à s'interpénétrer. Dans l'état actuel des choses, la structure du Monde Terrestre ne peut aller qu'en s'effritant rapidement, tandis que, de leur côté, les Mondes Extérieurs dégénéreront et s'effondreront dans la décadence un peu plus tard. Mais l'édification de nouvelles colonies constituera au contraire un effort sain et salutaire, dans lequel se fondront les meilleurs éléments des deux civilisations en présence. Et, par le fait même des réactions qu'elles susciteront sur les Vieux Mondes, en particulier sur la Terre, des colonies pourront nous faire connaître une existence toute nouvelle.

— Je n'en sais rien ; tout cela me paraît bien nébuleux, docteur Fastolfe ! dit Baley.

— Je sais que c'est un rêve, monsieur Baley, mais veuillez prendre la peine d'y réfléchir, répliqua le Spacien en se levant brusquement. Je viens de passer avec vous plus de temps que je ne l'escomptais ; j'ai, en fait, dépassé les limites que nos règlements sanitaires imposent à ce genre d'entretien. Vous voudrez donc bien m'en excuser ?...

Baley et R. Daneel quittèrent le dôme. Un soleil un peu plus jaune les inonda de nouveau, mais plus obliquement. Et Baley se demanda soudain si la lumière solaire n'avait pas un autre aspect dans d'autres mondes : peut-être y était-elle moins crue, moins brillante, plus acceptable ?...

D'autres mondes ? L'affreux Spacien aux oreilles décollées venait de faire naître en lui une foule d'étranges idées. Les médecins de la planète Aurore s'étaient-ils jadis penchés sur Fastolfe enfant, pour décider après examen s'il était digne de parvenir à l'âge d'homme ? N'était-il pas trop laid ? Ou leur jugement ne tenait-il aucun compte de l'aspect physique de l'individu ? Quand la laideur humaine devenait-elle une tare ? Et quelles étaient les tares rédhibitoires ?...

Mais lorsque le soleil disparut et qu'ils pénétrèrent dans les Toilettes, il sentit qu'il ne parviendrait pas sans peine à rester maître de lui. Une sourde exaspération lui fit secouer violemment la tête. Que tout cela était donc ridicule ! Prétendre contraindre les Terriens à émigrer pour édifier une société nouvelle, quelle stupidité ! En réalité, ces Spaciens ne poursuivaient-ils pas un autre but ? Mais lequel ? Il eut beau y réfléchir, aucune explication ne lui vint à l'esprit...

Remontant en voiture, il s'engagea de nouveau sur l'autoroute. Petit à petit, il reprit conscience de la réalité ; le poids et la chaleur de son arme accrochée à son ceinturon lui firent du bien, et il éprouva un vrai réconfort à retrouver le bruit et l'agitation de la Cité.

Quand ils entrèrent en ville, il ressentit un picotement léger et fugitif dans ses narines, et il dut s'avouer que la Cité sentait. Il songea aux vingt millions d'êtres humains entassés entre les murs de l'immense caverne d'acier, et, pour la première fois de sa vie, il renifla leur air avec des narines que l'air libre du dehors avait nettoyées.

« Est-ce que ce serait différent dans un autre monde ? se demanda-t-il. Y aurait-il moins de gens et plus d'air ?... Un air plus propre ?... »

Mais le grondement formidable de la Cité en pleine effervescence les submergea, l'odeur disparut, et il eut un peu honte de lui. Il actionna lentement la manette d'accélération, et le véhicule se lança à toute vitesse sur l'autoroute déserte.

— Daneel ! dit-il.

— Oui, Elijah.

— Pourquoi le Dr Fastolfe m'a-t-il dit tout cela ?

— Il me semble probable, Elijah, qu'il a voulu vous montrer combien cette enquête est importante. Nous n'avons pas seulement à trouver l'explication d'un meurtre, mais à sauver Spacetown, et, en même temps, l'avenir de la race humaine.

— Pour ma part, répliqua sèchement Baley, je crois qu'il m'aurait mieux aidé en m'amenant sur les lieux du crime, et en me laissant interroger ceux qui ont découvert le cadavre !

— Je doute fort que vous y eussiez trouvé quoi que ce fût d'intéressant, Elijah, car nous n'avons nous-mêmes rien laissé de côté.

— Vous croyez ! Mais pour l'instant, vous n'avez rien, pas le moindre indice, pas le moindre soupçon.

— En effet. C'est donc dans la Cité que doit se trouver la réponse. Mais, pour être sincère, il faut cependant vous dire que nous avons eu un soupçon.

— Comment cela ? Vous ne m'en avez pas encore parlé !

— Je n'ai pas estimé que c'était nécessaire, Elijah. Mais je ne doute pas que vous ayez vous-même trouvé automatiquement qu'il existe un suspect ; c'est en effet l'évidence même.

— Mais qui ça ? Dites-moi. Qui ?

— Eh bien, le seul Terrien qui se trouvait là au moment du crime : le commissaire principal Enderby !...

10

L'APRES-MIDI D'UN DETECTIVE

La voiture obliqua légèrement et s'arrêta le long du mur cimenté et rébarbatif qui bordait l'autoroute ; dès que le ronronnement du moteur eut cessé, le silence se fit écrasant. Baley se tourna vers le robot et lui répondit d'une voix étonnamment calme :

— Qu'est-ce que vous dites ?

Un long moment s'écoula sans que R. Daneel dît un mot. Un bruit léger se fit entendre, au loin, s'enfla pendant quelques secondes, puis disparut. Ce devait être une autre voiture de police qui passait à plus d'un kilomètre de là, ou encore des pompiers se hâtant vers quelque incendie. Et Baley se demanda s'il y avait encore à New York un homme connaissant à fond toutes les autoroutes qui serpentaient au sein de la Cité. A aucun moment du jour ou de la nuit, le réseau de ces voies de communication ne pouvait être complètement vide, et cependant il devait y avoir des sections que personne n'avait utilisées depuis des années. Et soudain, avec une précision surprenante, il se rappela un film qu'il avait vu dans sa jeunesse. L'action se déroulait sur les autoroutes de Londres, et commençait banalement par un meurtre. Le meurtrier s'enfuyait vers une cachette qu'il avait aménagée à l'avance, dans l'angle mort d'une autoroute tellement déserte que les pas du criminel étaient les premiers, depuis un siècle, à en avoir remué la poussière. Dans ce coin perdu, l'homme comptait attendre, en toute sécurité, la fin des recherches.

Mais il se trompait de chemin, et, dans le silence de ces immenses tunnels déserts, il faisait en blasphémant le serment insensé que, en dépit de la Trinité et de tous les saints, il réussirait à retrouver son refuge. Dès lors, il ne cessait plus de se tromper et errait dans un dédale sans fin, de Brighton à Norwich, et de Coventry à Canterbury, s'enfonçant toujours plus dans les méandres des galeries creusées sous la grande Cité de Londres, derniers vestiges de l'Angleterre médiévale. Ses vêtements tombaient en loques, ses chaussures ne lui tenaient plus aux pieds, et ses forces déclinaient, mais sans jamais l'abandonner. Il avait beau être recru de fatigue, il ne pouvait s'arrêter. Il marchait, marchait toujours, et continuait inexorablement à se tromper de route.

Parfois il entendait des véhicules, mais ceux-ci passaient toujours dans un tunnel voisin ; décidé à se constituer prisonnier, il courait vers ces bruits comme vers le salut, mais il arrivait toujours trop tard, pour ne trouver qu'un désert silencieux. De temps à autre, il apercevait au loin une issue qui semblait mener à la ville, et il se hâtait vers elle, vers la vie, vers le souffle ardent de la Cité ; mais à mesure qu'il avançait, l'issue s'éloignait, et il finissait par la perdre de vue. Quelques fonctionnaires londoniens, utilisant encore l'autoroute pour leur service, passaient à toute vitesse devant ce fantôme, sans même prêter attention à un bras qu'ils apercevaient à peine, et qui se tendait vers eux pour implorer vainement leur secours ; quant aux appels du malheureux, on pouvait encore moins les entendre.

Cette histoire était devenue, avec le temps, si vraisemblable qu'on ne la considérait plus comme une fiction, et qu'elle faisait maintenant partie du répertoire folklorique : le monde entier était familiarisé avec le drame du « Londonien perdu ». Et Baley, seul avec R. Daneel dans le silence de l'autoroute new-yorkaise, ne put réprimer un léger malaise en se remémorant la légende du vagabond.

Cependant, R. Daneel finit par lui répondre, et sa voix fit naître un léger écho dans le tunnel.

— Ne peut-on pas nous entendre ? fit-il.

— Ici ? Pas question ! Alors, qu'est-ce que vous prétendez, à propos du commissaire principal ?

— Eh bien, il était sur les lieux, Elijah. Comme c'est un New-Yorkais, il devait inévitablement être soupçonné.

— Il devait l'être ! L'est-il encore ?

— Non. Son innocence a été rapidement reconnue. Tout d'abord, il n'avait pas d'arme sur lui. Il ne pouvait d'ailleurs pas en avoir, puisqu'il était entré dans Spacetown par la voie normale, et que l'on confisque provisoirement les armes des visiteurs, comme vous en avez fait l'expérience.

— Mais l'arme du crime a-t-elle été trouvée ?

— Non. Nous avons vérifié toutes les armes des Spaciens, et aucune d'elles n'a été utilisée depuis des semaines ; le contrôle des canons a été tout à fait concluant.

— C'est donc que le meurtrier a dû cacher son arme...

— Il n'a pu la cacher dans Spacetown. Nous avons tout vérifié.

— J'envisage toutes les hypothèses, dit Baley impatiemment. Ou bien elle a été cachée, ou bien l'assassin l'a emportée en quittant Spacetown.

— Exactement.

— Et si vous admettez cette dernière possibilité, le commissaire principal est hors de cause.

— En effet. Mais, par mesure de précaution, nous l'avons cérébroanalysé.

— Quoi ?

— La cérébroanalyse est un procédé grâce auquel on interprète les champs électromagnétiques des cellules cérébrales humaines.

— Ah, vraiment ? fit Baley, peu enthousiaste. Et qu'en avez-vous tiré ?

— Elle nous a renseignés sur le tempérament et les sentiments du commissaire Enderby, et nous en avons conclu qu'il est incapable d'avoir tué le Dr Sarton. Tout à fait incapable !

— C'est exact, fit Baley. Il n'est pas homme à commettre un tel acte. J'aurais pu vous le dire.

— Mieux valait obtenir un renseignement objectif. Il va sans dire que tous les Spaciens ont consenti à se faire cérébroanalyser.

— Ce qui a, j'imagine, montré qu'ils sont tous incapables de commettre un meurtre.

— Cela ne peut faire de doute, et c'est pourquoi nous savons que l'assassin est un New-Yorkais.

— Dans ces conditions, nous n'avons qu'à soumettre tous mes compatriotes à ce charmant petit examen.

— Cela ne nous servirait à rien, Elijah. Car nous

pourrions trouver des millions de gens capables, par tempérament, de commettre le crime.

— Des millions !... grommela Baley.

Ce disant, il revit en pensée la foule qui, en ce jour tragique de sa jeunesse, avait hurlé pendant des heures sa haine contre les « sales Spaciens », et il se remémora également la scène qui, la veille au soir, l'avait tellement impressionné dans le magasin de chaussures.

« Pauvre Julius ! se dit-il. Lui, un suspect ! »

Il entendait encore le commissaire principal lui décrivant ce qui s'était passé après la découverte du cadavre :

« Ce fut un coup brutal... brutal ! » avait-il dit.

Rien d'étonnant à ce que, sous l'effet d'un tel bouleversement, il ait cassé ses lunettes ! Rien d'étonnant non plus à son refus de revenir à Spacetown ! Et Baley se souvint de l'exclamation sourde de son chef, proférée entre ses dents : « Je les hais ! »

Pauvre Julius ! Lui, le seul homme capable de manœuvrer les Spaciens ! Le fonctionnaire dont la principale qualité consistait, aux yeux des dirigeants de la Cité, à pouvoir s'entendre avec les Spaciens ! Dans quelle mesure cette valeur-là avait-elle contribué à son rapide avancement ?...

Baley ne s'étonnait plus maintenant de s'être vu confier par le commissaire principal une telle enquête. Ce brave Baley ! Ce vieux, loyal, et fidèle collaborateur ! Ce modèle de discrétion ! Ce camarade de classe ! Pas de danger qu'il fît du grabuge, si jamais il découvrait la vérité sur ce petit incident !...

Et soudain, Baley se demanda en quoi pouvait consister une cérébroanalyse. Il s'imagina de grosses électrodes, des pantographes traçant fébrilement des courbes sur du papier à graphique, des engrenages automatiques s'enclenchant avec un bruit sec, de temps à autre...

Pauvre Julius ! Il avait sans aucun doute des raisons d'être bouleversé ; si tel était réellement son état d'esprit, sans doute se voyait-il d'ores et déjà au bout de sa carrière, et recevant des mains du maire la lettre de démission qu'il lui faudrait obligatoirement signer...

Tout en méditant ainsi, Baley avait atteint, presque sans s'en apercevoir, le quartier des ministères. Il était 14 h 30 quand il s'assit à son bureau. Le commissaire principal était parti, et R. Sammy, toujours souriant, déclara ne pas savoir où le patron se trouvait. Baley resta un long moment tranquille, à réfléchir, sans se rendre compte qu'il avait faim. A 15 h 20, R. Sammy vint lui dire qu'Enderby était de retour.

— Merci, répliqua-t-il.

Et, pour la première fois de sa vie, l'intervention de R. Sammy ne l'agaça pas. Après tout, ce robot était une sorte de parent de R. Daneel, et celui-ci, de toute évidence, n'avait rien d'agaçant. Tout naturellement, Baley en vint à se demander comment les choses se passeraient, si des hommes et des robots entreprenaient ensemble d'édifier une nouvelle civilisation dans une nouvelle planète ; et il envisagea cette éventualité sans aucune passion.

Quand Baley pénétra dans le bureau de son chef, celui-ci examinait quelques documents, sur lesquels il inscrivait, par moments, quelques annotations.

— Vous avez vraiment fait une gaffe gigantesque à Spacetown, Lije ! dit le commissaire.

Tout le duel verbal qu'il avait soutenu contre Fastolfe revint à l'esprit de Baley, et son long visage prit une expression particulièrement lugubre.

— Je le reconnais, monsieur le commissaire, dit-il, et j'en suis désolé.

Enderby leva les yeux vers son subordonné ; à travers ses lunettes, son regard semblait étonnamment clair ; à n'en pas douter, le commissaire paraissait beaucoup plus sûr de lui qu'à aucun moment des trente dernières heures.

— Oh ! cela n'a pas grande importance, répliqua-t-il. Comme Fastolfe n'a pas paru en être offusqué, nous n'en parlerons plus. Ces Spaciens sont vraiment des gens déconcertants, et vous ne méritez pas votre veine, Lije ! Mais la prochaine fois que vous voudrez jouer les Don Quichotte, vous commencerez par m'en parler !

Baley acquiesça de la tête. Il se désintéressait complètement de l'incident. Il avait tenté un coup sensationnel, mais cela n'avait pas réussi. Tant pis ! Il éprouva une réelle surprise à constater qu'il pouvait accepter si simplement son échec : et pourtant telle était bien la vérité !

— Ecoutez, monsieur le commissaire, dit-il. Je désire que vous me fassiez affecter un appartement de deux pièces, pour Daneel et pour moi, car je ne le ramènerai pas chez moi, ce soir.

— En voilà une idée !

— Le bruit court qu'il est un robot : vous vous en souvenez, je pense. Il se peut que rien de grave ne se produise, mais, s'il y avait une émeute, je ne veux pas que ma famille s'y trouve mêlée.

— Ça ne tient pas debout, Lije ! J'ai fait contrôler la chose. Aucun bruit de ce genre ne circule en ville.

— Jessie l'a tout de même appris quelque part, monsieur le commissaire.

— Il n'y a pas de rumeurs systématiques. Rien de dangereux. Depuis le moment où j'ai cessé d'être en communication avec Fastolfe, je n'ai pas fait autre chose que contrôler ce point, et c'est pour cela que j'ai renoncé à participer à votre discussion. Il était essentiel de remonter aux sources, et rapidement. De toutes manières, voici les rapports qu'on m'a adressés, en particulier celui de Doris Gillid. Elle a enquêté dans une douzaine de Toilettes de femmes. Vous connaissez Doris : elle est très sérieuse. Eh bien, elle n'a rien constaté d'anormal, nulle part !

— Alors, comment expliquez-vous que Jessie ait appris la chose ?

— Ce n'est pas invraisemblable. R. Daneel s'est trop mis en avant dans le magasin de chaussures. A-t-il réellement sorti son arme de son étui, Lije, ou bien est-ce vous qui la lui avez passée ?

— C'est lui qui l'a brandie contre les émeutiers.

— Bon. Eh bien, quelqu'un a dû reconnaître qu'il était un robot.

— Allons donc ! s'écria Baley avec indignation. Personne ne pourrait s'en apercevoir !...

— Et pourquoi pas ?

— Vous le pourriez, vous ? Moi, certainement pas !

— Qu'est-ce que cela prouve ? Nous ne sommes pas des experts, ni vous ni moi. Mais supposez qu'un technicien des usines de Westchester, où l'on construit des robots, se soit trouvé parmi la foule, un professionnel, passant sa vie à dessiner et à fabriquer des robots. Il peut fort bien avoir remarqué des anomalies en R. Daneel, soit dans son élocution, soit dans ses gestes. En y réfléchissant, peut-être en a-t-il parlé à sa femme, laquelle a mis des amies au courant, et puis on n'en a plus parlé parce que c'était trop incroyable. Les gens ne peuvent pas admettre une telle histoire. Le seul ennui, c'est que, avant de s'éteindre, ce bruit soit parvenu à Jessie.

— C'est possible, fit Baley sceptique. En attendant, que décidez-vous pour l'appartement que je vous ai demandé ?

Haussant les épaules, le commissaire principal saisit son téléphone, et, un instant plus tard, il répondit :

— Section Q. 27. C'est tout ce qu'on peut vous donner. Ce n'est pas un quartier très recommandable.

— Ça va, dit Baley.

— A propos, où est donc R. Daneel en ce moment ?

— Il étudie le fichier des agitateurs médiévalistes.

— Eh bien, je lui souhaite du plaisir ! Ils sont des millions !

— Je le sais, mais c'est une idée !...

Baley avait presque atteint la porte quand, presque sans réfléchir, il fit soudain volte-face :

— Monsieur le commissaire, dit-il, est-ce que le Dr Sarton vous a jamais parlé du programme de Spacetown, concernant l'instauration d'une civilisation C/Fe. ?

— Une civilisation quoi ?

— L'introduction des robots sur Terre.

— Quelquefois, oui, dit Enderby qui ne parut pas particulièrement intéressé par la question.

— Vous a-t-il expliqué où Spacetown voulait en venir ?

— Oh ! il s'agissait d'améliorer l'état sanitaire et le standard de vie de la population ! C'est toujours la même antienne, et elle ne m'impressionne plus. Bien entendu, j'ai répondu que j'étais d'accord, et opiné du bonnet. Qu'y avait-il d'autre à faire ? Je ne pouvais que chercher à ne pas les contrarier, en espérant qu'ils s'en tiendraient à des applications raisonnables de leurs théories. Peut-être qu'un jour...

Baley attendit la suite ; mais son chef ne lui dit pas ce que ce jour, proche ou lointain, apporterait peut-être.

— A-t-il jamais fait allusion devant vous à des émigrations nouvelles ?

— Des émigrations ? Non, jamais ! Envoyer un Terrien dans un des Mondes Extérieurs ne serait pas une entreprise moins insensée que de vouloir trouver une astéroïde de diamant dans les cercles de Saturne.

— Je parlais d'émigration dans de nouvelles planètes, monsieur le commissaire !

Mais cette fois, Enderby se borna, pour toute réponse, à lancer à son subordonné un regard incrédule. Baley laissa passer un moment, puis il reprit, d'un ton brusque :

— Qu'est-ce que la cérébroanalyse, monsieur le commissaire ? En avez-vous déjà entendu parler ?

Le visage rondelet d'Enderby demeura impassible ; il ne cilla pas, et ce fut d'une voix très calme qu'il répondit :

— Non. Qu'est-ce que c'est censé être ?

— Oh ! rien d'important !... J'en ai simplement entendu parler.

Baley quitta la pièce, et, revenu à son bureau, il continua à réfléchir : le commissaire principal ne pouvait certainement pas jouer la comédie à ce point-là... ! Alors ?

A 16 h 15, il téléphona à Jessie qu'il ne rentrerait pas coucher chez lui ce soir-là, ni probablement les nuits suivantes ; et il eut du mal à mettre un terme à l'entretien.

— As-tu des ennuis, Lije ? Es-tu en danger ? demanda-t-elle.

Il répondit d'un ton léger que le métier de détective comportait toujours un certain danger, mais cela ne satisfit pas son épouse.

— Où vas-tu passer la nuit ? reprit-elle.

Il ne le lui dit pas, et se contenta de lui conseiller :

— Si tu te sens trop seule sans moi, va coucher chez ta mère.

Et il coupa brusquement la communication : c'était ce qu'il avait de mieux à faire.

A 16 h 20, il demanda Washington ; il mit un certain temps à joindre l'homme qu'il cherchait, et il lui en fallut autant pour le convaincre de prendre le lendemain matin l'avion pour New York, mais, à 16 h 40, il réussit à le décider.

A 16 h 55, le commissaire principal quitta son bureau, et lui jeta au passage un sourire indéfinissable. Les employés travaillant de jour s'en allèrent en masse, et les équipes, moins importantes, qui les remplaçaient dans la soirée, et pour la nuit, entrèrent à leur tour, le saluant d'un air surpris.

R. Daneel vint le rejoindre ; il tenait à la main une liasse de papiers.

— Qu'est-ce que c'est ? demanda Baley.

— Une liste d'hommes et de femmes susceptibles de faire partie d'une organisation médiévaliste.

— Combien en avez-vous trouvé ?

— Plus d'un million, et ceci n'est qu'une partie de l'ensemble.

— Comptez-vous les contrôler tous, Daneel ?

— Ce serait évidemment impossible, Elijah.

— Voyez-vous, Daneel, presque tous les Terriens sont, d'une façon ou d'une autre, des Médiévalistes : ainsi, le commissaire, Jessie, ou moi-même. Prenez, par exemple, le commissaire...

Il fut sur le point de parler des lunettes de son chef, mais il se rappela que les Terriens devaient se tenir les coudes, et qu'il ne fallait surtout pas qu'Enderby perdît la face, tant au sens propre qu'au sens figuré. Aussi reprit-il, après avoir marqué un temps :

— Regardez ce qu'il met sur son nez... devant ses yeux...

— Oui, répliqua R. Daneel. J'ai déjà remarqué ces ornements, mais j'ai pensé que ce serait impoli de lui en parler. Je n'ai vu aucun autre New-Yorkais en porter.

— C'est un objet très vieux jeu.

— Est-ce que cela sert à quelque chose ?

Mais Baley changea brusquement de sujet en lui demandant :

— Comment vous êtes-vous procuré ces listes ?

— C'est une machine qui me les a fournies. On la règle pour un type de délit déterminé, et elle fait le reste. Je l'ai donc laissée trier toutes les condamnations prononcées, au cours des vingt-cinq dernières années, contre des gens ayant troublé l'ordre public à propos des robots. Une autre machine a trié dans le même esprit tous les journaux publiés à New York pendant la même période, pour y relever les noms de toutes les personnes ayant fait des déclarations contre les robots et contre les hommes des Mondes Extérieurs. C'est incroyable ce que l'on peut obtenir, en l'espace de trois heures ! Car cette machine-là a même éliminé des listes les noms des suspects décédés !

— Cela vous stupéfie ? Mais voyons, vous avez sûrement des machines à calculer dans les Mondes Extérieurs ?

— Bien sûr ! Nous en avons de toutes sortes, et des plus perfectionnées ; et cependant aucune n'est aussi massive et complexe que les vôtres. Il ne faut pas oublier, d'ailleurs, qu'aucun des Mondes Extérieurs, même le plus important, n'a de population approchant en nombre celle de vos villes, en sorte qu'il n'y a pas besoin de machines extrêmement complexes.

— Avez-vous déjà été sur la planète Aurore, Daneel ?

— Non, répliqua le robot. J'ai été construit ici, sur Terre.

— Alors, comment connaissez-vous les machines en usage dans les Mondes Extérieurs ?

— Mais voyons, Elijah, c'est l'évidence même ! Les connaissances qui m'ont été inculquées correspondent à celles du regretté Dr Sarton. Vous pouvez donc considérer comme certain qu'elles abondent en données sur les Mondes Extérieurs.

— Je vous comprends... Dites-moi, Daneel, pouvez-vous manger ?

— Je suis alimenté par énergie nucléaire, Elijah. Je croyais que vous le saviez.

— Je le sais en effet. Aussi bien, ne vous ai-je pas demandé si vous aviez besoin de manger, mais si vous pouviez manger, autrement dit, si vous pouviez mettre des aliments dans votre bouche, les mâcher, et les avaler. J'ose dire que c'est un élément essentiel de cette ressemblance humaine que l'on a cherché à réaliser en vous construisant.

— Je vois ce que vous voulez dire, Elijah. Je peux en effet exécuter les opérations mécaniques consistant à mâcher et à avaler des aliments. Mais ma capacité est, naturellement, très limitée, et, à plus ou moins bref délai, je suis obligé de vider les aliments absorbés par ce que vous pourriez appeler mon estomac.

— Parfait. Vous pourrez à loisir régurgiter — ou peu importe comment vous appelez l'opération — ce soir, dans le secret de notre chambre. Pour l'instant, ce qui me préoccupe, c'est que j'ai faim. Vous ne vous rendez peut-être pas compte qu'avec tout cela je n'ai pas déjeuné ; je désire donc que vous dîniez avec moi. Or, vous ne pouvez vous asseoir au restaurant sans manger, car cela attirerait aussitôt l'attention sur vous. Mais, du moment que vous pouvez manger, c'est tout ce que je désirais savoir. Alors, allons-y !

Les restaurants communautaires de la ville étaient tous semblables ; bien plus, Baley qui, pour son service, avait été à Washington, à Toronto, à Los Angeles, à Londres et à Budapest, avait pu y constater que, là aussi, ils étaient pareils. A l'époque médiévale, peut-être en avait-il été tout autrement, parce que l'on parlait sur Terre diverses langues, et que la nourriture variait suivant les pays. Mais maintenant les produits à base de levure étaient les mêmes, de Shangaï à Tachkent, et de Winnipeg à Buenos Aires ; quant à l' « anglais » que l'on parlait, ce n'était certes pas celui de Shakespeare ou de Churchill, mais une sorte de pot-pourri de diverses langues ; on l'utilisait sur tous les continents terrestres, sans beaucoup de variations de l'un à l'autre, et l'on s'en servait aussi dans les Mondes Extérieurs.

Mais s'ils ne différaient les uns des autres, ni par la langue qu'on y parlait, ni par les menus qu'on y servait, ces restaurants présentaient bien des similitudes encore plus accusées. On y respirait toujours une odeur particulière, indéfinissable mais caractéristique. Une triple queue de consommateurs y pénétrait lentement, se rétrécissait pour en franchir la porte, et s'ouvrait aussitôt après en trois tronçons, se dirigeant à droite, à gauche et au centre d'une immense salle. Le grouillement de la foule, piétinant et jacassant, le claquement sec de la vaisselle en matière plastique, l'aspect luisant des longues tables, en bois synthétique ultra-verni et à dessus de verre, l'éclairage intense, la légère humidité de l'air, tout cela ne changeait jamais d'un restaurant à un autre.

Baley s'avança pas à pas suivant la queue ; il fallait toujours compter sur une attente de dix minutes environ avant de trouver une place. Tout à coup, il demanda à R. Daneel, dans un murmure :

— Est-ce que vous pouvez sourire ?

Le robot, qui examinait froidement la salle, répliqua :

— Que voulez-vous dire, Elijah ?

— Oh ! je me demandais simplement si vous pouviez sourire...

R. Daneel sourit. Ce fut subit et surprenant. Ses lèvres s'arrondirent et se plissèrent aux commissures ; mais la bouche seule sourit, et le reste du visage ne subit aucune modification.

Baley secoua la tête et reprit, sur le même ton :

— Ne vous en donnez pas la peine, Daneel. Ça ne vous va pas !

Ils arrivèrent au guichet de distribution, où chaque convive plaçait sa carte dans un logement déterminé, pour qu'elle fût contrôlée automatiquement avec un bruit sec. Quelqu'un avait calculé un jour qu'un restaurant fonctionnant sans à-coup pouvait permettre l'entrée de deux cents personnes à la minute ; chacune était l'objet d'une vérification complète, afin de l'empêcher de prendre plus d'un repas, ou une nourriture à laquelle elle n'avait pas droit. On avait aussi calculé quelle devait être la longueur maximum des trois queues pour obtenir le meilleur débit des rations, ainsi que le temps perdu par suite des menus exceptionnels auxquels certains consommateurs privilégiés avaient droit.

C'était en effet une calamité d'interrompre la distribution des rations normales, comme le firent Baley et R. Daneel, en présentant à l'employé de service une carte donnant droit à un repas spécial. Jessie, qui connaissait bien la question pour avoir longtemps travaillé dans un tel restaurant, avait expliqué à son mari ce qui se produisait en pareil cas :

— Ça bouleverse tout, avait-elle dit. Ça chambarde les prévisions de consommation et les calculs de stocks. Il faut faire des contrôles spéciaux, et se mettre en rapport avec les autres restaurants pour s'assurer que ces repas exceptionnels ne compromettent pas l'équilibre des approvisionnements et des rations servies. Chaque semaine, en effet, on fait le bilan de chaque restaurant, et si jamais la balance des entrées et des sorties est fausse, on s'en prend toujours aux employés ; jamais, en effet, les services de la Cité n'admettent qu'ils ont trop distribué de cartes spéciales, ou favorisé telle ou telle personne. Mais, quand nous sommes obligés d'annoncer aux clients qu'on ne peut plus leur servir de repas spéciaux, quel potin se mettent alors à faire les privilégiés ! Et bien entendu, c'est toujours la faute du personnel !

Connaissant l'histoire en détail, Baley comprit pourquoi l'employée de service au guichet lui jeta un regard venimeux, tout en griffonnant quelques notes sur la qualité des détectives et leur droit à un traitement spécial ; le motif « service officiel » était, certes, pour elle irréfutable, mais il ne l'en irrita pas moins. Elle passa les cartes dans une machine à calculer qui les avala, digéra les renseignements qu'elles contenaient, et les restitua. Puis la femme se tourna vers R. Daneel ; mais Baley, prenant les devants, lui dit :

— Mon ami n'est pas d'ici. Vous débiterez la Préfecture de Police. Inutile de donner des détails. Service officiel.

Elle eut un geste d'énervement, et couvrit en hâte de signes mystérieux deux fiches.

— Pendant combien de temps prendrez-vous vos repas ici ? demanda-t-elle.

— Jusqu'à nouvel ordre.

— Alors, mettez vos index là ! ordonna-t-elle, en poussant vers eux les deux fiches.

Baley eut un petit pincement au cœur, en voyant les doigts lisses aux ongles luisants de R. Daneel se poser sur le carton. Mais aussitôt il se dit qu'on avait sûrement doté le robot d'empreintes digitales. La femme reprit les fiches et les introduisit dans la machine à contrôler située à côté d'elle ; un instant plus tard, celle-ci restitua les cartons sans incident, et Baley respira plus librement. L'employée leur remit de petites plaques métalliques rouge vif, qui signifiaient « provisoire », et déclara :

— Pas de menu spécial. Nous sommes à court cette semaine. Prenez la table DF.

Tandis qu'ils gagnaient leurs places, R. Daneel dit à Baley :

— J'ai l'impression que la majorité de vos compatriotes prend ses repas dans des restaurants comme celui-ci.

— Oui. Naturellement, ce n'est pas très agréable de manger dans un restaurant auquel on n'est pas habitué. On n'y connaît personne, tandis que, dans le restaurant où l'on est connu, c'est tout différent. On est toujours à la même place, avec sa famille, à côté d'amis qu'on voit tous les jours. Surtout pour les jeunes, les repas sont les moments les plus agréables de la journée.

Baley, en disant cela, sourit au souvenir de ces heures de détente.

La table DF se trouvait dans une partie de la salle réservée aux clients de passage. Les consommateurs déjà attablés avaient le nez dans leur assiette, et, paraissant peu à leur aise, ils ne se parlaient pas. De temps à autre, ils glissaient des regards d'envie vers les tables voisines, où les conversations et les rires allaient leur train. Et Baley se dit une fois de plus qu'il n'y avait rien de plus désagréable que de manger n'importe où : si simple que fût son propre restaurant, il n'en justifiait pas moins le vieux dicton, affirmant qu' « il n'y a rien de tel pour être heureux que de dîner chez soi ». La nourriture même avait meilleur goût, quoi que pussent dire les chimistes qui affirmaient qu'elle était la même à New York et à Johannesburg...

Il s'assit sur un tabouret, et R. Daneel prit place à côté de lui.

— Pas de menu spécial ! fit-il avec un geste négligent. Alors, tournez le commutateur qui est devant vous, et attendez !

Cela demanda deux minutes. Un disque occupant le milieu de la table s'enfonça soudain, pour remonter peu après, portant une assiette garnie.

— Purée de pommes de terre, sauce de veau synthétique et abricots séchés. Ça ne change pas ! fit Baley.

Une fourchette et deux tranches de pain complet de levure apparurent, dans une cavité située devant chacune des deux places, légèrement au-dessus de la table.

— Si cela vous fait plaisir, dit R. Daneel à voix basse, vous pouvez manger ma ration.

Sur le moment, Baley fut scandalisé ; puis, réagissant, il grommela :

— Cela ne se fait pas ! Allons, mangez !

Il absorba sa nourriture de bon appétit, mais sans l'agrément habituel que procure la détente du repas. De temps à autre, il jetait un regard furtif vers R. Daneel, qui mastiquait en remuant ses mâchoires avec précision, avec trop de précision d'ailleurs, car cela manquait de naturel.

Quelle étrange chose ! Maintenant qu'il était sûr d'avoir affaire à un véritable robot, Baley remarquait une quantité de petits détails qui le lui prouvaient encore mieux. Par exemple, quand R. Daneel avalait, on ne voyait pas sa pomme d'Adam bouger. Et cependant le détective n'en éprouvait plus autant de gêne. S'habituait-il donc, en fait, à cette créature ? Et voici qu'il se remit à penser aux théories et aux plans du Dr Fastolfe. Si vraiment certains New-Yorkais partaient pour de nouveaux mondes afin d'y édifier une nouvelle civilisation, si Bentley, par exemple, son propre fils, quittait ainsi la Terre un jour, arriverait-il à travailler et à vivre en compagnie de robots sans en être gêné ? Pourquoi pas, puisque les Spaciens vivaient eux-mêmes de cette façon-là ?...

— Elijah ! murmura R. Daneel. Est-ce mal élevé d'observer son voisin de table pendant qu'il mange ?

— C'est très mal élevé, en effet, de le regarder directement manger. Ça tombe sous le sens, voyons ! Chacun de nous a droit à ce que l'on respecte sa vie privée. Cela n'empêche pas de se parler, mais on ne se dévisage pas les uns les autres au cours du repas.

— Compris ! Alors, pouvez-vous me dire pourquoi je compte autour de nous huit personnes qui nous observent attentivement, et même de très près ?

Baley posa sa fourchette sur la table ; il jeta un regard autour de lui, comme pour chercher la salière, et murmura :

— Je ne vois rien d'anormal.

Mais il le dit sans conviction. Pour lui, tous les convives n'étaient qu'une foule d'inconnus mélangés au hasard. Or, quand R. Daneel tourna vers lui son regard impersonnel, Baley eut l'impression pénible que ce n'étaient pas des yeux bruns qu'il avait devant lui, mais des appareils de détection, capables de juger, avec la précision d'une photographie, et en quelques secondes, de quoi se composait tout le panorama environnant.

— Je suis tout à fait certain de ce que j'avance, dit R. Daneel calmement.

— Et bien, qu'importe, après tout ? Ce sont des gens mal élevés, mais ça ne prouve rien d'autre.

— Je ne sais pas, Elijah. Mais croyez-vous que ce soit par pure coïncidence que six des hommes qui nous observent se soient trouvés hier soir dans le magasin de chaussures ?...

11

FUITE SUR LES TAPIS ROULANTS

Baley serra convulsivement sa fourchette.

— En êtes-vous bien sûr ? demanda-t-il automatiquement.

Mais à peine avait-il posé la question qu'il en comprit la futilité : on ne demande pas à une machine à calculer si elle est sûre de l'exactitude du résultat qu'elle fournit, et cela, même si la machine a des bras et des jambes !

— Absolument sûr, répliqua R. Daneel.

— Sont-ils tout près de nous ?

— Non, pas très près, ils sont dispersés dans la salle.

— Alors, ça va !

Baley se remit à manger, maniant machinalement sa fourchette ; derrière le masque de son long visage renfrogné, son cerveau était en ébullition.

A supposer que l'incident du magasin de chaussures ait été provoqué par un groupe de fanatiques antirobot, et que l'affaire n'ait pas été un mouvement spontané, comme on aurait pu le croire, ce groupe d'agitateurs pouvait fort bien comprendre des hommes ayant étudié les robots, avec l'ardeur qu'engendre une opposition farouche : dans ce cas, l'un d'eux pouvait avoir décelé la véritable nature de R. Daneel. C'était une éventualité que le commissaire principal avait envisagée, et Baley ne put s'empêcher d'être étonné de la justesse d'une telle précision, de la part de son chef : Enderby faisait parfois montre d'une perspicacité vraiment surprenante !...

Partant de ce principe, les événements s'expliquaient alors logiquement. L'incident de la veille avait pris de court les conspirateurs, qui, insuffisamment organisés, s'étaient trouvés hors d'état de réagir ; mais ils avaient dû élaborer un plan à exécuter dans l'avenir immédiat. S'ils savaient reconnaître un robot comme R. Daneel, à plus forte raison devaient-ils être fixés sur les fonctions qu'exerçait Baley. Or, pour qu'un détective circulât en compagnie d'un robot humanoïde, il fallait que ce policier fût quelqu'un de très important, et Baley n'eut aucune peine à reconstituer le raisonnement de ses mystérieux adversaires.

Il en déduisit qu'ils avaient dû placer des espions aux alentours de l'Hôtel de Ville, pour surveiller ses agissements et ceux de R. Daneel ; peut-être même disposaient-ils de complices au sein même des services officiels et dans l'administration de la Cité. Rien d'étonnant donc à ce que les deux policiers aient été suivis au cours des dernières vingt-quatre heures ; la seule chose qui avait dû dérouter un peu leurs poursuivants, c'était la longue durée de la visite à Spacetown, et de l'entretien que Baley avait eu avec le robot sur l'autoroute.

Cependant R. Daneel, ayant achevé son repas, demeurait tranquillement assis à sa place, ses mains sans défaut placées sur le rebord de la table.

— Ne croyez-vous pas que nous devrions faire quelque chose ? demanda-t-il.

— Ici, dans le restaurant, nous ne risquons rien, dit Baley. Laissez-moi l'initiative, je vous prie.

Il regarda autour de lui, et ce fut comme s'il voyait un restaurant communautaire pour la première fois. Que de gens ! Des centaines, des milliers !... Il avait lu un jour, dans une étude sur les restaurants de la ville, que leur capacité moyenne était de deux mille deux cents couverts. Mais celui-ci était plus important. Si jamais quelqu'un venait à crier : « Robot ! » que se passerait-il ? Baley n'osa pas se le figurer, mais il se convainquit rapidement qu'une telle éventualité était invraisemblable.

Sans doute, une émeute soudaine pouvait éclater n'importe où, aussi bien au restaurant que dans les avenues ou les ascenseurs de la ville ; peut-être même l'atmosphère du restaurant était-elle plus propice à des désordres, parce que les gens s'y laissaient facilement aller à leurs instincts, et s'y extériorisaient plus qu'ailleurs ; il ne fallait pas grand-chose pour qu'une discussion y dégénérât en bagarre.

Mais faire éclater exprès une émeute dans un restaurant était une toute autre histoire, car les conspirateurs se trouveraient eux-mêmes pris comme dans une nasse au milieu de cette salle pleine de monde. Dès que l'on commencerait à se servir de la vaisselle comme de projectiles, et à renverser les tables, nul ne pourrait plus s'enfuir. Une grave émeute, dans de telles conditions, risquerait de causer des centaines de morts, parmi lesquels les responsables eux-mêmes auraient de fortes chances de se trouver.

Non. Une émeute bien fomentée ne pourrait réussir que dans les avenues de la Cité, et de préférence en un point de passage relativement étroit. Quand une foule perd la tête et est prise de panique, cela devient contagieux, et ceux qui gardent la tête froide ont alors le temps d'en profiter pour disparaître rapidement ; les agitateurs trouvent facilement, pour s'enfuir, une voie adjacente ou un chemin conduisant aux tapis roulants.

Baley se sentit pris au piège. Il devait y avoir dehors d'autres espions qui les attendaient, les suivraient, et provoqueraient des troubles, au moment et à l'endroit qu'ils estimeraient favorables.

— Pourquoi ne pas les arrêter ? demanda R. Daneel.

— Ça ne ferait que déclencher plus vite nos ennuis, grommela Baley. Vous avez bien repéré leurs physionomies, Daneel ? Vous ne les oublierez pas ?

— Je suis incapable d'oublier quoi que ce soit.

— Eh bien, nous leur mettrons le grappin dessus plus tard. Pour l'instant, nous allons passer entre les mailles de leur filet. Suivez-moi, et faites exactement la même chose que moi !

Il se leva, retourna soigneusement son assiette et la plaça sur le plateau mobile qui l'avait auparavant fait surgir au milieu de la table ; de même, il posa sa fourchette dans le logement prévu à cet effet. R. Daneel, qui l'avait regardé faire, exécuta les mêmes gestes, et, en un instant, assiettes et fourchettes sales disparurent automatiquement.

— Ils se lèvent aussi, dit R. Daneel.

— Bon. J'ai l'impression qu'ils ne vont pas beaucoup s'approcher de nous. Pas ici, en tout cas.

Ils suivirent de nouveau une longue file de gens se dirigeant vers la sortie, et passèrent devant la machine enregistreuse, dont le cliquetis incessant symbolisait l'énorme quantité de repas distribués.

Baley, jetant un regard en arrière, vers la salle bruyante et légèrement enfumée, se remémora soudain, avec une précision qui l'étonna lui-même, une visite du Zoo qu'il avait faite avec son fils, huit ans auparavant (bon sang, que le temps passait vite !...). C'était la première fois que Ben y allait, et cela l'avait impressionné, car il n'avait encore jamais vu de chat ni de chien en chair et en os. Ce qui l'avait enthousiasmé plus que tout, c'était la volière ; et Baley, qui l'avait pourtant vue une douzaine de fois déjà, n'avait pas davantage résisté à la fascination du spectacle. On ne peut nier qu'il y ait en effet quelque chose de saisissant dans le vol d'un oiseau que l'on contemple pour la première fois. Or, ce jour-là, Baley et son fils avaient assisté au repas des oiseaux ; un employé remplissait une longue auge d'avoine écrasée ; si les hommes avaient pris l'habitude de se nourrir d'aliments synthétiques à base de levure, les oiseaux, plus conservateurs, continuaient à ne vouloir manger que de vraies graines. Les oiseaux voletaient donc par centaines, et, aile contre aile, ils venaient s'aligner sur l'auge, en pépiant de façon assourdissante. Telle était l'image qui vint à l'esprit de Baley, au moment de quitter le restaurant communautaire. Oui, des oiseaux rangés sur leur auge !... C'était bien ça ! Et cette constatation le dégoûta, au point qu'il se demanda s'il n'y aurait pas moyen de vivre autrement, mieux que cela ?... Mais qu'y avait-il donc de défectueux dans ce mode d'existence ? Jamais encore cela ne lui était venu à l'esprit...

— Prêt, Daneel ? demanda-t-il brusquement.

— Prêt, Elijah.

— Eh bien, en route !

Ils sortirent du restaurant, et Baley se dit que, désormais, leur salut allait uniquement dépendre de son astuce et de son adresse.

Il y a un jeu que les jeunes adorent pratiquer et qu'ils nomment la « course aux tapis roulants ». Ses règles varient de ville en ville, mais le principe demeure éternellement le même, en sorte qu'un garçon de San Francisco n'aura aucune peine à participer à une partie qui se joue au Caire. Il consiste en ceci : un « meneur » doit se rendre d'un point A à un point B, en utilisant le réseau des tapis roulants, de telle façon qu'il réussisse à distancer le plus grand nombre possible de camarades qui lui donnent la chasse. Un meneur qui arrive tout seul au but est vraiment adroit, et le poursuivant qui parvient à ne jamais perdre le meneur ne l'est pas moins.

On pratique d'habitude ce jeu pendant les heures d'affluence de fin d'après-midi, quand une foule de gens se déplace et rend la partie plus risquée et plus difficile. Le meneur part avec une légère avance, sur un tapis roulant accélérateur ; il fait de son mieux pour agir de la façon la plus inattendue, et reste par exemple très longtemps sur le même tapis, avant de bondir sur un autre, dans une direction différente ; il passe alors très vite d'un tapis au tapis suivant, puis s'arrête tout d'un coup.

Malheur au poursuivant qui se laisse imprudemment entraîner trop loin ! Avant de s'être aperçu de son erreur, il se trouvera, à moins d'être extrêmement habile, bien au-delà du meneur, ou au contraire, très en deçà. Le meneur, s'il est intelligent, en profitera aussitôt pour filer dans une autre direction.

Une tactique qui accroît dix fois la difficulté du jeu consiste à prendre place sur les tapis roulants secondaires, ou sur l'express, mais à les quitter aussitôt de l'autre côté. On admet que les éviter complètement est aussi peu sportif que les utiliser trop fréquemment.

L'intérêt d'un tel jeu est difficile à comprendre pour un adulte, surtout pour quelqu'un n'ayant jamais été lui-même, dans son adolescence, un adepte de ce sport. Les joueurs sont malmenés par les voyageurs, dont ils troublent les déplacements en les trouvant sur le parcours de leur course. La police est très sévère pour eux, et leurs parents les punissent. On dénonce leur activité comme troublant l'ordre public, aussi bien dans les écoles qu'au cinéma. Il ne se passe d'ailleurs pas d'année sans que quatre ou cinq jeunes gens trouvent la mort dans des accidents causés par ce jeu, tandis que des douzaines d'autres garçons y sont blessés, et que d'innocents passants se voient soudain placés, par la faute de ces jeunes, dans des situations plus ou moins tragiques.

Et cependant on n'a jamais pu trouver le moyen de supprimer ce sport, ni de mettre les équipes qui s'y livrent hors d'état de le pratiquer. Plus il devient dangereux, plus ses adeptes sont sûrs de conquérir le plus précieux des prix, à savoir la gloriole qu'ils en tirent aux yeux de leurs camarades. Tout le monde admet qu'un champion a le droit de se pavaner, et quant aux meneurs connus pour leur adresse, ils font aisément figure de coq de village.

Ainsi, par exemple, Elijah Baley se rappelait avec une réelle satisfaction, même à son âge, que jadis il avait été classé parmi les meilleurs coureurs de tapis roulant. Un jour, il avait semé vingt poursuivants dans une course mémorable, pendant laquelle, à trois reprises, il avait traversé l'express ; en deux heures de poursuite sans répit, il était parvenu, sans faiblir, à disperser certains des meilleurs joueurs de son quartier, et à atteindre seul le but. Et, pendant des mois, on avait parlé de cette performance.

Maintenant qu'il avait dépassé la quarantaine, il y avait plus de vingt ans qu'il ne se livrait plus à ce genre de jeu, mais il se souvenait de certaines astuces. Ce qu'il avait perdu en agilité, il le compensait par son expérience. Et puis, il était un policier, et nul mieux que lui ne connaissait la ville, sinon peut-être quelque collègue encore plus expérimenté ; bref, pour Baley, le dédale de ces avenues aux murailles d'acier n'avait pour ainsi dire pas de secret.

Il sortit du restaurant d'un pas alerte mais pas trop rapide. A tout moment, il s'attendait à entendre pousser derrière lui les cris de : « Robot ! Robot ! » Ce début de leur fuite était, à son avis, le moment le plus risqué, et il compta ses pas avant de sentir sous ses pieds le premier mouvement du tapis accélérateur. Il s'arrêta un instant, et laissa R. Daneel venir tranquillement à sa hauteur.

— Sont-ils toujours derrière nous, Daneel ? murmura-t-il.

— Oui. Ils se rapprochent.

— Ça ne va pas durer ! dit Baley, très sûr de lui.

Il jeta un regard vers les tapis normaux qui s'étendaient de chaque côté de l'accélérateur ; ils étaient chargés de passants, qui disparurent de plus en plus vite derrière lui, à mesure qu'il accélérait son allure. Certes, il utilisait presque quotidiennement les tapis roulants pour ses déplacements, mais il s'amusa à calculer qu'il n'avait pas plié les genoux pour y faire une course depuis plus de sept mille jours. Et, soudain repris par l'ardente et familière joie que lui procurait jadis ce sport, il sentit sa respiration devenir plus rapide. En cet instant, il oublia complètement qu'un jour, ayant surpris son fils Ben en train de faire une telle course, il l'avait chapitré pendant des heures, et menacé de le signaler à la police.

D'un pas rapide et léger, il accéléra jusqu'à atteindre une vitesse double de celle dite « de sécurité », et se pencha de plus en plus en avant, pour lutter contre la résistance de l'air. Il fit semblant de vouloir sauter sur un tapis roulant secondaire progressant dans le même sens, mais, tout d'un coup, il bondit sur celui qui allait en sens inverse, se mêla à la foule qui l'encombrait, et passa un instant plus tard sur le tapis décélérateur, ralentissant jusqu'à une vitesse de vingt kilomètres à l'heure environ.

— Combien en reste-t-il derrière nous, Daneel ? demanda-t-il au robot, qui, sans aucun signe d'essoufflement ni de difficulté, était revenu à sa hauteur.

— Un seul, Elijah.

— Il devait, lui aussi, être un bon coureur dans son jeune temps !... Mais il ne va pas tenir longtemps !

De plus en plus sûr de lui, il eut l'impression de se retrouver au temps de sa jeunesse ; la sensation que procurait ce sport était faite en partie du plaisir d'accomplir une sorte de rite mystique auquel la foule ne participait pas ; il s'y ajoutait la joie grisante du vent qui vous fouettait le visage et vous sifflait dans les cheveux ; enfin la certitude de courir un certain danger rendait la chose d'autant plus passionnante.

— On appelle cela le changement de sens, dit-il à voix basse.

Il reprit sa marche à grandes enjambées et passa sur un tapis voisin, qu'utilisaient de nombreux voyageurs ; il se glissa parmi eux, et, restant un long moment sur le même tapis, il parvint sans trop de mal à se faufiler parmi la foule, dépassant ainsi des centaines de gens, et se rapprochant insensiblement du bord du tapis.

Tout d'un coup, sans avoir marqué le moindre temps d'arrêt, il fit un bond de côté et sauta sur le tapis accélérateur voisin ; le mouvement fut si brusque qu'il eut de la peine à conserver son équilibre, et sentit une douleur dans les muscles de ses cuisses. Il actionna aussitôt les manettes d'accélération, et un instant plus tard, il filait à une vitesse de soixante-dix kilomètres à l'heure.

— Et maintenant, Daneel ? demanda-t-il au robot, toujours derrière lui.

— Il est encore là, répliqua l'autre calmement.

Baley pinça les lèvres. S'il en était ainsi, il fallait alors opérer sur l'express ; cela exigeait un gros entraînement, et peut-être n'en serait-il plus capable... Regardant rapidement autour de lui, pour situer sa position, il vit passer comme un éclair la rue

B. 22. Il fit un petit calcul, puis d'un saut prit place sur l'express. Les hommes et les femmes qui l'occupaient, manifestement peu satisfaits de se déplacer ainsi, se montrèrent indignés quand Balev et R. Daneel, faisant irruption parmi eux, jouèrent des coudes pour s'efforcer de gagner l'autre bord du tapis.

— Eh là ! Faites donc attention ! glapit une femme, en retenant non sans peine son chapeau qu'elle manqua perdre.

— Excusez-moi ! bredouilla Baley, à court de souffle.

Ayant réussi à gagner l'autre côté de l'express, il sauta de nouveau sur le tapis voisin ; mais, au dernier moment, un voyageur, furieux d'avoir été bousculé, lui lança un coup de poing dans le dos, ce qui le fit trébucher. Il fit un effort désespéré pour retrouver son équilibre, car, pris de panique, il eut soudain la vision de ce qui allait se passer, s'il n'y parvenait pas : en tombant, il risquait de faire tomber d'autres gens, qui s'écrouleraient comme un château de cartes, et ces sortes de « marmelades de voyageurs », assez fréquentes sur les tapis roulants, avaient toujours pour résultat d'envoyer des douzaines de blessés à l'hôpital, avec des membres cassés. La différence de vitesse des deux tapis ne fit pourtant qu'accentuer son déséquilibre, et il s'effondra, d'abord sur les genoux, ensuite sur le côté. Mais, instantanément, le bras de Daneel le saisit, et il se vit relevé avec une force et une aisance bien supérieures à celles d'un homme.

— Merci, bredouilla-t-il.

Il n'eut certes pas le temps d'en dire plus, car il repartit aussitôt sur le tapis décélérateur, dont le parcours compliqué le mena à un carrefour ; là, deux tapis express de sens opposés se croisaient et correspondaient avec des tapis roulants secondaires. Sans ralentir un instant son allure, il sauta sur un tapis accélérateur, et de là, de nouveau, sur l'express.

— Est-il toujours avec nous, Daneel ?

— Il n'y a personne en vue, Elijah.

— Bon ! Mais quel coureur de tapis roulant vous auriez fait, Daneel ! Allons, maintenant, en route !

Ils repassèrent à toute vitesse sur un autre tapis secondaire, et de là sur un tapis décélérateur, qui les mena jusqu'à une porte dont les imposantes dimensions indiquaient, sans erreur possible, l'entrée d'un bâtiment officiel. D'ailleurs, une sentinelle se leva à leur approche, et Baley se fit aussitôt reconnaître.

— Police ! dit-il.

Et le factionnaire les laissa instantanément passer.

— C'est une centrale d'énergie, dit Baley. De cette façon, on perdra définitivement notre trace.

Il avait déjà visité souvent des centrales d'énergie, y compris celle-là, mais, l'habitude qu'il avait de ce genre d'établissements n'atténuait pas pour autant le sentiment pénible qui ne manquait jamais de l'oppresser quand il s'y trouvait ; c'était une sorte d'angoisse, encore accrue par le souvenir de la situation prépondérante que son père avait jadis occupée dans une telle centrale. Mais il y avait longtemps de cela !...

Au centre de l'usine, on n'entendait que le ronflement des énormes générateurs cachés dans les profondeurs du sol ; l'air sentait fort l'ozone, et l'immense salle était entourée de lignes lumineuses rouges, dont la menace silencieuse signifiait que nul ne devait les franchir sans être protégé par des vêtements spéciaux. Quelque part, au sein de la centrale (Baley ignorait exactement où), on consommait chaque jour une livre de matière atomique que l'on désintégrait. Et, après chacune de ces désintégrations, les résidus de l'opération, que l'on appelait les « cendres chaudes », étaient chassés par de puissantes souffleries dans des tuyaux de plomb, qui aboutissaient, vingt kilomètres au large de l'océan, à des fosses aménagées à mille mètres de profondeur sous les eaux. Baley s'était souvent demandé ce qui se passerait quand ces fosses seraient pleines. Se tournant vers R. Daneel, il lui dit, assez brusquement :

— Ne vous approchez pas des signaux rouges !

Puis, ayant réfléchi, il ajouta, un peu confus :

— Mais, après tout, cela ne vous gêne peut-être pas...

— Est-ce une question de radioactivité ? demanda Daneel.

— Oui.

— Alors, il faut que j'y fasse attention. Les rayons gamma détruisent en effet le délicat équilibre d'un cerveau positronique. Si je m'y trouvais exposé, ils me feraient beaucoup plus de mal qu'à vous, et bien plus rapidement.

— Voulez-vous dire qu'ils pourraient vous tuer ?

— Il faudrait alors me doter d'un nouveau cerveau positronique. Or, comme il ne peut en exister deux identiques, il s'ensuit que je deviendrais dans ce cas un nouvel individu. Le Daneel à qui vous parlez actuellement serait, à proprement parler, mort.

Baley le regarda d'un air sceptique.

— J'ignorais complètement cela, dit-il. Grimpons là-haut !

— On n'insiste jamais sur ce point. Ce que Spacetown désire faire connaître, c'est l'utilité de robots tels que moi, et non pas nos défectuosités.

— Alors, pourquoi m'en faites-vous part ?

— Parce que, dit R. Daneel en regardant Baley bien en face, vous êtes mon associé, Elijah, et il est bon que vous connaissiez mes faiblesses et mes lacunes.

Baley se racla la gorge, et ne trouva rien à ajouter.

Un peu plus tard, il indiqua au robot une sortie proche, et lui dit :

— Par ici ! Nous sommes à cinq cents mètres de l'appartement.

C'était un logement très modeste, un des plus ordinaires que l'on pût trouver : il se composait d'une petite chambre à deux lits, comportant pour tout mobilier deux fauteuils repliables, et d'un cabinet.

Un récepteur de télévision était encastré dans un des panneaux, mais l'appareil ne pouvait être manœuvré à volonté ; il transmettait à heures fixes un programme donné et fonctionnait automatiquement à ces heures-là, qu'on le voulût ou non. Il n'y avait ni lavabo — même sans eau courante — ni prise de courant pour faire de la cuisine, voire pour chauffer de l'eau. Un petit vide-ordures occupait un coin de la pièce ; il était raccordé à un tuyau affreux qui contribuait à donner à l'ensemble un aspect fort déplaisant. Baley, à la vue de ce local, haussa les épaules.

— Nous y voilà ! Enfin... c'est supportable !

R. Daneel marcha droit au vide-ordures ; sur un

geste qu'il fit, sa chemise s'ouvrit en deux, révélant un buste à la peau douce, et apparemment musclé.

— Qu'est-ce que vous faites ? lui demanda Baley.

— Je me débarrasse de la nourriture que j'ai absorbée. Si je la gardais en moi, elle se gâterait, et je sentirais mauvais.

Il plaça soigneusement deux doigts en des points déterminés de sa poitrine, exerça une brève mais énergique pression, et aussitôt son buste s'ouvrit de haut en bas. Il enfonça alors sa main droite à l'intérieur d'une masse métallique brillante ; il en retira un petit sac en tissu mince et translucide, à moitié plein ; il l'ouvrit, tandis que Baley, horrifié, l'observait ; puis, après quelque hésitation, il dit au détective :

— Ces aliments sont d'une propreté absolue. Je ne salive pas et ne mâche pas non plus. La nourriture que j'absorbe est attirée dans ce sac par succion, et elle est encore consommable.

— Merci, répondit doucement Baley. Je n'ai pas faim. Débarrassez-vous-en, tout simplement.

Baley estima que le sac était en matière plastique au fluorocarbone, car les aliments ne collaient pas après ; et le robot n'eut aucun mal à les faire glisser du sac dans le conduit du vide-ordures.

« Il n'empêche que voilà une excellente nourriture gaspillée ! » se dit Baley, en s'asseyant sur l'un des lits, et en ôtant sa chemise.

— Je propose, ajouta-t-il tout haut, que demain matin nous partions de bonne heure.

— Avez-vous une raison particulière pour cela ?

— Nos bons amis ne connaissent pas encore cet appartement, tout au moins je l'espère. En partant tôt, nous courrons moins de risques. Et quand nous serons à l'Hôtel de Ville, il vous faudra décider si notre association est encore praticable et utile.

— Vous croyez qu'elle ne l'est plus ?

— Vous devez bien comprendre, dit Baley en haussant les épaules, que nous ne pouvons pas nous livrer tous les jours à des acrobaties comme celles de ce soir.

— Mais il me semble que...

R. Daneel ne put achever sa phrase : une lampe rouge vif venait de s'allumer au-dessus de la porte. Baley se leva sans bruit et saisit son revolver. Le signal rouge, qui s'était éteint, se ralluma, et le détective, s'approchant à pas de loup de la porte, tourna un commutateur ; il actionna ainsi un écran translucide, qui permettait de voir de l'intérieur vers l'extérieur de la pièce. L'appareil ne fonctionnait pas très bien ; il était trop petit et usagé, et l'image qu'il donnait n'était pas nette ; mais elle l'était bien assez pour permettre à Baley de reconnaître, debout devant la porte, son fils Ben.

Ce qui suivit fut rapide, et même un peu brutal. Baley ouvrit brusquement la porte, saisit Ben par le poignet au moment où celui-ci allait, pour la troisième fois, actionner le signal, et le tira dans la pièce. Le garçon, ahuri et effrayé de cet accueil, s'adossa, un peu essoufflé, contre un mur, et frotta longuement son poignet meurtri, avant de s'écrier :

— Mais voyons, papa, pourquoi me bouscules-tu comme ça ?

Baley ne lui répondit pas tout de suite ; après avoir refermé la porte, il continua à regarder par l'écran translucide, et il lui sembla que le couloir était vide.

— As-tu remarqué quelqu'un, là dehors, Ben ? fit-il.

— Non. Ecoute, papa, je suis juste venu voir comment tu allais.

— Pourquoi n'irais-je pas bien ?

— Je n'en sais rien, moi ! C'est maman. Elle pleurait et faisait un tas d'histoires ; elle a dit qu'il fallait que je te trouve, et que, si je n'y allais pas, elle irait elle-même, mais que, dans ce cas, il pouvait arriver n'importe quoi. Alors, elle m'a obligé à filer, papa.

— Bon. Comment m'as-tu trouvé ? Ta mère savait-elle où j'étais ?

— Non. J'ai téléphoné à ton bureau.

— Et ils t'ont donné le renseignement ?

Le ton véhément de Baley effraya son fils, qui répondit à voix basse :

— Bien sûr ! Ils ne devaient pas le faire ?

Baley et Daneel se regardèrent, et le détective, se levant pesamment, demanda à son fils :

— Où est-elle en ce moment, ta mère ? Dans l'appartement ?

— Non. Nous avons dîné chez grand-mère, et nous y sommes restés. C'est là que je dois revenir tout à l'heure, si tu n'as pas besoin de moi, papa.

— Tu vas rester ici, Ben. Daneel, avez-vous remarqué où se trouve le téléphone public de l'étage ?

— Oui, dit le robot. Avez-vous l'intention de sortir pour vous en servir ?

— J'y suis bien obligé. Il faut que je parle à Jessie.

— Ne croyez-vous pas qu'il vaudrait mieux laisser Ben téléphoner ? Pour vous, c'est plus risqué que pour lui, et il est moins précieux.

Baley eut tout d'abord envie de se mettre en colère ; mais, comprenant aussitôt que ce serait stupide, il répondit calmement :

— Vous ne pouvez pas comprendre, Daneel. Nous autres hommes, nous n'avons pas l'habitude d'envoyer nos enfants à notre place, quand il s'agit d'accomplir un acte dangereux, même au cas où il semblerait logique de le faire.

— Un acte dangereux ? s'écria Ben, ravi de se trouver mêlé à une aventure passionnante. Oh ! papa, qu'est-ce qui se passe ?

— Rien, Ben. Rien qui te regarde, en tout cas. Alors, couche-toi. Je veux te trouver au lit quand je vais rentrer. Tu m'entends ?

— Oh ! zut. Tu pourrais tout de même me mettre au courant ! Je ne le dirai à personne !

— Non. Au lit ! Allons, ouste !...

— Oh ! quelle barbe !

Dès qu'il fut dans la cabine téléphonique, Baley se plaça de façon à pouvoir, le cas échéant, se servir sur-le-champ de son arme. Il commença par donner au microphone son numéro d'identification policière, et attendit un instant ; ce délai permit à une machine à contrôler, située à vingt kilomètres, de s'assurer que la communication serait immédiate. L'opération ne dura comme prévu que très peu de temps, car un détective devait pouvoir demander pour les besoins de son service un nombre illimité de communications. Dès qu'il eut la réponse du contrôle, il demanda le numéro de sa belle-mère. Un petit écran situé au pied de l'appareil s'éclaira alors, et le visage de la mère de Jessie apparut.

— Passez-moi Jessie, dit-il à voix basse.

Sa femme devait l'attendre car, à son tour, elle apparut instantanément. Baley la regarda un instant, puis il actionna une manette pour assombrir l'écran.

— Bon, Jessie. Ben est ici. Alors, qu'est-ce qui ne va pas ?

Tout en parlant, il ne cessait de regarder autour de lui si personne n'approchait.

— Comment vas-tu ? N'as-tu pas d'ennuis ? répliqua sa femme.

— Tu peux constater toi-même que je vais très bien, Jessie. Et maintenant, fais-moi le plaisir de cesser toutes ces histoires !

— Oh ! Lije, je me suis tellement tourmentée !

— A quel sujet ? répliqua-t-il sèchement.

— Tu le sais bien ! Ton ami...

— Eh bien ?

— Je te l'ai dit hier soir. Ça va mal tourner !...

— Non. Tu dis des bêtises. Je garde Ben ici cette nuit, et toi, va te coucher ! Bonsoir, ma chérie !

Il coupa la communication et respira profondément avant de quitter la cabine. Son visage était décomposé, tant il avait peur. Quand il rentra chez lui, il trouva Ben debout au milieu de la pièce ; le jeune homme avait retiré d'un de ses yeux la lentille correctrice, et l'avait soigneusement placée dans une coupe, pour la nettoyer. L'autre lentille était encore dans son autre œil.

— Dis donc, papa, s'écria le garçon, il n'y a donc pas d'eau dans cet endroit ? M. Olivaw dit que je ne peux pas aller aux Toilettes.

— Il a raison. Je ne veux pas que tu y ailles. Remets ça dans ton œil ; pour une nuit, tu peux très bien les garder ; ça ne t'empêchera pas de dormir.

— Ah, bon ! fit Ben, qui obéit et grimpa dans un des deux lits. Oh, là, là ! ajouta-t-il. Quel matelas !

— Je pense que cela ne vous gênera pas de passer la nuit assis ? demanda Baley à R. Daneel.

— Non, bien sûr ! Mais dites-moi, Elijah, puis-je vous poser une question ? Les curieux petits verres que votre fils vient de mettre dans ses yeux m'ont intrigué. Est-ce que tous les Terriens en portent ?

— Non, répliqua Baley, d'un air distrait. Quelques-uns seulement. Ainsi moi, je n'en ai pas.

— A quoi servent-ils ?

Mais Baley était bien trop absorbé par ses propres pensées pour répondre, et ces pensées n'avaient rien d'agréable.

Après avoir éteint la lumière, il demeura longtemps éveillé. Tout près de lui, la respiration de Ben se fit plus profonde et plus régulière, mais un peu rauque ; le garçon dormait paisiblement. De l'autre côté de son lit, Baley aperçut vaguement R. Daneel assis sur une chaise, face à la porte, dans une immobilité impressionnante.

Il finit par s'endormir, et bientôt il eut un cauchemar. Il rêva que Jessie tombait dans la salle de désintégration atomique d'une centrale d'énergie nucléaire. Elle tombait, tombait, tombait toujours, comme dans un puits colossal. Elle hurlait, et tendait les bras vers lui, mais il ne pouvait que se tenir, pétrifié, au-delà d'une ligne rouge, et regarder fixement la silhouette contorsionnée de sa femme, qui s'enfonçait dans les profondeurs du puits, et finissait par y disparaître. Et l'horreur de ce rêve venait surtout de ce que cette effroyable chute de Jessie, c'était lui, son époux, qui l'avait provoquée ; c'était lui qui avait poussé sa femme dans le vide...

12

AVIS D'UN EXPERT

Elijah Baley leva les yeux vers le commissaire Enderby, quand celui-ci passa devant son bureau, et il le salua d'un signe de tête empreint d'une certaine lassitude. Le commissaire principal regarda la pendule et grommela :

— Vous n'allez tout de même pas me dire que vous avez passé la nuit ici !

— Je n'en ai aucunement l'intention.

— Pas d'ennuis, cette nuit ? reprit Enderby à voix basse.

Baley secoua négativement la tête.

— J'ai réfléchi, poursuivit le commissaire, que je n'ai peut-être pas attaché assez d'importance à l'éventualité d'une émeute. Si je peux faire quelque chose...

— Oh ! je vous en prie, monsieur le commissaire ! répliqua Baley d'un ton sec. Vous savez très bien que, s'il y avait quelque chose à craindre, je vous en aviserais. Quant à hier soir, je n'ai pas eu le moindre ennui.

— Parfait !

Le commissaire principal continua son chemin et

disparut derrière la porte de son bureau personnel, symbole du haut rang qu'il occupait. Et Baley, le regardant avec quelque envie, se dit :

« Lui, au moins, il a dormi, cette nuit ! »

Il se pencha sur un rapport d'activités banales et routinières, qu'il rédigeait pour masquer le réel emploi du temps des deux dernières journées ; mais les mots que sa main traçait machinalement dansaient devant ses yeux, et il ne réussit pas à se concentrer sur ce travail. Soudain, il se rendit compte que quelqu'un se tenait près de sa table.

— Qu'est-ce que tu veux ? demanda-t-il en levant la tête vers R. Sammy.

« Garçon de courses automatique ! songea-t-il. Ça rapporte d'être commissaire principal ! »

— Le commissaire vous demande, Lije, fit le robot, toujours souriant. Il a dit : tout de suite !

— Je viens de le voir, fit Baley en faisant signe au messager de s'en aller. Dis-lui que je viendrai tout à l'heure.

— Il a dit : tout de suite ! répéta R. Sammy.

— C'est bon, c'est bon ! Fous le camp !

Mais le robot resta planté sur place, et redit pour la troisième fois :

— Le commissaire veut vous voir tout de suite, Lije. Il a dit : tout de suite !

— Mille tonnerres ! gronda Baley. J'y vais, j'y vais !

Se levant brusquement, il gagna à grandes enjambées le bureau de son chef, suivi du robot silencieux, et, dès qu'il fut entré, il déclara :

— Il faut donc, monsieur le commissaire, que je vous le demande une fois de plus : ne m'envoyez plus chercher par cette machine !

Mais Enderby se borna à répondre :

— Asseyez-vous, Lije. Asseyez-vous !

Baley s'exécuta et regarda droit devant lui, fixement. Après tout, peut-être avait-il mal jugé le pauvre vieux Julius, car celui-ci pouvait fort bien ne pas avoir dormi non plus : il avait en effet l'air très contrarié. Il tapota un papier qui se trouvait sur son bureau.

— J'ai là, dit-il, un rapport concernant une communication confidentielle que vous avez eue hier avec un certain A. Gerrigel, à Washington.

— C'est exact, monsieur le commissaire.

— On ne m'a naturellement pas rendu compte de votre entretien, puisqu'il n'a pu être contrôlé. De quoi s'agissait-il ?

— De renseignements dont j'ai besoin.

— C'est un spécialiste en Robotique, n'est-ce pas ?

— En effet.

Le commissaire fit la moue, avançant sa lèvre inférieure comme un enfant boudeur.

— Mais qu'est-ce qui vous tracasse ? Quel genre de renseignement cherchez-vous à obtenir ?

— Je ne saurais exactement vous le dire, monsieur le commissaire. Mais j'ai la conviction que, dans une enquête comme celle-là, il pourrait m'être utile de posséder une documentation plus complète sur les robots.

Baley se refusa à lui en dire davantage. Il entendait garder pour lui ses intentions, et ne pas en démordre.

— Ce n'est pas mon avis, Lije, pas du tout. Je crois que vous avez eu tort de faire cette démarche.

— Et pourquoi donc, monsieur le commissaire ?

— Moins il y aura de gens au courant, mieux cela vaudra.

— Je lui en dirai le moins possible, naturellement.

— Je persiste à penser que vous avez tort.

Baley sentit l'exaspération le gagner, et, perdant patience, il rétorqua :

— Me donnez-vous l'ordre de ne pas voir ce savant ?

— Non, non. Faites comme il vous plaira, puisque vous êtes responsable de l'enquête. Seulement...

— Seulement quoi ?

— Oh rien !... fit Enderby en hochant la tête. En attendant où est-il ?... Vous savez qui je veux dire ?...

Certes, Baley le savait ! Il répondit :

— Daneel est encore en train d'examiner nos fichiers.

Le commissaire principal demeura un long moment silencieux, puis il dit :

— Nous ne faisons guère de progrès, vous savez !

— Nous n'en avons encore fait aucun ; mais ça peut changer...

— Alors, c'est parfait ! murmura Enderby.

Mais Baley ne lui trouva pas du tout la physionomie d'un homme satisfait.

Quand le détective revint à sa table de travail, R. Daneel l'y attendait.

— Eh bien, demanda-t-il rudement au robot, qu'est-ce que vous avez trouvé, vous ?

— J'ai complété mes premières recherches, un peu trop hâtives, Elijah ; grâce à votre fichier, j'ai pu identifier deux des gens qui nous ont poursuivis hier soir, et qui, par surcroît, se trouvaient l'autre jour dans le magasin de chaussures.

— Voyons cela !

R. Daneel posa devant Baley deux petites cartes, pas plus grandes que des timbres-poste ; elles étaient couvertes de minuscules points correspondant à un code. Puis le robot sortit de sa poche un petit appareil portatif à décoder, et il plaça l'une des cartes dans un logement approprié. Les points possédaient des propriétés électriques particulières, au point de vue de leur conductibilité ; quand on faisait passer un champ magnétique à travers la carte, celui-ci se trouvait considérablement troublé ; les perturbations ainsi obtenues avaient pour résultat de faire apparaître une série de mots sur un petit écran lumineux situé à la basc de l'appareil ; ces mots, une fois décodés, représentaient un long rapport. Mais nul ne pouvait en comprendre le sens s'il n'était pas en possession du code officiel de la police.

Baley, rompu à ce genre de documents, les parcourut rapidement. La première fiche concernait un certain Francis Clousarr. Deux ans plus tôt, alors âgé de trente-trois ans, il avait été arrêté pour incitation à l'émeute ; il travaillait dans les usines de levure ; on possédait son adresse et ses antécédents familiaux ; quant à son signalement, rien n'y manquait : cheveux, yeux, signes distinctifs, degré d'instruction, profil psycho-analytique, aspect physique, emplois occupés et références des photos enregistrées au fichier des malfaiteurs.

— Vous avez vérifié les photos ? demanda Baley.

— Oui, Elijah.

Le second suspect se nommait Paul Gerhard. Baley jeta un coup d'œil à la fiche le concernant et dit :

— Tout cela ne vaut rien du tout !

— Je suis certain du contraire, répliqua R. Daneel. S'il existe réellement, parmi les Terriens, une organisation subversive capable d'avoir préparé et exécuté le crime au sujet duquel nous enquêtons, ces deux hommes en font partie. Les fiches sont formelles. Alors, ne devrions-nous pas interroger ces suspects ?

— Nous n'en tirerons rien.

— Ils étaient tous deux dans le magasin de chaussures et au restaurant. Ils ne pourront le nier.

— Se trouver là-bas ne constituait pas un délit, et ils pourront fort bien dire qu'ils n'y étaient pas. Rien de plus simple ! Comment leur prouverons-nous qu'ils mentent ?

— Je les ai vus.

— Ce n'est pas une preuve, répliqua Baley durement. Si jamais l'affaire venait devant les tribunaux, il n'y aurait pas un juge qui consentirait à vous croire capable de reconnaître deux visages dans une foule d'un million de personnes.

— Il est pourtant évident que je le peux.

— Bien sûr. Mais essayez donc de dire à un tribunal qui vous êtes ! Instantanément, votre témoignage deviendra sans valeur. Les robots ne sont pas admis à la barre des prétoires terriens.

— Je constate, Elijah, que vous avez changé d'avis.

— Que voulez-vous dire ?

— Hier, au restaurant, vous avez dit qu'il était inutile de les arrêter, car, du moment que je me rappellerais toujours leurs visages, nous pourrions leur « mettre le grappin dessus », quand bon nous semblerait.

— Eh bien, je n'avais pas assez réfléchi. J'étais stupide. C'est impossible.

— Ne pourrions-nous pas tenter de créer un choc

psychique, en les interrogeant sans qu'ils sachent que nous n'avons pas de preuve légale de leur culpabilité ?

— Ecoutez, répliqua Baley, j'attends le docteur Gerrigel, de Washington. Il sera ici dans une demi-heure. Je ne voudrais rien faire avant de l'avoir vu. Ça vous ennuie ?

— J'attendrai, dit R. Daneel.

Anthony Gerrigel était un homme de taille moyenne, de mise soignée et d'une extrême politesse ; on n'aurait jamais cru, en le voyant, que l'on se trouvait en présence d'un des plus éminents savants en Robotique que la Terre possédât. Il arriva plus de vingt minutes en retard au rendez-vous et s'en excusa beaucoup. Baley, que sa nervosité rendait fort peu aimable, cacha mal son mécontentement, et répondit aux excuses par un haussement d'épaules bourru. Il confirma aussitôt des ordres précédemment donnés, pour que l'on mît à sa disposition la salle D, réservée aux entretiens secrets, et répéta que, sous aucun prétexte, on ne devait les déranger pendant une heure. Puis il conduisit le Dr Gerrigel et R. Daneel, par un long corridor suivi d'une rampe assez raide, jusqu'à une pièce qu'il avait choisie pour recevoir son visiteur ; c'était un vaste bureau spécialement insonorisé, et à l'abri de toute détection radio-électrique.

Dès qu'il y eut pénétré, il vérifia avec le plus grand soin la parfaite étanchéité des murs, du plancher et du plafond, écoutant d'un air grave le très faible bruissement d'un petit pulsomètre qu'il tenait dans sa main ; le moindre arrêt de ces pulsations aurait en effet signifié un défaut dans l'isolement absolu de la pièce ; il vérifia avec une attention particulière la porte, et fut satisfait de ne trouver aucune défectuosité dans l'installation.

Le Dr Gerrigel sourit légèrement, ce qui ne devait pas lui arriver souvent, semblait-il. Il était vêtu avec tant de correction que cela devait répondre à une manie. Il avait des cheveux grisonnants et plaqués en arrière, un visage rose et rasé de près, et il se tenait assis si droit sur sa chaise qu'il évoquait ainsi l'attitude d'un enfant chapitré pendant des années par une mère intraitable ; sa colonne vertébrale semblait bloquée pour toujours.

— Vos précautions font de notre entretien quelque chose de singulièrement impressionnant, monsieur Baley ! dit-il.

— Il s'agit en effet d'une conversation très importante, docteur, répliqua le détective. J'ai besoin de renseignements sur les robots, et je crois que vous êtes seul, sans doute, capable de me les fournir. Tout ce que nous allons dire ici est naturellement ultra-confidentiel, et la Cité vous demande de l'oublier dès que nous nous séparerons.

Il jeta un coup d'œil à sa montre et Gerrigel cessa de sourire : il était visiblement ennuyé de n'avoir pas été exact au rendez-vous.

— Permettez-moi de vous expliquer pourquoi je suis en retard, dit-il. Je n'ai pas voulu prendre l'avion, car j'ai le mal de l'air.

— C'est vraiment dommage ! grommela Baley.

Il mit de côté le pulsomètre, non sans avoir vérifié une dernière fois qu'il fonctionnait bien, et qu'il ne pouvait y avoir eu d'erreur dans le contrôle de la pièce qu'il venait d'effectuer ; puis il s'assit.

— A vrai dire, reprit le savant, ce n'est pas exactement du mal de l'air que je souffre, mais d'agoraphobie, qui n'a rien d'anormal, bien que gênante. Alors, j'ai pris l'express.

Baley fut soudain très intéressé.

— De l'agoraphobie ? répéta-t-il comme en écho.

— Oh ! le mot est plus impressionnant que ce qu'il veut dire ! répliqua Gerrigel. C'est tout simplement une sensation désagréable que beaucoup de gens éprouvent en avion. Avez-vous déjà volé, monsieur Baley ?

— Oui, plusieurs fois.

— Alors, vous devez savoir ce que je veux dire. C'est la sensation de n'avoir rien que du vide autour de soi, et de n'être séparé de l'air ambiant que par un centimètre de cloison métallique. C'est très pénible.

— Ainsi donc, vous avez pris l'express ?

— Oui.

— De Washington à New York, c'est rudement long !

— Oh ! je le prends souvent ! Depuis qu'on a percé le tunnel de Baltimore à Philadelphie, c'est un voyage très facile.

C'était exact, et Baley, qui n'avait pas encore fait le parcours, ne douta pas qu'il en fût ainsi. Au cours des deux derniers siècles, Washington, Philadelphie, Baltimore et New York avaient pris une telle extension que les quatre Cités se touchaient presque les unes les autres. La région des Quatre Cités, telle était devenue la dénomination presque officielle par laquelle on désignait toute cette partie de la côte Atlantique de l'Amérique, et beaucoup de gens étaient d'avis qu'il y aurait intérêt à réunir les administrations des quatre villes en une unique Super-Cité. Baley, quant à lui, désapprouvait ce projet. Il estimait qu'à elle seule New York devenait trop vaste pour n'être gérée que par un gouvernement centralisé. Une agglomération encore bien plus colossale, comprenant plus de cinquante millions d'âmes, s'effondrerait sous son propre poids.

— L'ennui, reprit le savant, c'est que j'ai raté la correspondance de Chester à Philadelphie, ce qui m'a fait perdre du temps. Et puis, en arrivant, j'ai eu un peu de mal à obtenir une chambre, ce qui a achevé de me mettre en retard.

— Ne vous faites pas de souci à ce sujet, docteur. Ce que vous venez de me dire est fort intéressant. A propos de votre aversion pour l'aviation, que diriez-vous de sortir de la ville, à pied ?

— Je ne vois pas pourquoi vous me posez cette question, répliqua Gerrigel, qui parut très surpris et un peu inquiet.

— Oh ! c'est une demande purement théorique ! Je n'ai pas du tout l'intention de vous emmener ainsi dans la campagne, mais je voulais savoir ce que vous pensiez d'une telle éventualité.

— Je la trouve fort déplaisante.

— Imaginez que vous soyez obligé de quitter la ville en pleine nuit, et de traverser la campagne, à pied, sur une distance d'un ou deux kilomètres : qu'en diriez-vous ?

— Je ne crois pas... je ne crois pas qu'on arriverait à me persuader de le faire.

— Quelle que soit l'importance du motif de ce déplacement ?

— S'il s'agissait de sauver ma vie ou celle de ma famille, peut-être me risquerais-je à le tenter... Mais, ajouta-t-il, gêné, puis-je vous demander la raison de ces questions, monsieur Baley ?

— Je vais vous la donner. Un crime grave a été commis, un crime particulièrement troublant. Je ne suis pas autorisé à vous en donner les détails. Toutefois, certaines personnes prétendent que l'assassin, pour exécuter son coup, a fait exactement ce que nous venons de dire : il aurait traversé seul, à pied, et de nuit, la campagne. C'est pourquoi je vous demande quelle sorte d'homme pourrait accomplir un tel acte.

— Pour ma part, dit le Dr Gerrigel, je n'en connais aucun. J'en suis certain. Bien entendu, parmi des millions d'individus, je suppose que l'on pourrait trouver quelques exceptions.

— Mais vous ne pensez pas qu'un être humain normal puisse faire une chose pareille ?

— Non, certainement pas.

— En fait, on peut donc dire que, s'il existe une autre explication de ce crime, une explication plausible, il faut l'étudier.

Le Dr Gerrigel eut l'air encore plus mal à l'aise, et demeura figé sur son siège, en gardant, jointes sur ses genoux, ses mains méticuleusement soignées.

— Une autre explication vous est-elle venue à l'esprit ? dit-il.

— Oui. J'ai pensé qu'un robot, par exemple, n'aurait aucune peine à traverser ainsi seul la campagne.

Le Dr Gerrigel se leva d'un bond, et s'écria :

— Voyons, monsieur Baley, quelle idée !

— Qu'a-t-elle donc d'anormal ?

— Vous prétendez qu'un robot pourrait avoir commis ce meurtre ?

— Pourquoi pas ?

— Un assassinat ? Celui d'un homme ?

— Oui. Asseyez-vous, je vous prie, docteur !
Le savant obtempéra et répliqua :
— Monsieur Baley, votre hypothèse implique deux actes distincts : la traversée à pied de la campagne et l'assassinat. Un être humain pourrait facilement commettre le second, mais n'accomplirait pas le premier sans grande difficulté. En revanche, un robot pourrait aisément traverser la campagne, mais il lui serait absolument impossible de tuer quelqu'un. Si donc vous tentez de remplacer une thèse invraisemblable par une autre impossible...
— Impossible est un terme terriblement catégorique, docteur !
— Voyons, monsieur Baley, vous connaissez, bien sûr, la Première Loi de la Robotique ?
— Je peux même vous la citer : « Un robot ne peut porter atteinte à un être humain ni, restant passif, laisser cet être humain exposé au danger. » Mais, voulez-vous me dire, ajouta-t-il aussitôt, en tendant vers le savant un impérieux index, qu'est-ce qui empêche la construction de robots non conformes à la Première Loi ? En quoi celle-ci serait-elle inviolable et sacrée ?
Le Dr Gerrigel parut déconcerté, et se borna à bredouiller :
— Oh ! monsieur Baley !...
— Eh bien, qu'avez-vous à répondre ?
— Si vous avez quelques notions de Robotique, monsieur Baley, vous devez savoir que construire un cerveau positronique exige un travail gigantesque, tant au point de vue mathématique qu'électronique.
— J'en ai, en effet, une idée assez précise, dit le détective.
Il avait visité, pour les besoins de son service, une

usine de fabrication de robots et s'en souvenait très bien. Il avait vu la bibliothèque des livres filmés, dont chaque ouvrage, fort long, contenait l'analyse mathématique d'un seul type de cerveau positronique. Il fallait plus d'une heure en moyenne pour examiner un seul de ces exemplaires, si condensées que fussent les formules symboliques dont il était plein. Et l'on n'avait jamais affaire à deux cerveaux semblables, même s'ils avaient été conçus à partir de données rigoureusement identiques. Ce fait, avait-on expliqué à Baley, était la conséquence du principe d'Incertitude, énoncé par Heisenberg ; et il impliquait l'obligation d'ajouter à chaque ouvrage des appendices, eux-mêmes sujets à modifications. Oh, c'était un travail formidable, et Baley n'en disconvenait pas !...

— Eh bien, dans ce cas, reprit le Dr Gerrigel, vous devez comprendre que dresser les plans d'un nouveau type de cerveau positronique, même s'il ne s'agit que d'y apporter des modifications relativement peu importantes, n'est pas l'affaire d'une nuit de travail. Cela exige le concours de tout le service des recherches d'une usine normale, pendant un minimum d'une année. Et encore, cette somme énorme de travail serait loin de suffire, si l'on ne bénéficiait pas d'un grand nombre d'éléments de base, aujourd'hui standardisés, qui s'appliquent à la création de tout cerveau positronique, quel qu'il soit. Ces éléments de base sont eux-mêmes la conséquence pratique des trois Lois fondamentales de la Robotique. La première, vous venez de la citer vous-même. La seconde déclare que « un robot doit obéir aux ordres donnés par les êtres humains, sauf si de tels ordres sont en contradiction avec la Première Loi. » Enfin la troisième précise que « un robot doit protéger son existence, dans la mesure où cette protection n'est pas en contradiction avec la Première ou la Deuxième Loi ». Comprenez-vous bien ce que cela signifie, monsieur Baley ?

A ce moment, R. Daneel, qui avait suivi l'entretien avec la plus grande attention, intervint :

— Si vous me le permettez, Elijah, dit-il, j'aimerais voir si j'ai bien suivi la pensée du Dr Gerrigel. Je crois que ce que vous avez en tête, docteur, c'est ceci : si l'on tentait de construire un robot dont le cerveau positronique ne serait pas basé sur les trois Lois fondamentales, il faudrait commencer par élaborer une nouvelle loi fondamentale, et cela seul exigerait des années de travail.

Le savant eut l'air très reconnaissant de cette remarque et répliqua :

— C'est en effet, et très exactement exprimé, ce que je voulais dire, monsieur...

Baley attendit quelques secondes avant de présenter avec circonspection son associé :

— Je ne vous ai pas encore présenté mon collègue Daneel Olivaw, docteur.

— Enchanté, monsieur Olivaw, fit le visiteur qui tendit la main et serra sans sourciller celle du robot. A mon avis, reprit-il aussitôt, il faudrait au moins cinquante ans de recherches pour mettre au point une nouvelle Loi fondamentale, destinée à créer un cerveau positronique affranchi des obligations contenues dans les trois Lois actuelles, et pour construire des robots de ce genre aussi perfectionnés que ceux utilisés de nos jours.

— Et cela n'a jamais été tenté ni accompli par personne, docteur ? demanda Baley. Voilà pourtant des centaines, des milliers d'années, que l'on construit des robots ! Et, pendant tout ce temps, il ne s'est trouvé personne, ni individu ni collectivité, pour entreprendre une telle étude répartie sur cinquante années ?

— Il aurait certainement pu s'en trouver, mais un tel travail n'a jamais tenté qui que ce fût.

— J'ai peine à le croire, car la curiosité humaine est sans limite.

— Elle ne va pas jusque-là, monsieur Baley. La race humaine, croyez-moi, garde un très puissant complexe : celui de Frankenstein.

— Qu'est-ce que c'est que ça ?

— C'est le nom du héros d'un roman de l'Epoque Médiévale, qui construisit un robot, lequel se retourna contre son créateur. Le nom est resté comme un symbole. Je n'ai pas lu personnellement le roman, mais peu importe. Ce que je peux vous expliquer, c'est pourquoi il ne peut être question de construire un robot non conforme à la Première Loi.

— Et il n'existe aucune autre Loi fondamentale à l'étude, dans cet esprit ?

— Aucune, à ce que je sache ! Et j'ose dire, ajouta le savant, avec un sourire un peu prétentieux, que mes connaissances en la matière sont assez étendues.

— Et un robot conforme à la Première Loi est incapable de tuer un homme ?

— Absolument incapable. Il faudrait que ce soit par accident, ou, à la rigueur, pour sauver la vie d'au moins deux autres hommes. Mais, dans les deux cas, le potentiel positronique dont le robot est doté détruirait irrémédiablement son cerveau.

— C'est entendu, dit Baley. Tout ce que vous venez de m'expliquer représente la situation sur Terre, n'est-ce pas ?

— Oui, bien sûr.

— Et dans les Mondes Extérieurs, en est-il de même ?

Le Dr Gerrigel sembla perdre un peu de son assurance.

— Oh ! mon cher monsieur Baley, répliqua-t-il, je ne saurais rien affirmer à ce sujet par expérience personnelle ! Mais j'ai la conviction que, si l'on avait dressé les plans d'un cerveau positronique non conforme aux trois Lois fondamentales, nous en aurions entendu parler.

— Croyez-vous ? Alors laissez-moi suivre une autre idée qui me vient, docteur. J'espère que vous n'y voyez pas d'objection ?

— Non, pas du tout, fit le savant, dont le regard intrigué allait de Baley à R. Daneel. Après tout, s'il s'agit d'une affaire aussi importante que vous l'avez dit, je suis heureux de vous aider dans la mesure de mes moyens.

— Merci, docteur. Ce que je voulais vous demander maintenant, c'est pourquoi on construit des robots humanoïdes. Toute ma vie, je les ai acceptés comme quelque chose de normal, mais voici qu'il me vient à l'esprit que j'ignore la raison même de leur existence. Pourquoi un robot doit-il avoir une tête et quatre membres ? Pourquoi doit-il avoir plus ou moins l'aspect d'un homme ?

— Vous voulez dire : pourquoi n'est-il pas simplement une machine, comme les autres ?

— Exactement : pourquoi pas ?

— Vraiment, monsieur Baley, répondit l'autre, vous êtes né trop tard ! Le début de la littérature, ayant eu pour objet les robots, abonde en discussions sur ce point, et les polémiques qui ont eu lieu alors ont été quelque peu effrayantes. Si vous désirez consulter une excellente analyse des controverses entre fonctionnalistes et antifonctionnalistes, je vous conseille l'*Histoire de la Robotique* de Hanford. Elle contient un minimum de mathématiques, et je crois qu'elle vous intéressera.

— J'y jetterai un coup d'œil, fit Baley patiemment. Mais ne pourriez-vous me résumer un peu la question ?

— C'est le point de vue économique qui a prévalu et a inspiré les décisions. Voyons, monsieur Baley ! Supposez que vous ayez à exploiter une ferme : auriez-vous envie d'acheter un tracteur à cerveau positronique, une herse, une moissonneuse, un semoir, une machine à traire, une automobile, etc., tous ces engins étant également dotés d'un cerveau positronique ? Ou bien ne préféreriez-vous pas avoir du matériel sans cerveau, et le faire manœuvrer par un seul robot positronique ? Je dois vous prévenir que la seconde solution représente une dépense cinquante ou cent fois moins grande que la première.

— Bon ! Mais pourquoi donner au robot une forme humaine ?

— Parce que la forme humaine est, dans toute la nature, celle qui donne le meilleur rendement. Nous ne sommes pas des animaux spécialisés, monsieur Baley, sauf au point de vue de notre système nerveux, et dans quelques autres domaines. Si vous désirez construire un être mécanique, capable d'accomplir un très grand nombre de mouvements, de gestes et d'actes, sans se tromper, vous ne pouvez mieux faire qu'imiter la forme humaine. Ainsi, par exemple, une automobile est construite de manière que ses organes de contrôle puissent être saisis et manipulés aisément par des pieds et des mains d'homme, d'une certaine dimension, et d'une certaine forme : ces pieds et ces mains sont fixés au corps par des membres d'une longueur déterminée et par des articulations bien définies. Les objets, même les plus simples, comme les chaises, les tables, les couteaux, ou les fourchettes, ont été conçus en fonction des dimensions humaines et pour être maniés le plus facilement possible par l'homme. Il s'ensuit que l'on trouve plus pratique de donner aux robots une forme humaine que de réformer radicalement les principes selon lesquels nos objets usuels ont été créés.

— Je comprends parfaitement ce raisonnement, qui se tient en effet, docteur. Mais n'est-il pas vrai que les spécialistes en Robotique des Mondes Extérieurs construisent des robots beaucoup plus humanoïdes que les nôtres ?

— Je crois que c'est exact.

— Pourraient-ils construire un robot tellement humanoïde que, dans des conditions normales, on le prendrait pour un homme ?

Le savant haussa les sourcils et réfléchi avant de répondre :

— Je crois qu'ils le pourraient, monsieur Baley. Mais cela leur reviendrait terriblement cher, et je ne vois pas quel intérêt ils y trouveraient.

— Et pensez-vous, poursuivit impitoyablement le détective, qu'ils pourraient créer un robot capable de vous tromper, au point que vous le prendriez pour un homme ?

— Oh ! ça, mon cher monsieur Baley, fit Gerrigel en souriant, j'en doute fort ! Oui, vraiment, car il y a, dans un robot, bien autre chose que ce dont il a l'air...

Mais il n'en dit pas plus, car, soudain, il se tourna vers R. Daneel, et son visage rose devint très pâle.

— Oh ! mon Dieu ! murmura-t-il. Oh ! mon Dieu !

Il tendit la main vers la joue de R. Daneel et la toucha légèrement, sans que le robot bougeât ni ne cessât de le regarder tranquillement. Et ce fut presque avec un sanglot dans la voix qu'il répéta :

— Mon Dieu, vous êtes un robot !

— Il vous en a fallu du temps pour vous en apercevoir ! dit sèchement Baley.

— Je ne m'y attendais pas ! Je n'en ai jamais vu de pareil ! Il vient des Mondes Extérieurs ?

— Oui, dit Baley.

— Maintenant cela crève les yeux ; son attitude, son élocution. L'imitation n'est pas parfaite, monsieur Baley.

— Elle est tout de même remarquable, pas vrai ?

— Elle est étonnante. Je ne crois pas que quiconque puisse déceler l'imposture à première vue. Je vous suis infiniment reconnaissant de m'avoir fait rencontrer ce phénomène. Puis-je l'examiner ?

Déjà, le savant, passionné par cette découverte, était sur pieds. Mais Baley l'arrêta d'un geste.

— Un instant, je vous prie, docteur ! Occupez-vous d'abord du meurtre !

— C'est donc bien vrai ? répliqua l'autre, ne cachant pas un amer désappointement. Je pensais que c'était de votre part un stratagème pour orienter ma pensée sur d'autres sujets, et pour voir ainsi pendant combien de temps je me laisserais abuser...

— Non, docteur, ce n'est pas une supercherie. Dites-moi maintenant autre chose : en construisant un robot aussi humanoïde que celui-ci, dans le but bien arrêté de le faire passer pour un homme, n'est-il pas nécessaire de doter son cerveau de facultés presque identiques à celles du cerveau humain ?

— Certainement.

— Parfait. Alors, un tel cerveau humanoïde ne pourrait-il pas ignorer la Première Loi ? Ne serait-ce que par accident, par suite d'une erreur de fabrication ?... Vous avez vous-même mentionné le principe d'Incertitude : n'implique-t-il pas que les constructeurs du robot ont pu omettre de lui inculquer la Première Loi ? Ils peuvent l'avoir oubliée sans s'en rendre compte.

— Non, non ! rétorqua le savant, en secouant vigoureusement la tête. C'est absolument impossible !

— En êtes-vous bien sûr ? La Deuxième loi, nous pouvons en faire l'expérience tout de suite : Daneel, donnez-moi votre arme !

Ce disant, il ne quitta pas le robot des yeux, et ne cessa pas de garder sa main sur la poignée de son revolver. Mais ce fut avec le plus grand calme que R. Daneel lui tendit le sien, par le canon, en lui disant :

— La voici, Elijah.

— Un détective ne doit jamais se dessaisir de son arme, reprit Baley, mais un robot ne peut désobéir à un homme.

— A moins qu'en exécutant l'ordre, il ne désobéisse à la Première Loi, dit Gerrigel.

— Je dois vous apprendre, docteur, reprit Baley, que Daneel a menacé un groupe d'hommes et de femmes désarmés de leur tirer dessus.

— Mais je n'ai pas tiré ! dit R. Daneel.

— D'accord ! Mais la menace elle-même n'était-elle pas anormale, docteur ?

— Pour en juger, fit le savant en se mordant la lèvre, il faudrait que je connaisse en détail les circonstances. Mais cela me paraît, en effet, anormal.

— Alors, dit Baley, veuillez réfléchir à ceci ; au moment du crime, R. Daneel se trouvait sur les lieux ; or, si on élimine la thèse du Terrien regagnant New York à travers la campagne, et emportant son arme, il s'ensuit que, seul parmi tous les gens présents sur les lieux à l'heure fatidique, Daneel a pu cacher l'arme.

— Cacher l'arme ? s'écria Gerrigel.

— Oui. Je m'explique. On n'a jamais trouvé l'arme du crime, et cependant on a fouillé partout. Elle ne peut pourtant pas s'être volatilisée en fumée. Il n'a donc pu y avoir qu'un endroit où elle se trouvait, un seul endroit où l'on n'a pas pensé à chercher.

— Où donc, Elijah ? demanda R. Daneel.

Baley sortit son revolver de son étui, le braqua fermement sur le robot, et lui dit :

— Dans votre poche stomacale, Daneel ! Dans le sac où descendent les aliments que vous absorbez !...

13

RECOURS A LA MACHINE

— C'est faux, répliqua tranquillement R. Daneel.

— Vraiment ? Eh bien, c'est le Dr Gerrigel qui nous départagera ! Docteur ?...

— Monsieur Baley ?...

Le savant, dont le regard n'avait cessé, durant la discussion, d'aller du détective au robot, dévisagea longuement Baley sans en dire plus.

— Je vous ai fait venir, reprit ce dernier, pour que vous me donniez, avec toute l'autorité de votre grand savoir, une analyse pertinente de ce robot. Je peux faire mettre à votre disposition les laboratoires des Services de Recherches de la Cité. S'il vous faut un matériel supplémentaire, qui leur manque, je vous le procurerai. Mais ce que je veux, c'est une réponse rapide, catégorique, à n'importe quel prix, et par n'importe quel moyen.

Il se leva ; il s'était exprimé calmement, mais il sentait monter en lui une irrésistible exaspération ; sur le moment, il eut l'impression que, s'il avait seulement pu saisir le savant à la gorge, et la lui serrer jusqu'à lui faire prononcer la déclaration attendue, il réduirait à néant tous les arguments scientifiques que l'on prétendrait lui opposer.

— Eh bien, docteur Gerrigel ? répéta-t-il.

— Mon cher monsieur Baley, répliqua l'autre en riant quelque peu nerveusement, je n'aurai besoin d'aucun laboratoire.

— Et pourquoi donc ?

Baley, plein d'appréhension, se tint debout, face à l'expert, tous ses muscles tendus à l'extrême, et crispé des pieds à la tête.

— Il n'est pas difficile de vérifier qu'un robot répond aux normes qu'implique la Première Loi. Je dois dire que je n'ai jamais eu à le faire, mais c'est très simple.

Baley respira profondément, avant de répondre avec une lenteur calculée :

— Voudriez-vous vous expliquer plus clairement ? Prétendez-vous pouvoir l'examiner ici même ?

— Mais oui, bien sûr ! Tenez, monsieur Baley ! Je vais procéder par comparaison. Si j'étais médecin, et si je voulais mesurer l'albumine d'un malade, j'aurais besoin d'un laboratoire chimique pour faire l'analyse de son sang. Si je voulais déterminer son coefficient métabolique, ou vérifier le fonctionnement de ses centres nerveux, ou étudier ses gênes pour y déceler quelque tare congénitale, il me faudrait un matériel compliqué. En revanche, pour voir s'il est aveugle, je n'aurais qu'à passer ma main devant ses yeux, et pour constater qu'il est mort, il me suffirait de lui tâter le pouls. Ce qui revient à dire que plus une faculté est importante et fondamentale, plus son fonctionnement est facile à vérifier, avec le minimum de matériel. Or, ce qui est vrai pour l'homme l'est aussi pour le robot. La Première Loi a un caractère fondamental ; elle affecte tous les organes, et si elle n'était pas appliquée, le robot serait hors d'état de réagir convenablement, en vingt circonstances diverses, courantes, et évidentes.

Tout en s'expliquant ainsi, il sortit de sa poche une petite boîte noire qui avait l'aspect d'un kaléidoscope en miniature ; il introduisit dans un logement de l'appareil une bobine fort usagée, semblable à un rouleau de pellicules photographiques ; puis il prit dans sa main un chronomètre, et sortit encore de sa poche une série de petites plaques blanches en matière plastique. Il les assembla bout à bout, ce qui lui fut facile, car elles s'adaptaient parfaitement les unes aux autres, pour former une sorte de règle à calcul, dotée de trois curseurs mobiles et indépendants. Baley, en y jetant un coup d'œil, vit que cet objet portait des indications qui ne lui étaient pas familières.

Cependant le Dr Gerrigel, ayant préparé son matériel, sourit doucement, comme quelqu'un qui se réjouit à l'avance d'exécuter un travail dont il a la spécialité.

— Ce que vous voyez là, dit-il, c'est mon *Manuel de Robotique.* Je ne m'en sépare jamais, où que j'aille. Cela fait pratiquement partie de mes vêtements, fit-il en riant d'un air avantageux.

Il éleva l'appareil de manière que son œil droit se trouvât placé devant le viseur, et, par quelques manipulations délicates, il le mit au point ; à chaque manœuvre du viseur, l'appareil fit entendre un léger bourdonnement, puis il s'arrêta.

— Ceci, expliqua fièrement l'expert, d'une voix un peu étouffée par l'appareil qui lui masquait en partie la bouche, est un contrôlographe que j'ai construit moi-même. Il me permet de gagner beaucoup de temps. Mais ce n'est pas le moment de vous en parler, n'est-ce pas ? Alors, voyons !... Hum !... Daneel, voulez-vous approcher votre chaise de la mienne ?

R. Daneel obtempéra. Pendant les préparatifs du savant, il avait observé celui-ci avec une grande attention, mais sans manifester d'émotion. Baley, lui, remit son arme dans son étui. Ce qui suivit le troubla et le désappointa. Le Dr Gerrigel entreprit de poser des questions et d'accomplir des actes apparemment sans signification, et il les entrecoupa de rapides calculs sur sa règle à trois curseurs, ainsi que de coups d'œil à son kaléidoscope.

A un moment donné, il demanda :

— Si j'ai deux cousins, dont l'un est de cinq ans l'aîné de l'autre, et si le plus jeune est une fille, de quel sexe est l'aîné ?

La réponse de Daneel, que Baley estima inévitable, fut instantanée :

— Les renseignements fournis ne me permettent pas de vous le dire.

A cela, le savant se borna à répliquer en regardant son chronomètre, puis en tendant à bout de bras sa main droite vers le robot :

— Voulez-vous toucher la dernière phalange de mon médius avec le bout de l'annulaire de votre main gauche ?

Daneel s'exécuta sur-le-champ et sans la moindre difficulté.

En un quart d'heure, pas une minute de plus, le Dr Gerrigel termina son expertise. Il fit un dernier calcul avec sa règle, puis démonta celle-ci en une série de petits claquements secs. Il remit sa montre dans son gousset, ressortit de son logement le *Manuel*, puis replia le kaléidoscope.

— C'est tout ? demanda Baley, fronçant les sourcils.

— Oui, c'est tout.

— Mais voyons, c'est ridicule ! Vous n'avez pas posé une seule question se rapportant à la Première Loi !

— Mon cher monsieur Baley, répliqua le savant, lorsqu'un médecin vous frappe sur le genou avec un petit maillet de caoutchouc, et que votre jambe saute en l'air, n'acceptez-vous pas comme un fait normal les renseignements que l'on en déduit, sur le bon ou mauvais fonctionnement de vos centres nerveux ? Quand ce même médecin vous examine les yeux et étudie l'effet de la lumière sur votre iris, êtes-vous surpris de ce qu'il puisse vous reprocher l'abus que vous faites de certains alcaloïdes ?

— Non, bien sûr, fit Baley. Alors, quel est votre diagnostic ?

— Daneel est parfaitement conforme aux normes de la Première Loi, répliqua l'expert, en dressant la tête d'un air catégorique.

— Il n'est pas possible que vous disiez vrai ! déclara brutalement Baley.

Le détective n'aurait pas cru que la raideur habituelle de son visiteur pût encore s'accentuer ; et pourtant, tel fut le cas. Les yeux du savant se bridèrent, et il rétorqua durement :

— Auriez-vous la prétention de m'apprendre mon métier ?

— Je n'ai aucunement l'intention de contester votre compétence, répliqua Baley en étendant la main comme s'il prêtait serment. Mais ne pouvez-vous pas vous tromper ? Vous avez vous-même reconnu, tout à l'heure, que personne ne peut donner de précisions sur les Lois fondamentales qui devraient être appliquées à la construction de robots non assujettis aux principes des lois actuelles. Or, prenons le cas d'un aveugle ; il peut lire des ouvrages imprimés en Braille, ou enregistrés sur disques. Supposez maintenant que vous ignoriez l'existence de l'alphabet Braille ou des enregistrements sonores de certains ouvrages. Ne pourriez-vous pas, en toute loyauté, déclarer qu'un homme y voit clair, par le seul fait qu'il connaît le contenu de nombreux livres filmés ? Et quelle serait, dans ce cas, votre erreur !

— Oui, certes ! fit le savant, se radoucissant. Je vois où vous voulez en venir ! Mais votre argument ne tient pas, car il n'en demeure pas moins vrai qu'un aveugle ne peut pas lire avec ses yeux ; or, en utilisant votre comparaison même, je dirai que c'était précisément cela que je vérifiais il y a un instant. Eh bien, croyez-moi sur parole, quels que puissent être les organes d'un robot non assujetti à la Première Loi, ce que je puis vous affirmer c'est que R. Daneel est entièrement conforme aux normes de ladite Première Loi.

— Ne peut-il pas avoir falsifié ses réponses, pour les besoins de la cause ? demanda Baley qui se rendit compte qu'il perdait pied.

— Bien sûr que non ! C'est en cela que réside la différence essentielle entre le robot et l'homme. Un cerveau humain, ou n'importe quel cerveau de mammifère, ne peut pas être complètement analysé, quelle que soit la méthode mathématique actuellement connue que l'on emploierait. On ne peut donc, en ce qui le concerne, émettre un jugement véritablement sûr. En revanche, le cerveau d'un robot est entièrement analysable, sinon il n'aurait pas pu être construit. Nous savons donc exactement quelles doivent être les réactions que provoqueront en lui certains actes ou certaines paroles. Aucun robot ne peut falsifier ses réponses. Commettre ce que vous appelez une falsification, autrement dit un mensonge, est un acte qu'un robot est positivement incapable d'accomplir.

— Bon ! Alors, revenons-en aux faits. R. Daneel a incontestablement menacé de son arme une foule d'êtres humains. Je l'ai vu de mes yeux, car j'y étais. Même en tenant compte du fait qu'il n'a pas tiré, est-ce que les exigences de la Première Loi n'auraient pas dû, en pareil cas, provoquer une sorte de paralysie de ses centres nerveux ? Or, rien de tel ne s'est produit, et après l'incident, il m'a paru parfaitement normal.

Le savant réfléchit un instant, en se grattant le menton, puis il murmura :

— En effet, il y a là quelque chose d'anormal.

— Pas le moins du monde ! déclara R. Daneel, dont l'intervention soudaine fit tressaillir les deux hommes. Mon cher associé, ajouta-t-il, voulez-vous vous donner la peine d'examiner le revolver que vous venez de me prendre ?

Baley, qui tenait encore l'arme dans sa main gauche, le regarda, interloqué.

— Ouvrez donc le barillet ! continua le robot.

Le policier hésita un instant, puis il se décida à poser sur la table son propre revolver, et d'un mouvement très vif, il ouvrit celui de Daneel.

— Il n'est pas chargé ! dit-il, abasourdi.

— Non, il est vide ! confirma le robot. Et si vous voulez bien l'inspecter plus à fond, vous constaterez qu'il n'a jamais été chargé, et qu'il n'a même pas de percuteur. C'est une arme inutilisable.

— Ainsi donc, répliqua Baley, vous avez menacé la foule avec une arme non chargée ?

— Mon rôle de détective m'obligeait à porter une arme, sans quoi personne ne m'aurait pris au sérieux. Cependant, si j'avais eu sur moi un revolver utilisable et chargé, un accident aurait pu se produire, causant un dommage à quelqu'un et il va sans dire qu'une telle éventualité est inadmissible pour un robot. J'aurais pu vous expliquer cela plus tôt, mais vous étiez trop en colère, et vous ne m'auriez ni écouté ni cru.

Baley considéra longuement l'arme inutilisable qu'il tenait dans sa main, et, se tournant vers le savant, il lui dit, d'une voix lasse :

— Je crois que je n'ai plus rien à vous demander, docteur ; il ne me reste qu'à vous remercier pour votre précieux concours.

Dès que le savant eut pris congé, Baley donna l'ordre qu'on lui apportât son déjeuner au bureau, mais, quand on le lui servit (il consistait en un gâteau à la frangipane synthétique, et en un morceau de poulet frit, de taille assez exceptionnelle), il ne put que le regarder fixement, sans y toucher. Une foule de pensées contradictoires tourbillonnait dans son cerveau, et les longues rides de son visage émacié semblaient s'être encore plus creusées, lui donnant un aspect sinistre. Il avait le sentiment de vivre dans un monde irréel, un monde cruel, un monde à l'envers.

Comment en était-il donc arrivé là ? Il revécut en

pensée tous les événements du proche passé, lequel lui parut un rêve nébuleux et invraisemblable ; ce cauchemar avait commencé dès qu'il avait franchi la porte du bureau de Julius Enderby, et, depuis lors, il n'avait cessé de se débattre dans un enfer peuplé d'assassins et de robots. Et dire, pourtant, que cela ne durait que depuis cinquante heures !...

Il avait, avec obstination, cherché à Spacetown la solution du problème. Par deux fois, il avait accusé R. Daneel de meurtre, tout d'abord en tant qu'homme déguisé en robot, et ensuite en tant que robot caractérisé. Mais, à deux reprises, ses accusations avaient été réduites à néant.

Il se trouvait donc complètement mis en échec, et, malgré lui, forcé d'orienter ses recherches vers la Cité ; or, depuis la veille au soir, il n'osait plus le faire.

Il avait parfaitement conscience que certaines questions se posaient inlassablement à lui, des questions qu'il se refusait à entendre, parce que, s'il les écoutait, il lui faudrait y répondre, et que ces réponses-là, il ne pouvait les envisager.

Soudain, il sursauta : une main robuste lui secouait l'épaule, et on l'appelait par son nom. Se retournant, il constata qu'il s'agissait d'un de ses collègues, Philip Norris.

— Qu'est-ce qu'il y a, Phil ? lui dit-il.

Norris s'assit, posa ses mains sur ses genoux, se pencha en avant, et scruta longuement le visage de Baley.

— C'est à toi qu'il faut demander ce qui t'arrive, Lije ! Tu m'as l'air d'avoir pris trop de drogues, ces temps-ci ! Quand je suis entré, tout à l'heure, je t'ai trouvé assis, les yeux grand ouverts, et tu avais une vraie tête de mourant, ma parole !

Il passa la main dans sa chevelure blonde, plutôt clairsemée, se gratta un peu, et considéra avec envie, de ses yeux perçants, le repas de son camarade.

— Du poulet, mon cher ! Rien que ça ! On en arrive à ne plus pouvoir en obtenir sans ordonnance médicale...

— Eh bien, mange-le ! dit Baley avec indifférence.

Mais Norris tint à sauver les apparences, et répliqua d'un air faussement détaché :

— Oh, je te remercie ! Mais je vais déjeuner dans un instant. Garde ça pour toi, tu en as besoin ! Dis donc, qu'est-ce qui se passe avec le patron ?

— Quoi ?

Norris s'efforça de ne pas paraître trop intéressé, mais l'agitation de ses mains le trahit.

— Allons ! fit-il. Tu sais bien ce que je veux dire ! Tu ne le quittes pour ainsi dire pas depuis quelques jours. Qu'est-ce qui se mijote ? Tu vas avoir de l'avancement ?

Baley fronça les sourcils. Cet entretien le ramenait à des réalités très banales. Il y avait au sein de l'administration, beaucoup d'intrigues entre fonctionnaires concurrents, et Norris, dont l'ancienneté correspondait à celle de Baley, ne manquait sûrement pas de relever avec soin les indices tendant à prouver que son collègue risquait d'avancer plus vite que lui.

— Non, non ! répliqua Baley. Aucun avancement en perspective, mon vieux ! Tu peux me croire ! Il ne se passe rien de particulier, rien du tout, je t'assure ! Et si c'est du patron que tu as besoin, eh bien, je voudrais bien pouvoir te le repasser ! Bon sang, prends-le !

— Ecoute, Lije, ne me comprend pas de travers ! Que tu obtiennes de l'avancement, cela m'est égal. Mais si tu as un peu de crédit auprès du patron, pourquoi ne pas t'en servir au profit du gosse ?

— Quel gosse ?

Norris n'eut pas besoin de répondre, car Vince Barrett, le garçon de courses qu'on avait remplacé par R. Sammy, s'approcha à ce moment du bureau de Baley ; il tournait nerveusement dans sa main une casquette défraîchie, et un pâle sourire plissait un peu la peau de ses joues aux pommettes trop saillantes.

— Bonjour, monsieur Baley, dit-il.

— Ah ! bonjour, Vince ! Comment vas-tu ?

— Pas trop bien, monsieur Baley ! répliqua Barrett, dont le regard affamé se posa sur l'assiette intacte du détective.

« Il a l'air complètement perdu... à moitié mort ! se dit Baley. Voilà ce que c'est que le déclassement ! Mais enfin, tout de même, est-ce que j'y peux quelque chose ? Qu'est-ce qu'il me veut, ce gosse ? »

Sa réaction fut si violente qu'il faillit s'exprimer à haute voix. Mais, se dominant, il se borna à dire au garçon :

— Je suis désolé pour toi, petit.

Que pouvait-il donc lui dire d'autre ?

— Je me dis tous les jours : peut-être que ça va changer ! dit Barrett.

Norris se rapprocha de Baley, et lui parla à l'oreille.

— Il faut absolument faire quelque chose pour

arrêter ça, Lije ! Maintenant, c'est Chen-Low qu'on va liquider !...

— Qu'est-ce que tu dis ?

— Tu n'en as donc pas entendu parler ?

— Non ! Mais voyons, c'est un C.3 ! Il a dix ans de métier !

— D'accord. Mais une machine avec des jambes peut faire son travail. Alors, à qui le tour, après lui ?

Le jeune Vince Barrett, indifférent à ces propos murmurés à voix basse, semblait réfléchir.

— Monsieur Baley ! demanda-t-il soudain.

— Oui, Vince...

— Vous savez ce qu'on raconte ? On dit que Lyrane Millane, le danseur qu'on voit souvent au cinéma, est en réalité un robot.

— C'est idiot.

— Pourquoi donc ? On dit que maintenant on peut faire des robots tout pareils à des hommes, avec une espèce de vraie peau en matière plastique.

Baley, songeant avec amertume à R. Daneel, ne trouva rien à répondre et se borna à secouer la tête.

— Dites, monsieur Baley, reprit le garçon de courses. Est-ce que ça dérange, si je fais un petit tour ? Ça me fait du bien de revoir le bureau.

— Non, non, petit ! Va te promener !

Barrett s'en alla, suivi des yeux par les deux détectives.

— Vraiment, murmura Norris, on dirait que les Médiévalistes ont de plus en plus raison !...

— De quoi faire, Phil ? De préconiser le retour à la terre ?

— Non. De s'opposer à l'utilisation des robots. Le retour à la terre ? Allons donc ! La vieille planète a un avenir illimité, va ! Mais nous n'avons pas besoin de robots, voilà tout !

— Avec une population de huit milliards d'individus, et de moins en moins d'uranium ? Qu'est-ce que tu vois d'illimité là-dedans ?

— Bah ! Si on manque d'uranium, on en importera ! Ou bien on trouvera un autre moyen de désintégrer l'atome ! L'humanité ne peut en aucun cas cesser de progresser, Lije ! Il ne faut jamais verser dans le pessimisme, mon vieux ! Il faut garder la foi en notre vieux cerveau d'homme ! Notre plus grande richesse, c'est notre génie créateur, Lije ! Et, crois-moi, ces ressources-là, elles ne tariront jamais !

Il était plein de son sujet, et reprit ardemment :

— Par exemple, nous pouvons utiliser l'énergie solaire, et ça, pendant des milliers d'années. Nous pouvons construire, dans l'orbite de Mercure, des centrales d'énergie solaire, et transmettre par réflexion à la Terre la force emmagasinée dans des accumulateurs géants.

Ce projet, Baley le connaissait bien. Il y avait plus de cent cinquante ans que les savants l'étudiaient ; mais ce qui les empêchait d'aboutir, c'était l'impossibilité de transmettre à cent millions de kilomètres des rayons générateurs d'énergie, sans que leur puissance subisse en cours de route une perte colossale. C'est ce que Baley répliqua à son collègue.

— Allons donc ! fit Norris. Tu verras que, le moment venu, on y arrivera ! Pourquoi s'en faire ?

Baley s'imaginait très bien en quoi consisterait un monde terrestre jouissant de ressources illimitées d'énergie. La population continuerait de croître, de même que les usines d'aliments synthétiques à base de levure, et les centrales hydroponiques. Comme l'énergie était la seule chose indispensable, on tirerait les matières premières des régions habitées de la Galaxie. Si l'on venait à manquer d'eau, on pourrait en faire venir de Jupiter. On pourrait même geler les océans et les transporter dans l'espace, pour en faire, tout autour de la Terre, de petits satellites de glace ; de cette manière, ils resteraient toujours disponibles quand on en aurait besoin ; et, en même temps, le fond des mers pourrait être mis en exploitation, augmentant ainsi l'espace vital des populations terrestres. Le carbone et l'oxygène pourraient être non seulement maintenus sur Terre en quantité suffisante, mais encore obtenus par un traitement approprié du méthane composant l'atmosphère de Titan, ou encore de l'oxygène gelé se trouvant dans Ombriel. La population terrestre pourrait atteindre un ou deux trillions. Pourquoi pas ? On avait bien cru, jadis, que jamais elle ne pourrait atteindre huit milliards, et que même un milliard était un chiffre invraisemblable. Depuis l'Epoque Médiévale, les prophètes du Malthusianisme destructeur du monde n'avaient jamais manqué à chaque génération, et la suite des événements leur avait toujours donné tort...

Mais que dirait de tout cela le Dr Fastolfe ? Un monde d'un trillion d'individus ? Sans doute ! Mais l'existence d'une telle humanité dépendrait constamment d'importations d'air, d'eau et d'énergie, provenant de stocks situés à cent millions de kilomètres : quelle effroyable instabilité que celle d'une telle existence ! La Terre serait alors perpétuellement exposée à une catastrophe irrémédiable, laquelle ne manquerait pas de se produire, au moindre détraquement de la colossale machine constituée par son système d'approvisionnement.

C'est pourquoi Baley répliqua :

— Pour ma part, j'estime qu'il serait plus facile d'envoyer ailleurs l'excédent de notre population.

En fait, cette opinion n'était pas tant destinée à Norris qu'à répondre au tableau dont Baley venait d'avoir la vision.

— Et qui donc voudrait de nous ? répliqua Norris, avec autant de scepticisme que d'amertume.

— N'importe quelle planète actuellement inhabitée.

Norris se leva, et donna sur l'épaule de son collègue une petite tape amicale.

— Allons, allons, Lije ! Mange ton poulet et reprends tes esprits ! Vraiment, tu as dû avaler trop de drogues, ces jours-ci !

Et sur cette boutade, il s'en fut, riant sous cape.

Baley le regarda s'en aller, en souriant amèrement. Il était convaincu que Norris ne manquerait pas de colporter ces propos, et que, pendant des semaines, les blagueurs du bureau (il y en avait dans tous les services) en feraient des gorges chaudes... Mais, au moins, cette discussion avait eu l'avantage de lui faire oublier le jeune Vince Barrett, les robots et le déclassement qui le menaçait. Et ce fut en soupirant qu'il se décida à piquer sa fourchette dans son morceau de poulet, maintenant refroidi et quelque peu filandreux.

Dès qu'il eut achevé son gâteau synthétique, il vit R. Daneel se lever du bureau qu'on lui avait affecté et venir à lui.

— Eh bien ? lui dit-il, en lui jetant un regard peu cordial.

— Le commissaire principal n'est pas dans son bureau, et on ne sait pas quand il rentrera. J'ai dit à R. Sammy que nous allions nous en servir, et qu'il devait en interdire l'accès à tout le monde.

— Pourquoi voulez-vous que nous nous y installions ?

— Pour être plus au secret, Elijah. Vous conviendrez sûrement qu'il nous faut préparer notre action. Car je ne pense pas que vous ayez l'intention d'abandonner l'enquête, n'est-ce pas ?

C'était pourtant bien ce que Baley aurait aimé faire, mais, évidemment, il ne le pouvait pas. Il se leva donc et gagna le bureau d'Enderby. Dès qu'ils s'y furent enfermés, il dit au robot :

— Bon ! Qu'est-ce qu'il y a, Daneel ?

— Mon cher associé, répliqua celui-ci, depuis hier soir, vous n'êtes pas dans votre état normal. Il y a dans vos réactions mentales un profond changement.

Une affreuse pensée vint tout à coup à l'esprit de Baley.

— Etes-vous doué de télépathie ? s'écria-t-il.

C'était une éventualité à laquelle il n'aurait jamais songé, en des circonstances moins troublées.

— Non. Bien sûr que non ! fit Daneel.

— Alors, reprit l'inspecteur, se sentant un peu moins pris de panique, que diable me racontez-vous, au sujet de mes réactions mentales ?

— Oh ! c'est tout simplement une expression dont je me sers pour définir une sensation que vous ne partagez pas avec moi.

— Laquelle ?

— C'est difficile à expliquer. Il ne faut pas oublier, Elijah, qu'originellement j'ai été conçu et construit pour étudier la psychologie des Terriens, et communiquer les résultats de mes constatations aux Spaciens.

— Oui, je le sais. Et l'on a fait de vous, ensuite, un détective, en ajoutant à vos circuits moteurs un sens de la justice particulièrement développé !

Baley ne put s'empêcher de prononcer ces paroles d'un ton sarcastique.

— C'est tout à fait exact, Elijah. Mais cela n'a diminué en rien mes capacités initiales ; or, j'ai été construit pour pratiquer des cérébroanalyses.

— Pour analyser les cerveaux des hommes ?

— C'est cela même ! Je procède par le moyen de champs magnétiques, sans même qu'il soit nécessaire d'appliquer au sujet que j'étudie des électrodes. Il suffit d'être muni d'un récepteur approprié ; or, mon cerveau est précisément un tel récepteur. Ne fait-on pas de même pour les robots que l'on construit sur Terre ?

Baley, qui n'en savait rien, se garda de répondre, et demanda, très prudemment :

— Et que déduisez-vous de ces analyses auxquelles vous vous livrez ?

— Il ne m'est pas possible de déterminer quelles sont les pensées de ceux que j'étudie ; mais je parviens à déceler à quels propos et dans quelles circonstances ils s'émeuvent ; ce que je peux surtout, c'est définir leur tempérament, les motifs profonds qui les font agir et qui dictent leurs attitudes. Par exemple, c'est moi qui ai affirmé que le commissaire principal Enderby était incapable de tuer un homme, dans des circonstances telles que celles du meurtre du Dr Sarton.

— Et c'est sur votre témoignage qu'on a cessé de le suspecter ?

— Oui. On pouvait l'éliminer des suspects en toute

sécurité, car, pour ce genre d'analyse, je suis une machine extrêmement sensible !

Tout à coup, une autre pensée vint à l'esprit de Baley.

— Un instant ! s'écria-t-il. Quand vous l'avez cérébroanalysé, le commissaire Enderby ne s'en est pas rendu compte, n'est-ce pas ?

— Il était inutile de le vexer !

— Ainsi donc, vous vous êtes borné à vous tenir devant lui et à le regarder. Pas d'appareils, pas d'électrodes, pas d'aiguilles, pas de contrôlographe ?

— Non. Je suis une machine complète, qui ne nécessite aucun équipement supplémentaire, Elijah !

Baley se mordit les lèvres, tant par colère que par dépit. Il lui restait en effet, jusqu'à présent, une petite chance de porter un coup désespéré aux Spaciens, et de les accuser d'avoir monté de toutes pièces cette histoire d'assassinat : elle consistait en une invraisemblance qu'il avait relevée dans la thèse du Dr Fastolfe. R. Daneel avait affirmé que le commissaire principal avait été cérébroanalysé, et, une heure plus tard, Enderby avait, avec une sincérité difficile à mettre en doute, nié qu'il eût jamais entendu prononcer le terme. Or, aucun être humain ne pouvait avoir subi la très douloureuse épreuve d'un examen électroencéphalographique, comme celui auquel on soumettait les criminels inculpés de meurtre, sans en garder un souvenir cuisant et précis. Mais, maintenant, cette dernière antinomie avait disparu, car Enderby avait été effectivement cérébroanalysé, sans s'en douter ; il en résultait que R. Daneel et le commissaire principal avaient, l'un comme l'autre, dit la vérité.

— Eh bien, dit Baley d'une voix dure, qu'est-ce

que la cérébroanalyse vous a appris à mon sujet, Daneel ?

— Que vous êtes troublé.

— La belle découverte, en vérité ! Bien sûr que je le suis !

— En fait, reprit le robot, votre trouble est dû à une opposition qui se manifeste en vous, entre deux désirs, deux intentions. D'une part, votre respect des règles de votre profession, et votre dévouement à votre métier vous incitent à enquêter à fond sur le complot des Terriens qui, la nuit dernière, ont tenté de se saisir de nous. Mais en même temps, un autre motif, non moins puissant, vous pousse à faire juste le contraire. Le champ magnétique de vos cellules cérébrales le montre de la façon la plus claire.

— Mes cellules cérébrales ! s'écria Baley. Quelles balivernes ! Ecoutez-moi, Daneel. Je vais vous dire pourquoi il n'y a pas lieu d'enquêter sur votre soi-disant complot. Il n'a aucun rapport avec le meurtre. J'ai pensé, à un moment donné, qu'il pouvait y en avoir : je le reconnais. Hier, au restaurant, j'ai cru que nous étions en danger. Et puis, que s'est-il passé ? On nous a suivis, et nous les avons vite semés : c'est un fait. Eh bien, cela n'aurait pas pu se produire, si nous avions affaire à des gens organisés et décidés à tout. Mon propre fils a trouvé ensuite, on ne peut plus facilement, où nous passions la nuit. Il s'est borné à téléphoner au bureau, et n'a même pas eu à se nommer pour obtenir le renseignement. Si vos remarquables conspirateurs avaient voulu vraiment nous faire du mal, qu'est-ce qui les empêchait d'imiter mon fils ?

— Qui vous dit qu'ils ne l'ont pas fait ?

— Mais non, c'est l'évidence même ! D'autre part, s'ils avaient voulu fomenter une émeute au magasin de chaussures, ils le pouvaient. Mais ils se sont retirés bien gentiment, devant un seul homme brandissant une seule arme ; pas même devant un homme, devant un malheureux robot les menaçant d'une arme qu'ils vous savaient incapable d'utiliser, du moment qu'ils avaient reconnu votre qualité de robot. Ce sont des Médiévalistes, c'est-à-dire des lunatiques inoffensifs. Vous, vous ne pouviez pas le savoir, mais moi, j'aurais dû m'en rendre mieux compte. Je m'en serais d'ailleurs plus vite convaincu, si toute cette affaire ne m'avait pas poussé à envisager les choses d'une façon stupide... et mélodramatique. Je vous garantis que je les connais, les gens qui tournent au Médiévalisme ! Ce sont généralement des types au tempérament doux et rêveur, qui trouvent que le genre d'existence que nous menons est trop dur pour eux, et qui se perdent dans d'interminables rêves, en évoquant un passé idéal qui, en réalité, n'a jamais existé. Si vous pouviez cérébroanalyser un mouvement, comme vous le faites d'un individu, vous constateriez qu'ils ne sont pas plus capables que Julius Enderby lui-même d'assassiner quelqu'un.

— Je regrette, répliqua lentement R. Daneel, mais je ne peux pas croire sur parole ce que vous venez de me dire, Elijah.

— Comment cela ?

— Non. Vous avez trop brusquement changé d'avis ! Et puis, j'ai relevé quelques anomalies. Vous avez organisé le rendez-vous avec le Dr Gerrigel hier soir, avant dîner. A ce moment-là, vous ne connaissiez pas encore l'existence de mon sac stomacal, et vous ne pouviez donc pas me soupçonner d'être l'assassin. Alors, pourquoi avez-vous convoqué le savant ?

— Parce que je vous soupçonnais déjà.

— La nuit dernière, vous avez parle en dormant, Elijah.

— Ah ? fit Baley, écarquillant les yeux. Et qu'est-ce que j'ai dit ?

— Vous avez simplement répété à plusieurs reprise le nom de votre femme : Jessie.

Baley consentit à se détendre un peu, et répondit, d'un air légèrement confus :

— J'ai eu un cauchemar. Savez-vous ce que c'est ?

— Je n'en ai naturellement jamais fait l'expérience, mais je sais que le dictionnaire le définit comme un mauvais rêve.

— Et savez-vous ce que c'est qu'un rêve ?

— Je n'en sais toujours que ce qu'en dit le dictionnaire. C'est l'illusion d'un fait réel, que l'on éprouve pendant la période temporaire d'inconscience qui a pour nom le sommeil.

— D'accord. C'est une bonne définition : une illusion ! Parfois ces illusions peuvent paraître rudement réelles ! Eh bien, j'ai rêvé que ma femme était en danger ! C'est un rêve qu'on fait souvent. Je l'ai donc appelée par son nom, ce qui dans ce cas, est très normal : je peux vous en donner l'assurance.

— Je ne demande qu'à vous croire. Mais, puisque nous parlons de votre femme, comment donc a-t-elle découvert que j'étais un robot ?

Baley sentit à nouveau son front devenir moite.

— Nous n'allons pas revenir là-dessus, n'est-ce pas ?... Des ragots...

— Excusez-moi si je vous interromps, Elijah, mais

il n'y a pas eu de ragots. S'il y en avait eu, toute la Cité serait aujourd'hui en émoi. Or, j'ai contrôlé ce matin les rapports de police, et tout est calme. Il n'y a aucun bruit qui court à mon sujet. Alors, comment votre femme a-t-elle été mise au courant ?

— Dites donc, Daneel ! Qu'est-ce que vous insinuez ? Vous n'allez tout de même pas prétendre que Jessie fait partie de... de...

— Si, Elijah !

Baley joignit les mains et les serra de toutes ses forces l'une contre l'autre.

— Eh bien, c'est faux, et je me refuse à discuter plus avant sur ce point !

— Cela ne vous ressemble guère, Elijah ! Je ne peux oublier, en effet, que, dans l'exercice de vos fonctions, vous m'avez à deux reprises accusé de meurtre.

— Est-ce ainsi que vous comptez vous en tirer ?

— Je ne suis pas sûr de bien comprendre ce que vous entendez par cette expression, Elijah. J'approuve sans réserve les raisons qui, logiquement, vous ont poussé à me soupçonner si vite ; elles étaient mauvaises, mais elles auraient facilement pu être bonnes. Or, il existe des preuves tout aussi importantes qui incriminent votre femme.

— Comme meurtrière ? Vous êtes complètement fou, ma parole ! Jessie serait incapable de faire le moindre mal à son pire ennemi. Jamais elle ne mettrait le pied hors de la ville. Elle ne pourrait pas... Oh ! si vous étiez un homme en chair et en os, je vous...

— Je me borne à dire qu'elle fait partie du complot, et qu'elle devrait être interrogée.

— Je vous l'interdis, et si vous vous y risquiez,

ça vous coûterait cher ! Ça vous coûterait ce qui pour vous représente la vie, et peu m'importe d'ailleurs comment vous definissez celle-ci !... Ecoutez-moi bien, Daneel ! Les Médiévalistes n'en veulent pas à votre peau ; ils ne procèdent pas de cette façon-là. Ce qu'ils cherchent, c'est à vous obliger à quitter la ville : ça crève les yeux ! Pour y parvenir, ils essaient de vous attaquer psychologiquement ; ils tentent de nous rendre l'existence aussi désagréable que possible, à vous comme à moi, du moment que nous travaillons ensemble. Ils ont très facilement pu découvrir que Jessie est ma femme, et rien ne leur a été plus aisé que de lui révéler qui vous êtes. Or, elle ressemble à toutes les femmes et à tous les hommes de New York : elle n'aime pas les robots, et elle aurait horreur d'en fréquenter un, surtout si cette fréquentation devait, par surcroît, comporter un danger. Vous pouvez tenir pour certain qu'on aura insisté sur le danger que vous me faites courir, et le résultat n'a pas manqué, je vous l'assure ; elle a passé la nuit à me supplier de renoncer à l'enquête, ou de trouver un moyen de vous ramener à Spacetown.

— Je crois, répondit tranquillement le robot, que vous feriez mieux de parler moins fort, Elijah. Je sais bien que je ne peux pas prétendre être un détective au même sens du terme que vous en êtes un. Et pourtant, j'aimerais attirer votre attention sur un point particulier que j'ai remarqué.

— Ça ne m'intéresse pas de vous écouter.

— Je vous prie cependant de le faire. Si je me trompe, vous me le direz, et cela ne nous causera aucun tort, ni à l'un ni à l'autre. Voici ce que j'ai constaté. Hier soir, vous êtes sorti de votre chambre pour téléphoner à Jessie ; je vous ai proposé d'envoyer votre fils à votre place, et vous m'avez répondu que les Terriens n'avaient pas l'habitude d'envoyer leurs enfants à leur place là où il y avait du danger. Cet usage, s'il est observé par les pères, ne l'est-il donc pas par les mères de famille ?

— Mais si, bien sûr ! répliqua Baley qui aussitôt s'arrêta net.

— Vous voyez ce que je veux dire ! continua R. Daneel. Normalement, si Jessie avait eu peur pour vous et désiré vous avertir, elle aurait risqué sa propre vie et non pas envoyé son fils risquer la sienne. Si donc elle a envoyé Bentley, c'est qu'elle était sûre qu'il ne risquait rien, alors qu'elle-même aurait couru un danger en venant vous voir. Supposez que le complot ait été tramé par des gens inconnus de Jessie ; dans ce cas elle n'aurait eu aucun motif de se tourmenter pour elle-même. Mais, d'un autre côté, si elle fait partie du complot, elle a dû savoir, Elijah, elle a certainement su qu'on la surveillait et qu'on la reconnaîtrait, tandis que Bentley, lui, passerait inaperçu.

— Attendez un peu ! dit Baley, se sentant tellement mal à l'aise qu'il crut avoir une nausée. Votre raisonnement est singulièrement spécieux, mais...

Il ne fut pas nécessaire d'attendre, car un signal se mit à clignoter follement sur le bureau du commissaire principal. R. Daneel attendit que Baley y répondit, mais le détective ne fit que regarder fixement la lampe, d'un air impuissant. C'est pourquoi le robot coupa le contact du signal et demanda, dans le microphone :

— Qu'est-ce qu'il y a ?

La voix métallique de R. Sammy se fit alors entendre :

— Il y a une dame qui désire voir Lije. Je lui ai dit qu'il était occupé, mais elle ne veut pas partir. Elle dit qu'elle s'appelle Jessie.

— Faites-la entrer ! dit calmement R. Daneel, dont les yeux se fixèrent impassiblement sur Baley, qui se sentit pris de vertige.

14

CONSEQUENCES D'UN PRENOM

Jessie fit irruption dans la pièce, courut à son mari, l'étreignit et demeura un long moment accrochée à ses épaules, tandis qu'il s'efforçait de surmonter non sans peine le trouble qui le bouleversait. Il murmura, entre ses lèvres pâles :

— Bentley ?

Elle leva les yeux vers lui et secoua la tête nerveusement, faisant ainsi voler ses longs cheveux bruns.

— Il va très bien, dit-elle.

— Eh bien alors ?...

Jessie fut prise de sanglots soudains qui la secouèrent, et ce fut d'une voix à peine perceptible qu'elle hoqueta :

— Je n'en peux plus, Lije ! C'est impossible ! Je ne peux plus ni manger ni dormir ! Il faut que je te parle !

— Ne dis rien ! répliqua-t-il, aussitôt angoissé. Pour l'amour du Ciel, Jessie, pas maintenant !

— Il le faut, Lije ! J'ai fait quelque chose de terrible !... Quelque chose de si affreux !... Oh, Lije !...

Elle ne put en dire plus et s'effondra, sanglotant de plus belle.

— Nous ne sommes pas seuls, Jessie ! dit-il, l'air navré.

Elle tourna son regard vers R. Daneel sans paraître le reconnaître. Les larmes qui ruisselaient sur son visage troublaient sa vue, et elle ne se rendit pas compte de la présence du robot. Ce fut lui qui se manifesta, en disant à voix basse :

— Bonjour, Jessie.

Elle en eut le souffle coupé, et balbutia :

— Est-ce que... est-ce que c'est le robot ?...

Elle leva une main devant ses yeux et s'arracha des bras de Baley, puis, respirant profondément, elle finit par répéter, en s'efforçant de sourire :

— C'est bien vous n'est-ce pas ?

— Oui, Jessie, fit R. Daneel.

— Ça ne vous fait rien que je vous traite de robot ?

— Mais non, Jessie, puisque c'est ce que je suis !

— Et moi, ça ne me fait rien qu'on me traite d'imbécile, d'idiote et de complice d'agitateurs, parce que c'est ce que je suis.

— Jessie ! gémit Baley.

— A quoi bon me taire, Lije ? reprit-elle. Mieux vaut qu'il soit au courant, puisqu'il est ton associé. Moi, je ne peux pas vivre avec ce secret qui m'écrase. Depuis hier, je vis un cauchemar. Ça m'est égal d'aller en prison. Ça m'est égal d'être déclassée et de vivre comme les chômeurs, de levure et d'eau. Tout m'est égal... Mais tu ne les laisseras pas faire, Lije, n'est-ce pas ?... Tu ne les laisseras pas me faire du mal ? J'ai... j'ai peur !...

Baley lui caressa l'épaule et la laissa pleurer, puis il dit à R. Daneel :

— Elle n'est pas bien. Nous ne pouvons la garder ici. Quelle heure est-il ?

— 14 h 45, répliqua le robot automatiquement, sans même consulter de montre.

— Le commissaire principal peut rentrer d'un moment à l'autre. Commandez une voiture, Daneel. et nous parlerons de tout cela sur l'autoroute.

— Sur l'autoroute ! s'écria Jessie en redressant vivement la tête. Oh ! non, Lije !

— Allons, Jessie ! fit-il du ton le plus apaisant qu'il put prendre. Ne déraisonne pas ! Dans l'état où tu es tu ne peux pas aller sur l'express. Sois gentille, fais un effort et calme-toi, sans quoi nous ne pourrons même pas traverser la salle voisine. Si tu veux, je vais te chercher un peu d'eau.

Elle essuya son visage avec un mouchoir trempé et dit, d'une voix lamentable :

— Oh, regarde mon maquillage !

— Aucune importance ! répliqua son mari. Alors, Daneel, vous avez fait le nécessaire pour la voiture ?

— Il y en a une qui nous attend, Elijah !

— Bon. Eh bien, en route, Jessie !

— Attends ! Juste un instant, Lije ! Il faut que je m'arrange un peu !

— Aucune importance, je te dis ! répéta-t-il.

— Je t'en prie, Lije ! s'écria-t-elle, en s'écartant de lui. Je ne veux pas qu'on me voie comme ça. J'en ai pour une seconde.

L'homme et le robot attendirent, le premier en serrant les poings, le second d'un air impassible. Jessie fouilla dans son sac, et Baley, une fois de plus, songea que les sacs à main des femmes étaient sans doute les seuls objets qui avaient résisté, au cours des âges, aux perfectionnements mécaniques. On n'avait même pas réussi à substituer aux fermoirs métalliques des joints magnétiques. Jessie prit en main une petite glace et une minaudière en argent que son mari lui avait données pour son anniversaire, trois ans plus tôt ; elle contenait plusieurs ingrédients dont la jeune femme se servit tour à tour, mais seule la dernière couche de fard fut apparente. Jessie procéda à ces soins de beauté avec cette sûreté et cette adresse pleine de délicatesse, qui semblent être un don inné que possède toute femme, et qui se manifestent même dans les plus grandes épreuves.

Elle appliqua d'abord un fond de teint qui fit disparaître l'aspect luisant ou rugueux de sa peau et lui donna un éclat légèrement doré : une longue expérience avait appris à Jessie que c'était ce teint-là qui s'harmonisait le mieux avec la couleur de ses yeux et de ses cheveux. Elle y ajouta un peu d'ocre sur le front et le menton, une légère couche de rouge aux joues et un soupçon de bleu sur les paupières supérieures, ainsi qu'autour du lobe des oreilles. Quant à son rouge à lèvres, il se présentait sous la forme d'un minuscule vaporisateur émettant une poussière liquide et brillante qui séchait aussitôt sur les lèvres et les faisait paraître beaucoup plus pleines.

— Voilà ! dit Jessie, qui, très satisfaite de son œuvre, tapota légèrement ses cheveux. Je crois que ça pourra aller !

L'opération avait duré plus de la seconde annoncée, mais il en avait fallu moins de quinze pour la mener à bien. Baley l'avait pourtant trouvée interminable, et ce fut d'un ton nerveux qu'il dit à sa femme :

— Allons, viens maintenant !

Elle eut à peine le temps de remettre les objets dans son sac, que déjà le détective l'entraînait hors du bureau.

Dès qu'ils eurent atteint un embranchement absolument désert de l'autoroute, Baley arrêta la voiture, et, se tournant vers son épouse, il lui demanda :

— Alors, Jessie, de quoi s'agit-il ?

Depuis leur départ de l'Hôtel de Ville, la jeune femme était demeurée impassible ; mais son calme commença à l'abandonner, et elle regarda tour à tour d'un air éperdu son mari et R. Daneel, sans prononcer une parole.

— Allons, Jessie ! reprit Baley. Je t'en prie, dis-nous ce que tu as sur le cœur. As-tu commis un crime ? Un véritable crime ?...

— Un crime ? répéta-t-elle en secouant la tête, comme si elle ne comprenait pas la question.

— Voyons Jessie, reprends-toi ! Pas de simagrées, veux-tu ? Réponds-moi simplement oui ou non. As-tu... as-tu tué quelqu'un ?

L'égarement de Jessie fit place à l'indignation.

— Qu'est-ce qui te prend, Lije ? s'écria-t-elle.

— Réponds-moi oui ou non.

— Eh bien, non, bien sûr !

Baley sentit la barre qui pesait sur son estomac devenir moins dure.

— Alors, quoi ? reprit-il. As-tu volé quelque chose ? As-tu falsifié tes comptes au restaurant ? As-tu attaqué quelqu'un ? As-tu détérioré du matériel ?... Allons, parle !

— Je n'ai... je n'ai rien fait de précis... enfin, rien dans le genre de ce que tu viens de dire !... Ecoute,

Lije, fit-elle en regardant autour d'elle, est-il bien nécessaire de rester ici ?

— Oui, jusqu'à ce que tu nous aies répondu. Alors, commence par le commencement. Qu'est-ce que tu es venue me dire ?

Le regard de Baley croisa celui de R. Daneel, par-dessus la tête baissée de la jeune femme, et Jessie se mit à parler, d'une voix douce qui, à mesure qu'elle racontait son histoire, gagna en force et en netteté.

— Il s'agit de ces gens, Lije... tu sais bien... les Médiévalistes. Ils sont toujours là, à tourner autour de nous, et à parler. Même autrefois, quand j'ai commencé à travailler, c'était comme ça. Tu te rappelles Elisabeth Tornbowe ? Elle était médiévaliste ; elle disait tout le temps que nos ennuis avaient commencé quand on avait construit les Cités et que c'était bien mieux avant... Moi, je lui demandais toujours comment elle pouvait être si sûre de ce qu'elle affirmait ; je le lui ai surtout demandé dès que nous avons été mariés, Lije, et tu te rappelles que nous en avons souvent discuté, toi et moi. Alors, elle me citait des passages tirés d'un tas de petites brochures qu'on n'a jamais cessé de publier. Par exemple : *La Honte des Cités*... je ne me rappelle plus qui avait écrit ça...

— Ogrinsky, répliqua Baley d'une voix indifférente.

— Oui, c'est ça. Remarque que, la plupart du temps ce qu'elle disait ne tirait pas à conséquence. Et puis, quand je t'ai épousé, elle est devenue sarcastique. Elle m'a déclaré : « J'ai idée que vous allez afficher une fervente admiration pour les Cités, maintenant que vous êtes mariée à un policier ! » A partir de ce moment-là, elle ne m'a plus dit grand-chose, et puis j'ai changé de service et je ne l'ai plus vue que rarement. Je suis convaincue, d'ailleurs, que bien souvent elle ne cherchait qu'à m'impressionner et à se donner des airs mystérieux ou importants. Elle était vieille fille, et elle est morte sans jamais avoir réussi à se marier. Beaucoup de ces Médiévalistes ont des cases qui leur manquent, tu le sais bien, Lije ! Je me rappelle qu'un jour tu m'as dit que souvent les gens prennent leurs propres lacunes pour celles de la société qui les entoure, et qu'alors ils cherchent à réformer ladite société parce qu'ils sont incapables de se réformer eux-mêmes.

Baley se rappelait fort bien avoir émis cette opinion, mais ses propres paroles lui parurent maintenant banales et superficielles.

— Ne t'écarte pas du sujet, Jessie, lui dit-il gentiment.

— Quoi qu'il en soit, reprit-elle, Lizzy parlait tout le temps d'un certain jour qui ne manquerait pas d'arriver. En prévision de ce jour, il fallait se tenir les coudes. Elle disait que c'était la faute des Spaciens, qui tenaient à maintenir la Terre dans un état de faiblesse et de décadence. La décadence, c'était un de ses grands mots. Elle examinait les menus que je préparais pour la semaine suivante, et déclarait avec mépris : « Décadent ! Décadent ! » Jane Myers l'imitait à la perfection et nous faisait mourir de rire à la cuisine. Quant à Elisabeth, elle répétait sans se lasser qu'un jour viendrait où nous détruirions les Cités, où nous retournerions à la terre, et où nous réglerions leur compte à ces Spaciens, qui essaient de nous enchaîner pour toujours aux Cités en nous imposant leurs robots. Mais elle n'appelait jamais ceux-ci des robots : elle disait que c'était des monstres mécaniques sans âme. Pardonnez-moi de répéter le terme, Daneel.

— Je ne connais pas la signification de cette expression, Jessie ; mais, de toute façon, soyez sûre que vous êtes excusée. Continuez, je vous prie.

Baley s'agita nerveusement sur son siège. C'était une vraie manie de Jessie, que de ne jamais pouvoir raconter une histoire sans tourner d'abord autour du sujet, quelles que fussent l'importance ou l'urgence de celui-ci.

— Quand Elisabeth parlait ainsi, continua-t-elle, elle voulait toujours nous faire croire que beaucoup de gens participaient à ce mouvement. Ainsi, elle disait : « A la dernière réunion... », et puis elle s'arrêtait, et me regardait, moitié fière et moitié craintive. Elle aurait voulu sans doute que je l'interroge à ce sujet, ce qui lui aurait permis de prendre des airs importants ; mais, en même temps, elle avait sûrement peur que je lui cause des ennuis. Bien entendu, je ne lui ai jamais posé une seule question : je ne voulais pour rien au monde lui faire ce plaisir. De toute façon, Lije, notre mariage a mis fin à tout cela, jusqu'à ce que...

Elle s'arrêta court.

— Allons, continue, Jessie ! dit Baley.

— Est-ce que tu te rappelles, Lije, reprit-elle, la discussion que nous avons eue autrefois, à propos... à propos de Jézabel ?

— Je ne vois pas le rapport.

Il lui fallut quelques secondes pour se rappeler que Jézabel était le prénom de son épouse, et non pas celui d'une tierce personne. Et, presque inconsciemment, il se tourna vers R. Daneel pour lui donner une explication.

— Le vrai prénom de Jessie, c'est Jézabel ; mais elle ne l'aime pas et elle ne veut pas qu'on s'en serve.

Le robot fit gravement de la tête un signe d'acquiescement, et Baley se dit qu'après tout il était stupide de perdre son temps à se préoccuper de ce que pouvait penser son associé.

— Cette discussion m'a longtemps tracassée, Lije, je t'assure, dit Jessie. C'était sans doute très bête, mais j'ai beaucoup réfléchi par la suite à tout ce que tu m'avais dit ; j'ai surtout été frappée de ce que Jézabel, à ton avis, avait un tempérament conservateur et luttait pour maintenir les traditions de ses ancêtres, en s'opposant aux nouvelles coutumes que l'étranger tentait d'imposer. Et comme je portais le même nom qu'elle, j'en suis venue à... comment dire ?...

— A t'identifier à elle ? suggéra son mari.

— Oui, c'est ça, répondit-elle. (Mais, secouant aussitôt la tête, et fuyant le regard de Baley, elle ajouta :) Oh ! bien sûr, pas complètement ! Mais j'ai pensé que nous étions un peu le même genre de femme.

— Allons, Jessie, ne dis pas de bêtises !

— Ce qui m'a de plus en plus impressionnée, continua-t-elle sans se laisser troubler par cette interruption, c'est que je trouvais une grande analogie entre l'époque de Jézabel et la nôtre. Nous, les Terriens, nous avions nos habitudes, et puis voilà que les Spaciens sont venus, avec une quantité d'idées nouvelles qu'ils ont essayé de nous imposer contre notre gré. Alors, peut-être bien que les Médiévalistes avaient raison, et que nous devrions revenir aux bonnes vieilles manières de vivre d'autrefois. Et c'est à cause de cela que je suis retournée voir Elisabeth.

— Ah, vraiment ! Et alors ?...

— Elle m'a d'abord déclaré qu'elle ne savait pas de quoi je voulais parler, et que ce n'était pas un sujet dont on pouvait discuter avec une femme de policier. Mais je lui ai dit que ton métier et mes opinions personnelles étaient deux choses complètement distinctes. Alors elle a fini par me répondre : « Bon ! Eh bien, j'en parlerai à quelqu'un. » Un mois plus tard, elle est venue me voir, et elle m'a dit : « C'est d'accord, vous pouvez venir. » Et depuis cette époque-là, j'ai toujours assisté aux réunions.

— Et tu ne m'en as jamais parlé ! fit Baley, douloureusement.

— Je t'en demande pardon, Lije ! murmura-t-elle, d'une voix tremblante.

— Ça ne sert à rien, Jessie, de me demander pardon. Ce qu'il faut maintenant, c'est me dire ce que c'était que ces réunions. Et d'abord, où avaient-elles lieu ?

Il commençait à se sentir moins oppressé, moins bouleversé. Ce qu'il avait essayé de croire impossible se révélait au contraire la vérité, une vérité évidente, indubitable. Dans un sens, il éprouva un soulagement à voir se dissiper ses incertitudes.

— Justement ici, répondit-elle. Ici même !

— Qu'est-ce que tu dis ? Là où nous sommes ?

— Je veux dire : sur l'autoroute. C'est pour ça que je ne voulais pas que nous y venions, tout à l'heure. C'est un endroit très commode pour se réunir !

— Combien étiez-vous ?

— Je ne sais pas exactement. Soixante, soixante-dix peut-être... Ça se passait sur un embranchement généralement désert. On y apportait des pliants et des rafraîchissements. Quelqu'un faisait un discours, la plupart du temps pour décrire la vie merveilleuse qu'on menait autrefois, et pour annoncer qu'un jour viendrait où l'on se débarrasserait des monstres, c'est-à-dire des robots, et aussi des Spaciens. Ces discours étaient en réalité assez ennuyeux, parce que c'étaient toujours les mêmes. On se bornait à les endurer. Ce qui nous faisait le plus plaisir, c'était de nous retrouver tous et de nous figurer que nous faisions quelque chose d'important. Nous nous jurions fidélité par des serments solennels, et nous convenions de signes secrets par lesquels nous nous reconnaîtrions les uns les autres en public.

— Personne ne venait donc jamais vous interrompre, ni patrouilles de police ni voitures de pompiers ?

— Non, jamais.

— Est-ce une chose anormale, Elijah ? demanda R. Daneel.

— Non, pas très ! répliqua Baley, songeur. Il y a certains embranchements d'autoroutes qui ne sont pratiquement jamais utilisés. Mais ce n'est pas facile du tout de les connaître. Est-ce tout ce que vous faisiez à ces réunions, Jessie ? Vous vous borniez à écouter des discours et à jouer aux conspirateurs ?

— Oui, c'est à peu près tout. Quelquefois, on chantait en chœur. Et puis, naturellement, on buvait du jus de fruit et on mangeait des sandwiches.

— Eh bien, alors, s'écria-t-il presque brutalement, je ne vois vraiment pas ce qui te tourmente, maintenant !

— Oh, fit-elle en tressaillant, à quoi bon te le dire ? Tu es en colère...

— Je te prie de me répondre ! dit-il, s'armant d'une

patience d'airain. Si vous ne faisiez que vous livrer à des activités aussi inoffensives, veux-tu me dire pourquoi, depuis deux jours, tu es tellement affolée ?...

— J'ai pensé qu'ils allaient te faire du mal, Lije. Pour l'amour du Ciel, pourquoi te donnes-tu l'air de ne pas comprendre ? Je t'ai pourtant tout expliqué !

— Non, tu ne l'as pas fait ! Pas encore ! Tu m'as raconté une petite histoire de conspiration de café à laquelle tu as pris part, c'est tout ! Est-ce qu'ils se sont jamais livrés à des manifestations en public ? Ont-ils détruit des robots, ou fomenté des émeutes, ou tué des gens ?...

— Jamais, Lije ! Tu sais bien que je ne ferais jamais rien de ce genre, et que, s'ils avaient tenté une de ces actions-là, j'aurais donné ma démission !

— Alors, veux-tu me dire pourquoi tu nous as parlé d'une chose terrible que tu as faite ? Pourquoi t'attends-tu à être arrêtée ?

— Eh bien, voilà... Nous parlions souvent du jour où la pression exercée sur le gouvernement serait telle qu'il serait obligé de céder. Pour cela, il fallait s'organiser ; et, quand on serait prêts, on pourrait provoquer de grandes grèves qui arrêteraient les usines. Cela obligerait le gouvernement à supprimer les robots et à exiger que les Spaciens retournent d'où ils sont venus. J'ai toujours pensé que c'étaient des paroles en l'air, et puis voilà que cette affaire a commencé... je veux dire ton association avec Daneel. Alors, on a dit : « C'est maintenant qu'il faut agir ! On va faire un exemple, qui arrêtera net l'invasion des robots. » Les femmes en ont parlé aux Toilettes, sans savoir qu'il s'agissait de toi, Lije. Mais moi, je m'en suis doutée, tout de suite.

Sa voix se brisa, et Baley lui dit, doucement :

— Mais voyons, Jessie, c'était de l'enfantillage ! Tu vois bien que c'étaient des commérages de femmes, et qu'il ne s'est rien passé du tout !

— Ah, je ne sais pas ! dit-elle. J'ai eu si peur, si peur ! Je me suis dit : « Je fais partie du complot. Si on tue quelqu'un, si on détruit quelque chose, Lije va se faire tuer, Bentley aussi peut-être, et ce sera ma faute, et il faudra que j'aille en prison !... »

Elle s'effondra en sanglotant sur l'épaule de Baley, qui la maintint serrée contre lui, et, pinçant les lèvres, regarda longuement R. Daneel ; celui-ci, ne manifestant pas la moindre émotion, observait calmement la scène.

— Et maintenant, Jessie, dit son mari, je voudrais que tu réfléchisses un peu. Qui était le chef de ton groupe ?

Elle se calma petit à petit, et tamponna ses yeux avec son mouchoir.

— Il y avait un nommé Joseph Klemin, mais, en réalité, il n'avait aucune autorité : il était petit, un mètre soixante-cinq environ, et je crois que, dans sa famille, on lui menait la vie dure. Je ne pense pas qu'il soit dangereux. Tu ne vas pas l'arrêter, Lije, sur mon témoignage ? s'écria-t-elle, confuse et tourmentée.

— Pour l'instant, je n'ai pas l'intention d'arrêter qui que ce soit. Comment Klemin recevait-il des ordres ?

— Je n'en sais rien.

— Y avait-il des étrangers à ces réunions, des gens importants venant d'un comité central ?

— Quelquefois, il y avait des orateurs qui venaient

faire des discours, mais pas souvent, deux ou trois fois par an.

— Sais-tu comment ils s'appelaient ?

— Non. On les présentait en nous disant : « Un de nos camarades », ou : « Un ami de tel ou tel endroit... »

— Bon. Daneel !

— Oui, Elijah ! dit le robot.

— Faites à Jessie la description des hommes que vous avez repérés. Nous allons voir si elle les reconnaît.

R. Daneel donna le signalement des suspects, avec une exactitude anthropométrique. Jessie l'écouta d'un air désemparé, et, à mesure qu'elle entendait énumérer les caractéristiques physiques des individus, elle secoua la tête de plus en plus vigoureusement.

— Cela ne sert à rien, à rien du tout ! s'écria-t-elle. Comment me rappeler de tels détails ? Je ne me souviens pas avec précision de leur aspect, aux uns et aux autres !

Mais soudain elle s'interrompit et parut réfléchir.

— N'avez-vous pas dit, demanda-t-elle à R. Daneel, que l'un d'eux s'occupait d'une usine de levure ?

— Oui, dit le robot. Francis Clousarr est employé à la Ferme centrale de levure de la Cité.

— Tout ce que je peux vous dire, c'est qu'un jour où un homme faisait un discours, j'étais assise au premier rang, et j'ai tout le temps été incommodée, parce qu'il sentait la levure brute. Vous savez comme ça sent fort. Je m'en souviens, parce que, ce jour-là, j'avais mal au cœur, et l'odeur m'a rendue encore plus malade, si bien que j'ai dû me lever et aller me mettre dans les derniers rangs, sans comprendre, sur le moment, ce qui augmentait mon malaise. Peut-être que cet homme était celui dont vous me parlez, car, quand on travaille tout le temps dans la levure, l'odeur imprègne les vêtements.

Elle se frotta le nez, comme si cette seule évocation lui était pénible, et son mari lui demanda :

— Tu ne te rappelles pas de quoi il avait l'air ?

— Absolument pas, fit-elle catégoriquement.

— Tant pis ! Eh bien, Jessie, je vais te ramener chez ta mère, où tu vas me faire le plaisir de rester, avec Bentley ! Tu n'en bougeras pas, sous aucun prétexte, jusqu'à nouvel ordre. Peu importe que Ben manque la classe. Je vous ferai livrer vos repas à domicile, et je te préviens que les abords de l'appartement seront surveillés par la police.

— Et toi, Lije, que vas-tu faire ?

— Ne te fais pas de souci pour moi. Je ne cours aucun danger.

— Mais combien de temps ça va-t-il durer ?

— Je n'en sais rien. Peut-être un ou deux jours seulement, répondit-il, sans mettre beaucoup de conviction dans ce pronostic.

Quand Baley se retrouva seul sur l'autoroute avec R. Daneel, il demeura longtemps silencieux, réfléchissant profondément.

— J'ai l'impression, finit-il par dire, que nous nous trouvons en présence d'une organisation comprenant deux échelons distincts. Tout d'abord, à la base, des groupes sans programme d'action nettement défini, et dont l'objet essentiel consiste à servir de masse, sur laquelle on puisse s'appuyer éventuellement pour faire un coup de force. D'autre part, une élite bien moins nombreuse, qui se consacre à la réalisation d'un plan mûrement concerté. C'est ce petit groupe d'élite qu'il nous faut découvrir. Nous pouvons laisser de côté les conspirateurs d'opérette dont Jessie nous a parlé.

— Tout cela va de soi, sans doute, dit R. Daneel, à la condition que nous puissions croire sur parole le récit de Jessie.

— Pour ma part, répliqua sèchement Baley, j'estime qu'elle nous a dit la vérité.

— Et vous avez apparemment raison. Rien dans ses réactions cérébrales n'indique, en effet, que pathologiquement elle soit prédisposée à mentir.

— J'ai la prétention de connaître ma femme, dit Baley d'un air offensé, et je sais qu'elle ne ment jamais. Je ne vois donc aucun intérêt à ce que son nom figure dans le rapport que nous ferons sur l'enquête. C'est bien entendu, n'est-ce pas, Daneel ?

— Il en sera fait selon votre désir, répliqua tranquillement le robot, mais, dans ce cas, notre rapport ne sera ni complet ni véridique.

— C'est possible, mais cela ne fait rien. Elle est venue nous donner les renseignements qu'elle possédait, et la nommer aurait pour résultat de la faire figurer sur les fiches de la police ; or, je ne veux de cela à aucun prix.

— Je vous comprends, Elijah, et nous ferons ce que vous désirez à condition, bien entendu, que nous ne découvrions rien de plus.

— Nous n'avons plus rien à découvrir, en ce qui concerne Jessie : je peux vous le garantir.

— Alors, pourriez-vous m'expliquer pourquoi le nom de Jézabel, et le simple fait de l'entendre prononcer, ont pu inciter votre femme à renier ses anciennes convictions et à prendre une attitude si nouvelle ? Pour moi, je ne comprends pas bien ce qui l'a poussée à agir ainsi.

Tout en bavardant, ils continuaient à rouler lentement sur l'autoroute déserte.

— C'est difficile à expliquer, fit Baley. Jézabel est un nom que l'on porte rarement. C'était jadis celui d'une femme de très mauvaise réputation. Jessie a, pendant des années, ruminé ce fait ; cela lui a inspiré une étrange conviction, celle d'être une femme méchante, et elle a trouvé dans ce sentiment une sorte de compensation à l'existence immuablement correcte qu'elle menait.

— Mais pourquoi donc une femme respectueuse des lois peut-elle avoir envie de cultiver en elle un penchant à la méchanceté ? demanda le robot.

— Ah ! fit Baley, esquissant un sourire. Les femmes sont ainsi faites, Daneel ! Quoi qu'il en soit, j'ai fait une bêtise. Agacé par ces idées bizarres, j'ai affirmé avec insistance à Jessie que la vraie Jézabel avait été, non pas la méchante femme que l'on prétend, mais au contraire une excellente épouse. Et depuis, je n'ai jamais cessé de regretter d'avoir dit cela, car, en fait, j'ai rendu ainsi Jessie très malheureuse. J'ai détruit en elle quelque chose que rien n'a jamais pu remplacer. J'ai idée que ce qui s'est passé ensuite a été pour elle une manière de revanche : elle a sans doute voulu me punir, en s'adonnant à des activités que je devais nécessairement désapprouver. Mais je n'irai pas jusqu'à dire qu'elle avait pleinement conscience de ce désir.

— Je ne vous comprends pas très bien, répliqua R. Daneel. Une volonté peut-elle vraiment ne pas être consciente ? Et dans ce cas, les deux termes ne se contredisent-ils pas l'un l'autre ?

Baley, dévisageant longuement le robot, désespéra de jamais réussir à lui expliquer en quoi pouvait consister le subconscient ; aussi préféra-t-il faire une digression.

— Il faut vous dire, de plus, que la Bible joue un grand rôle dans la vie intellectuelle et dans les émotions des hommes, Daneel.

— Qu'est-ce que la Bible ?

Sur le moment, la question surprit Baley ; mais aussitôt il s'étonna lui-même d'en avoir été décontenancé. Il savait fort bien que la société spacienne était régie par une philosophie essentiellement matérialiste, en sorte que R. Daneel ne pouvait pas avoir plus de connaissances religieuses que les Spaciens eux-mêmes.

— La Bible, répliqua-t-il sèchement, est un livre sacré : la moitié de la population terrestre la vénère.

— Je m'excuse, dit R. Daneel ; mais vous utilisez des termes que je ne connais pas.

— Un livre sacré est un livre que l'on respecte beaucoup. La Bible contient de nombreux passages qui, convenablement interprétés, constituent une règle de vie ; et, aux yeux de beaucoup de gens, cette loi morale est celle qui peut le mieux permettre à l'humanité d'accéder au bonheur.

R. Daneel eut l'air de réfléchir à cette explication.

— Est-ce que cette règle de vie est incorporée dans vos lois ? demanda-t-il.

— Il s'en faut de beaucoup, dit Baley. Elle ne se prête pas à des applications légales. Elle exige que chaque individu s'y conforme spontanément, par le seul fait qu'il en éprouve l'impérieux besoin. C'est vous dire que, dans un sens, elle a plus de portée que toute loi humaine.

— Plus de portée qu'une loi ? Cela aussi me paraît être un contresens, comme cette volonté inconsciente dont vous parliez tout à l'heure.

— Je crois, répliqua Baley en souriant finement, que la meilleure façon de vous faire comprendre de quoi il s'agit consiste à vous citer un passage de la Bible elle-même. Cela vous intéresserait de l'entendre ?

— Mais oui, bien sûr ! fit le robot.

Baley ralentit, puis arrêta la voiture, et il resta un long moment silencieux, cherchant, les yeux fermés, à se rappeler le texte exact auquel il pensait. Il aurait aimé raconter ce récit sacré dans la langue un peu archaïque d'autrefois, mais il estima que, pour être bien compris de R. Daneel, il valait mieux utiliser le langage moderne courant. C'est pourquoi cette citation biblique prit l'air d'une histoire contemporaine, et non pas d'une évocation d'un temps presque immémorial.

— Jésus, dit-il, S'en alla sur le mont des Oliviers, et, à l'aube, Il revint au temple. Tout le peuple s'assembla autour de Lui, et, S'étant assis, Il Se mit à enseigner. Les Scribes et les Pharisiens Lui présentèrent une femme qui venait de commettre un adultère, et ils Lui dirent : « Seigneur, cette femme a été prise en flagrant délit d'adultère. Moïse, dans la Loi de nos Pères, nous a ordonné de lapider celles qui se rendaient coupables d'un tel péché. Qu'en pensez-vous ? » En Lui posant cette question, ils pensaient Lui tendre un piège et trouver dans Sa réponse un motif d'accusation contre Lui. Mais Jésus, Se penchant en avant, traça sur le sable des signes avec Son doigt, comme s'il ne les avait pas entendus. Comme ils répétaient leur question, Il Se leva et leur dit : « Que celui qui n'a jamais péché lui jette la première pierre ! » Puis Il Se rassit et Se remit à écrire sur le sable. Et tous ceux qui L'entouraient, sachant bien dans leur conscience, qu'ils n'étaient pas nets de péché, se retirèrent les uns après les autres, du plus vieux jusqu'au plus jeune. Jésus donc Se trouva bientôt seul avec la femme adultère, qui se tenait devant Lui. S'étant levé et ayant constaté que la pécheresse restait seule avec Lui. Il lui dit : « Femme, où sont tes accusateurs ? Personne ne t'a donc condamnée ? » Et elle Lui répondit : « Non, Seigneur, personne ! » Alors, Jésus lui dit : « Moi non plus, Je ne te condamne pas. Va et ne pèche plus !... »

R. Daneel, qui avait écouté attentivement, demanda :

— Qu'est-ce que l'adultère ?

— Peu importe. C'était un crime, et, à l'époque de ce récit, il était légalement puni de lapidation, c'est-à-dire qu'on jetait des pierres contre la coupable, jusqu'à ce qu'elle mourût.

— Et cette femme était coupable ?

— Oui.

— Alors, pourquoi n'a-t-elle pas été lapidée ?

— Aucun de ses accusateurs ne s'en est senti le droit, après ce que Jésus leur avait déclaré. Cette histoire sert à démontrer qu'il y a quelque chose de plus fort que le sens et le goût de la justice, tels qu'on vous les a inculqués, Daneel. L'homme est capable de grands élans de charité, et il peut aussi pardonner. Ce sont là deux choses que vous ne connaissez pas.

— Non, Elijah. On ne m'a pas appris ces mots-là.

— Je le sais, murmura Baley. Je le sais bien !

Il démarra brusquement et fonça à toute vitesse sur l'autoroute, si vite qu'il se sentit pressé contre le dossier de son siège.

— Où allons-nous ? demanda R. Daneel.

— A l'usine de levure, pour obtenir la vérité du dénommé Francis Clousarr, conspirateur.

— Avez-vous une méthode particulière pour cela, Elijah ?

— Non, pas moi, Daneel ! Pas précisément ! Mais vous, vous en avez une, et elle est très pratique !

Ils se hâtèrent vers le but de leur enquête.

15

ARRESTATION D'UN CONSPIRATEUR

A mesure qu'il approchait du quartier des usines de levure, Baley sentit, plus pénétrante, l'odeur particulière qui en émanait. Contrairement à bien des gens, à Jessie par exemple, il ne la trouvait pas désagréable, et même il avait tendance à l'aimer, car elle lui rappelait de bons souvenirs.

En effet, chaque fois qu'elle lui piquait de nouveau les narines cette odeur le ramenait à plus de trente ans en arrière. Il se revoyait, gamin de dix ans, rendant visite à son oncle Boris, qui travaillait dans une des usines de produits synthétiques à base de levure. L'oncle Boris avait toujours une petite réserve de friandises : c'étaient des petits bonbons chocolatés, qui contenaient de la crème sucrée, ou encore des gâteaux plus durs ayant la forme de chats et de chiens. Si jeune qu'il fût alors, il savait très bien qu'oncle Boris n'aurait pas dû disposer ainsi de gâteries ; aussi le jeune Lije les mangeait-il toujours subrepticement, accroupi dans un coin de la salle où travaillait son oncle, et tournant le dos à tout le monde ; et il les avalait très vite, de peur d'être pris en faute. Mais les friandises n'en étaient que meilleures.

Pauvre oncle Boris ! Il avait eu un accident mortel. On n'avait jamais dit à Lije ce qui s'était passé, et il avait versé des larmes amères, parce qu'il s'était figuré que cet oncle si bon avait dû être arrêté pour avoir volé des gâteaux à son intention ; et l'enfant avait longtemps pensé qu'on l'arrêterait, lui aussi, pour les avoir mangés, et qu'on le ferait mourir comme son oncle. Beaucoup plus tard, devenu policier, Baley avait vérifié soigneusement les dossiers de la Préfecture, et il avait fini par trouver la vérité : l'oncle Boris était tombé sous un camion. Cette découverte avait mis un terme assez désappointant à ce mythe romanesque ; mais, chaque fois qu'une odeur de levure flottait dans l'air, elle ne manquait pas de raviver en lui, ne fût-ce qu'un fugitif instant, le souvenir du mythe disparu.

Le « quartier de la Levure » n'était cependant pas le nom officiel d'un secteur de New York ; aucun plan de la ville ne le mentionnait, et la presse ne l'utilisait pas ; mais, dans le langage courant, on désignait ainsi les arrondissements périphériques de la Cité, à savoir Newark, New Brunswick et Trenton. C'était un vaste espace qui s'étendait sur ce que, à l'Epoque Médiévale, on appelait New Jersey ; on y trouvait, surtout à Newark et à Trenton, de nombreux immeubles d'habitation, mais la majeure partie de ce quartier était occupée par des usines de levure ; à vrai dire, c'étaient plutôt des fermes, où l'on cultivait des milliers de variétés de levures, qui servaient à la fabrication d'aliments de toutes espèces. Un cinquième de la population travaillait à cultiver cette denrée, et un autre cinquième était employé dans des usines, où s'effectuait la transformation des autres matières premières nécessaires à l'alimentation de la Cité. Celle-ci recevait quotidiennement, en effet, des montagnes de bois et de cellulose brute qui provenaient des monts Alleghanis ; cette cellulose était traitée dans des bassins colossaux pleins d'acide, où on l'hydrolysait en glucose ; puis on y incorporait principalement des tonnes de nitrates et de phosphates, et, en quantités moins importantes, des matières organiques issues des laboratoires de produits chimiques. Mais toutes ces opérations n'aboutissaient qu'à produire, toujours et davantage, une seule et même denrée : la levure. Sans elle, six des huit milliards d'habitants de la Terre seraient morts de faim en moins d'un an.

A cette seule pensée, Baley frissonna. Trois jours plus tôt, cette éventualité n'était ni plus ni moins invraisemblable, mais elle ne lui serait jamais venue à l'esprit.

Il quitta l'autoroute et s'engagea dans une avenue aboutissant aux faubourgs de Newark ; elle était bordée, de part et d'autre, de colossales constructions de ciment, et si peu peuplées que la circulation y était très facile.

— Quelle heure est-il, Daneel ? demanda Baley.

— 16 h 45, répondit aussitôt le robot.

— S'il fait partie de l'équipe de jour, il doit être là !

Il gara la voiture dans un hall de livraison, et passa vivement devant le poste de contrôle.

— Sommes-nous arrivés à la principale usine de levure de New York, Elijah ? demanda R. Daneel.

— C'est une des principales, oui, dit Baley.

Ils pénétrèrent dans un couloir donnant accès à

de nombreux bureaux, et à l'entrée duquel une employée leur dit, d'un air souriant :

— Vous désirez, messieurs ?

— Police, répliqua Baley en montrant sa plaque. Y a-t-il ici, parmi le personnel, un nommé Francis Clousarr ?

— Je vais voir, dit la femme, qui parut troublée.

Elle avait devant elle un standard téléphonique, dans le tableau duquel elle enfonça une fiche à un endroit marqué « Personnel » ; puis ses lèvres remuèrent comme si elle parlait, mais sans émettre aucun son. Baley connaissait bien les laryngophones, mais il dit à la téléphoniste :

— Parlez tout haut, je vous prie ! Je désire entendre ce que vous dites.

L'employée s'exécuta, en achevant sa phrase :

— ... Et il dit qu'il est de la police, monsieur.

Un instant plus tard, un homme bien mis, aux cheveux bruns soigneusement peignés et portant une fine moustache, franchit une porte et vint à Baley.

— Je suis le directeur du personnel, dit-il en souriant courtoisement. Qu'y a-t-il pour votre service, inspecteur ?

Baley le regarda froidement, et le sourire du chef de service se figea.

— Si c'est possible, inspecteur, reprit-il, je voudrais éviter d'énerver les ouvriers. Ils sont assez susceptibles, dès qu'il est question d'une intervention de la police.

— Ah ! vraiment ? fit Baley. Est-ce que Clousarr est là ?

— Oui.

— Bon. Alors, donnez-moi un indicateur. Si je ne

trouve pas Clousarr à son poste, je reviendrai vous voir.

— Entendu ! fit l'autre, qui ne souriait plus du tout. Je vais vous procurer un indicateur.

On appelait ainsi un petit objet banal que l'on tenait dans la paume de la main, et qui se réchauffait à mesure que l'on s'approchait du lieu cherché ; de même, il se refroidissait dès que l'on s'éloignait du but. Il n'y avait qu'à le régler, au départ, sur une destination donnée, et le directeur du personnel précisa à Baley que l'indicateur le mènerait ainsi au Groupe CG, section 2, ce qui, dans la terminologie de l'établissement, désignait une certaine partie de l'usine, mais Baley ignorait laquelle.

Un amateur n'aurait probablement pas pu se servir d'un tel appareil, tant étaient faibles les variations de température qu'il subissait ; mais, en fait, peu de citoyens new-yorkais étaient des amateurs, dans l'utilisation de ces objets, qui rappelait beaucoup le jeu de la main chaude, très populaire parmi les enfants. Dès leur plus jeune âge, on leur donnait en effet de petits indicateurs miniatures, et ils s'amusaient follement à se cacher et à se chercher les uns les autres, dans le dédale des couloirs de la Cité, en criant : « Tu es froid, tu te réchauffes, tu brûles ! »

Baley s'était bien souvent dirigé avec aisance dans des centaines d'usines et de centrales d'énergie, plus vastes les unes que les autres, en se servant de ces sortes d'indicateurs, grâce auxquels il était sûr d'atteindre par le chemin le plus court son objectif, comme si quelqu'un l'y avait véritablement conduit par la main.

C'est ainsi qu'après dix minutes de marche, il pénétra dans une grande pièce brillamment éclairée, l'indicateur chauffant la main. Avisant un ouvrier qui travaillait près de l'entrée, il lui demanda :

— Est-ce que Francis Clousarr est ici ?

L'ouvrier se redressa brusquement, et montra d'un geste l'autre bout de la salle, vers lequel le policier se dirigea aussitôt. L'odeur de levure était forte et pénétrante, en dépit de l'air conditionné que des souffleries au ronflement sonore ne cessaient de renouveler.

A l'approche de Baley, un homme se leva et ôta son tablier. Il était de taille moyenne, et, en dépit de sa relative jeunesse, il avait un visage profondément ridé et des cheveux déjà grisonnants. Il essuya lentement de grosses mains noueuses à son tablier.

— Je suis Francis Clousarr, dit-il.

Baley jeta un bref coup d'œil à R. Daneel, qui acquiesça d'un signe de tête.

— Parfait, dit-il. Y a-t-il ici un coin où l'on peut parler ?

— Ça peut se trouver, répliqua l'homme. Mais j'arrive au bout de ma journée. On ne peut pas remettre ça à demain ?

— Il se passera bien des choses d'ici demain ! fit Baley en montrant l'insigne de la police. C'est tout de suite que je veux vous voir.

Mais Clousarr continua à s'essuyer les mains d'un air sombre, et il répondit froidement :

— Je ne sais pas comment ça se passe dans la police, mais, ici, les repas sont servis à heures fixes ; si je ne dîne pas entre 17 heures et 17 h 45, je suis obligé de me mettre la ceinture !

— Ne vous en faites pas ! dit Baley. Je donnerai des ordres pour qu'on vous apporte votre repas ici.

— Parfait, parfait ! grommela l'homme, sans paraître pour autant satisfait. Vous me traitez en somme comme un aristocrate, à moins que ce ne soit comme un flic galonné. Quelle est la suite du programme ? Salle de bains particulière ?

— Faites-moi le plaisir de répondre simplement à mes questions, Clousarr ! rétorqua durement Baley. Vos grosses blagues, vous pouvez les garder pour votre petite amie ! Où pouvons-nous parler sans être dérangés ?

— Si c'est parler que vous voulez, vous pouvez aller dans la salle des balances. Arrangez-vous avec ça. Moi, je n'ai rien à vous dire.

Baley, d'un geste, lui fit signe de lui montrer le chemin. La salle de pesage était une pièce carrée, blanche comme une salle d'opération ; tout y était aseptisé, l'air y était spécialement et mieux conditionné que dans la salle voisine, et, le long de ses murs, de délicates balances électroniques manœuvrables de l'extérieur par le moyen des champs magnétiques. Au cours de ses études, Baley avait eu l'occasion de voir des balances de ce genre, mais moins perfectionnées ; et il en reconnut une, capable de peser un milliard d'atomes.

— Je ne pense pas, dit Clousarr, que l'on vienne nous déranger ici.

— Bon ! grogna Baley. Daneel, ajouta-t-il, voulez-vous faire monter un repas ici ? Et, si vous n'y voyez pas d'inconvénient, j'aimerais que vous attendiez dehors qu'on l'apporte.

Il suivit des yeux le départ de R. Daneel, puis, se tournant vers Clousarr, il lui demanda :

— Vous êtes chimiste ?

— Zymologiste, si ça ne vous fait rien.

— Quelle est la différence ?

— Un chimiste, fit l'autre fièrement, est un vulgaire fabricant de potages, un manipulateur d'ingrédients. Le zymologiste, lui, fait vivre des milliards d'individus. Je suis spécialisé dans la culture de la levure.

— Parfait, dit Baley.

— C'est grâce à ce laboratoire, reprit Clousarr, que les usines de levure tournent encore. Il ne se passe pas de jour, ni même d'heure, sans que nous fassions dans nos éprouvettes des expériences sur chaque espèce de levure produite par la compagnie. Nous contrôlons et complétons si c'est nécessaire ses propriétés nutritives ; nous nous assurons qu'elle répond à des caractères invariables ; nous déterminons exactement la nature des cellules dont elle est issue, nous opérons des croisements d'espèces, nous éliminons celles que nous estimons défectueuses, et, quand nous sommes certains d'en avoir trouvé une répondant aux besoins de la population, nous en lançons en grand la production. Lorsque, il y a deux ans, les New-Yorkais se sont vu offrir, hors saison, des fraises, ce n'étaient pas des fraises, mon cher monsieur, c'était un produit spécialement étudié ici même, ayant une haute teneur en sucre, répondant exactement à la couleur naturelle du fruit, et dont la saveur était identique à celle de la fraise. Il y a vingt ans, la « Saccharomyces Olei Benedictae » n'était qu'une espèce de levure informe, inutilisable, et ayant un infect goût de suif. Nous n'avons pas encore réussi à faire complètement disparaître sa mauvaise odeur, mais nous avons porté sa teneur en matières grasses de 15 % à 87 %. Et quand vous prendrez désormais l'express, rappelez-vous que les tapis roulants sont uniquement graissés maintenant avec la S.O.

Benedictae, variation AG-7, mise au point ici même. Voilà pourquoi il ne faut pas m'appeler chimiste. Je suis un zymologiste.

Malgré lui, Baley fut impressionné par le farouche orgueil du technicien. Brusquement, il lui demanda :

— Où étiez-vous, hier soir, entre 18 et 20 heures ?

— Je me promenais, fit l'autre, en haussant les épaules. J'aime bien marcher un peu après dîner.

— Vous avez été voir un ami ? Ou êtes-vous allé au cinéma ?

— Non, j'ai fait un petit tour à pied, tout simplement.

Baley serra les dents. Si Clousarr avait été au cinéma, on aurait pu le vérifier sur sa carte, laquelle aurait été cochée. Quant à une visite chez un ami, elle eût été encore plus contrôlable.

— Alors, personne ne vous a vu ?

— Peut-être que si ; mais moi, je n'en sais rien, car je n'ai rencontré personne de connaissance.

— Et avant-hier soir ?

— Même chose. Je me suis promené.

— Vous n'avez donc aucun alibi pour ces deux soirées ?

— Si j'avais commis un délit, inspecteur, vous pourriez être sûr que j'aurais un alibi. Mais, comme ce n'est pas le cas, pourquoi m'en serais-je préoccupé ?

Baley ne répliqua rien et consulta son carnet.

— Vous êtes passé en jugement une fois, pour incitation à l'émeute, dit-il.

— C'est vrai ! J'ai été bousculé par un robot, et je l'ai fichu en l'air. Vous appelez ça de l'incitation à l'émeute, vous ?

— Ce n'est pas moi, c'est le tribunal qui en a jugé ainsi. Il vous a reconnu coupable et condamné à une amende.

— D'accord. L'incident a donc été clos ainsi. A moins que vous ne désiriez me refaire payer l'amende ?

— Avant-hier soir, il y eut presque un début d'émeute, dans un magasin de chaussures du Bronx. On vous y a vu.

— Qui ça ?

— Cela s'est passé à l'heure de votre dîner. Avez-vous dîné ici avant-hier soir ?

Clousarr hésita un instant, puis secoua la tête.

— J'avais mal à l'estomac. La levure produit parfois cet effet-là, même sur des vieux du métier comme moi.

— Hier soir, à Williamsburg, il y a eu également un incident, et on vous y a vu.

— Qui ça ?

— Niez-vous avoir été là en ces deux circonstances ?

— Vous ne me dites rien que j'aie besoin de nier. Où exactement cela s'est-il passé, et qui déclare m'avoir vu ?

Baley regarda bien en face le zymologiste et lui dit :

— Je crois que vous savez parfaitement de quoi je parle ; et je pense que vous jouez un rôle important dans un mouvement médiévaliste clandestin.

— Je n'ai aucun moyen de vous empêcher de penser ou de croire ce qui vous passe par la tête, inspecteur ! rétorqua l'autre, en souriant ironiquement. Mais vos idées ne constituent pas des preuves : ce n'est pas à moi de vous apprendre ça, j'imagine !

— Il n'empêche que je compte bien tirer de vous, dès maintenant, un peu de vérité, Clousarr !

Il s'en fut jusqu'à la porte, l'ouvrit, et dit à R. Danell, qui se trouvait planté devant l'entrée :

— Est-ce qu'on va bientôt apporter le dîner de Clousarr, Daneel ?

— Oui, dans un instant, Elijah.

— Dès qu'on vous l'aura remis, vous viendrez vous-même le lui donner !

— Entendu, Elijah, fit le robot.

Un instant plus tard, il pénétra dans la pièce, portant un plateau métallique cloisonné en plusieurs compartiments.

— Posez-le devant M. Clousarr, s'il vous plaît, Daneel, dit Baley.

Il s'assit sur un des tabourets qui se trouvaient alignés devant les balances, et croisa ses jambes, balançant en cadence l'un de ses pieds ; au moment où Daneel plaça le plateau sur un tabouret proche de Clousarr, il remarqua que l'homme s'écartait brusquement.

— Monsieur Clousarr, lui dit-il alors, je voudrais vous présenter à mon collègue, Daneel Olivaw.

Le robot tendit la main à l'homme et lui dit :

— Bonjour, Francis. Comment allez-vous ?

Mais Clousarr ne broncha pas, et n'esquissa pas le moindre geste pour saisir la main de Daneel. Celui-ci continua à la lui offrir, si bien que le zymologiste commença à rougir. Baley intervint alors, d'une voix douce :

— Ce que vous faites là est une impolitesse, monsieur Clousarr. Etes-vous trop orgueilleux pour serrer la main d'un policier ?

— Si vous le permettez, répliqua l'autre, je vais dîner, car j'ai faim.

Il tira de sa poche un couteau comportant une fourchette repliable, et s'assit, la tête penchée sur son assiette.

— Daneel, reprit Baley, j'ai l'impression que notre ami est offensé par votre attitude, et je ne le comprends pas. Vous n'êtes pas fâché contre lui, j'espère ?

— Pas le moins du monde, Elijah, dit R. Daneel.

— Alors, montrez-lui donc que vous n'avez aucune raison de lui en vouloir, et passez votre bras autour de son épaule.

— Avec plaisir, répondit R. Daneel, en s'approchant de l'homme.

— Qu'est-ce que ça signifie ? Qu'est-ce que c'est que ces manières ? s'écria Clousarr en posant sa fourchette.

Mais R. Daneel, imperturbable, s'apprêta à exécuter l'ordre de Baley. Aussitôt, Clousarr, furieux, fit un bond en arrière, et rabattit d'un coup de poing le bras de Daneel, en s'écriant :

— Ne me touchez pas ! Je vous le défends !

Dans le mouvement qu'il fit, le plateau contenant son dîner glissa du tabouret et vint s'affaler bruyamment sur le sol. Baley fixa sur le suspect un regard dur ; il fit un bref signe de tête à R. Daneel qui continua à avancer, sans s'émouvoir, vers le zymologiste, lequel battit en retraite. Pendant ce temps, l'inspecteur alla lui-même se placer devant la porte.

— Empêchez cette machine de me toucher ! hurla Clousarr.

— Voyons, Clousarr, répliqua gentiment Baley, en voilà des manières ! Cet homme est mon collègue !

— C'est faux ! C'est un immonde robot !

— Ça va, Daneel ! Laissez-le ! ordonna vivement Baley.

R. Daneel recula aussitôt et vint s'adosser à la porte, juste derrière Baley. Quant à Clousarr, il soufflait bruyamment, et, serrant les poings, il fit face à Baley qui lui dit :

— D'accord, mon ami. Vous êtes très fort ! Et peut-on savoir ce qui vous fait dire que Daneel est un robot ?

— N'importe qui pourrait s'en rendre compte.

— Nous laisserons le tribunal en juger. Pour l'instant c'est à la préfecture de police que je vais vous mener. J'aimerais que vous nous y expliquiez exactement comment vous avez découvert que Daneel est un robot. Et puis beaucoup, beaucoup d'autres choses, mon cher monsieur, par la même occasion ! Daneel, voulez-vous aller téléphoner au commissaire principal ? A cette heure-ci, il doit être rentré chez lui. Dites-lui de revenir à son bureau, car il faut que nous procédions sans retard à l'interrogatoire de ce personnage.

Daneel s'exécuta aussitôt, et Baley se tourna vers Clousarr :

— Qui est-ce qui vous fait marcher, Clousarr ? demanda-t-il.

— Je veux un avocat, répliqua l'autre.

— D'accord, on vous en donnera un. Mais, en attendant, dites-moi donc qui vous finance, vous autres, Médiévalistes ?

Clousarr, décidé à garder le silence, détourna la tête.

— Allons, mon vieux, s'écria Baley, inutile de jouer au plus fin ! Nous sommes parfaitement au courant de ce que vous êtes et de ce qu'est votre mouvement. Je ne bluffe pas. Mais pour ma propre gouverne, j'aimerais que vous me disiez simplement ce que vous désirez, vous, les Médiévalistes.

— Le retour à la terre, dit l'autre sèchement. C'est simple, pas vrai ?

— C'est facile à dire, mais moins facile à faire. Comment la Terre réussira-t-elle à nourrir huit milliards d'individus ?

— Est-ce que j'ai dit qu'il fallait le faire du jour au lendemain ? Ou d'une année à l'autre, ou en un siècle ? Pas à pas, monsieur l'inspecteur ! Peu importe le temps que cela prendra. Mais ce qu'il faut, c'est commencer à sortir de ces cavernes où nous sommes enfermés, et retrouver l'air frais.

— Avez-vous jamais été vous-même au grand air ?

Clousarr se crispa et répondit :

— Bon, c'est d'accord. Moi aussi, je suis fichu ; mais mes enfants ne le sont pas encore. On ne cesse pas d'en mettre au monde. Pour l'amour du Ciel, qu'on les sorte d'ici ! Qu'on les laisse vivre à l'air libre, au soleil, dans la nature ! Et même, s'il le faut, diminuons petit à petit notre population !

— Autrement dit, répliqua Baley, vous voulez revenir en arrière, rétrograder vers un passé impossible !...

Pourquoi Baley discutait-il ainsi ? Il n'aurait pas pu le dire ; tout ce qu'il savait, c'était qu'une étrange fièvre le brûlait.

— Vous voulez revenir à la semence, à l'œuf, au fœtus ! Quelle idée ! Pourquoi, au lieu de cela, ne pas aller de l'avant ? Vous parlez de réduire le nombre des naissances. Bien au contraire, utilisez donc l'excédent de population pour le faire émigrer ! Retour à la terre, soit ! Mais retour à la terre d'autres planètes ! Colonisez !

— Ah, ah ! ricana Clousarr. La bonne tactique, ma parole ! Pour créer un peu plus de Mondes Extérieurs ? Un peu plus de Spaciens ?

— Il ne s'agit pas de cela. Les Mondes Extérieurs ont été mis en valeur par des Terriens venus d'une planète qui, à l'époque, ne possédait aucune Cité moderne, par des hommes individualistes et matérialistes. Ils ont développé ces qualités jusqu'à en faire quelque chose d'excessif et de malsain. Mais nous, maintenant, nous sommes à même de coloniser, en partant d'une société dont la principale erreur est d'avoir poussé trop loin l'esprit communautaire. Le moment est donc venu pour nous de faire jouer, en les associant, l'esprit traditionnaliste et le progrès moderne, pour édifier une société nouvelle. Elle aura des bases différentes de celles de la Terre et des Mondes Extérieurs ; mais ce sera une sorte de synthèse de l'une et de l'autre, une société nouvelle, et meilleure que ses devancières.

Baley se rendit parfaitement compte qu'il ne faisait que paraphraser la théorie du Dr Fastolfe, et cependant les arguments lui venaient à l'esprit comme si, depuis des années, telle était véritablement sa propre opinion.

— Quelles balivernes ! répliqua Clousarr. Vous prétendez que nous pourrions coloniser des déserts et en faire, de nos propres mains, des mondes comme le nôtre ? Qui serait assez fou pour tenter une telle entreprise ?

— Il y en aurait beaucoup, croyez-moi, et ils ne seraient pas fous du tout ! Ils disposeraient d'ailleurs de robots pour les aider.

— Ah, ça non, par exemple ! s'écria Clousarr, furieux. Jamais, vous m'entendez ? Jamais ! Pas de robots !

— Et pourquoi donc, pour l'amour du Ciel ? Je ne les aime pas non plus, soyez-en sûr, mais je ne vais pas me suicider sous prétexte de respecter un préjugé stupide. En quoi les robots sont-ils à craindre ? Si vous voulez mon opinion, c'est uniquement un complexe d'infériorité qui nous incite à en avoir peur. Tous tant que nous sommes, nous nous considérons comme inférieurs aux Spaciens, et cela nous rend malades, furieux, dégoûtés. Nous avons besoin de nous sentir des êtres supérieurs, d'une manière ou d'une autre, et de travailler dans ce but. Cela nous tue de constater que nous ne sommes même pas supérieurs à des robots. Ils ont l'air de valoir mieux que nous, et en réalité c'est faux : c'est justement en cela que réside la terrible ironie de cette situation.

A mesure qu'il développait sa thèse, Baley sentait le sang lui monter à la tête.

— Regardez par exemple ce Daneel avec lequel je viens de passer deux jours ! Il est plus grand que moi, plus fort, plus bel homme. Il a tout l'air d'un Spacien, n'est-ce pas ? Il a plus de mémoire et infiniment plus de connaissances que moi. Il n'a besoin ni de manger ni de dormir. Rien ne le trouble, ni maladie, ni amour, ni sentiment de culpabilité. Mais c'est une machine. Je peux lui faire ce que bon me semble, tout comme s'il s'agissait d'une de vos micro-balances. Si je frappe un de ces appareils, il ne me rendra pas mon coup de poing, et Daneel ne ripostera pas plus si je le bats. Je peux même lui donner l'ordre de se détruire, il l'exécutera. Autrement dit, nous ne pourrons jamais construire un robot doué de qualités humaines qui comptent réellement dans la vie. Un robot n'aura jamais le sens de la beauté, celui de la morale, celui de la religion. Il n'existe aucun moyen au monde d'inculquer à un cerveau positronique des qualités capables de l'élever, ne serait-ce qu'un petit peu, au-dessus du niveau matérialiste intégral. Nous ne le pouvons pas, mille tonnerres ! Ne comprenez-vous donc pas que cela est positivement impossible ? Nous ne le pourrons jamais, tant que nous ne saurons pas exactement ce qui actionne et fait réagir notre cerveau d'homme. Nous ne le pourrons jamais, tant qu'il existera dans le monde des éléments que la science ne peut mesurer. Qu'est-ce que la beauté, ou la charité, ou l'art, ou l'amour, ou Dieu ? Nous piétinerons éternellement aux frontières de l'Inconnu, cherchant à comprendre ce qui restera toujours incompréhensible. Et c'est précisément cela qui fait de nous des hommes. Un cerveau de robot doit répondre à des caractéristiques nettement définies sans quoi on ne peut le construire ; le moindre de ses organes doit être calculé avec une précision infinie, du commencement à la fin, et tout ce qui le compose est connu de nous. Alors, Clousarr, de quoi avez-vous peur ? Un robot peut avoir l'aspect de Daneel, il peut avoir l'air d'un dieu, cependant il n'en sera pas moins quelque chose d'aussi inhumain qu'une bûche de bois. Ne pouvez-vous pas vous en rendre compte ?

Clousarr avait à plusieurs reprises essayé vainement d'interrompre le flot des paroles de son interlocuteur. Quand celui-ci finit par s'arrêter, épuisé par cette diatribe passionnée, le zymologiste se borna à conclure à mi-voix :

— Voilà que les flics se mettent à faire de la philosophie ! Qu'est-ce que vous en savez, vous, de tout ça ?...

A ce moment, R. Daneel reparut. Baley se tourna vers lui et fronça les sourcils, en partie à cause de l'exaspération qu'il ressentait encore, mais aussi sous l'effet d'un mauvais pressentiment.

— Qu'est-ce qui vous a retardé ? demanda-t-il.

— J'ai eu du mal à atteindre le commissaire Enderby, Elijah, et, en fait, il se trouvait encore dans son bureau.

— Comment ? fit Baley. A cette heure-ci ? Et pourquoi donc ?

— Il semble, répondit le robot, qu'il y ait en ce moment une certaine perturbation dans tous les services, car on a trouvé un cadavre dans la préfecture.

— Quoi ? Dieu du Ciel ! De qui s'agit-il ?

— Du garçon de courses, R. Sammy !

Baley resta un moment bouche bée, puis d'une voix indignée, il répliqua :

— Vous avez parlé d'un cadavre, si je ne me trompe ?

R. Daneel, d'une voix douce, sembla s'excuser.

— Si vous le préférez, je dirai que c'est un robot dont le cerveau est complètement désactivé.

A ces mots, Clousarr se mit à rire bruyamment, et Baley, se tournant vers lui, lui ordonna brutalement :

— Je vous prie de vous taire, vous m'avez compris ?

Il sortit ostensiblement son arme de son étui, et Clousarr ne dit plus un mot.

— Bon, reprit Baley. Qu'est-ce qui s'est passé ?

Il y a des fusibles qui ont dû sauter, voilà tout ! Et après ?...

— Le commissaire principal ne m'a pas donné de précisions, Elijah. Mais s'il ne m'a rien dit de positif, j'ai tout de même l'impression qu'il croit que R. Sammy a été désactivé par une main criminelle. Ou encore, acheva-t-il, tandis que Baley silencieux réfléchissait, si vous préférez ce mot-là, il croit que R. Sammy a été assassiné...

16

RECHERCHE D'UN MOBILE

Baley rengaina son arme, mais, gardant ostensiblement la main sur la crosse, il ordonna à Clousarr :

— Marchez devant nous ! Direction : Sortie B — 17e Rue !

— Je n'ai pas dîné, grommela l'homme.

— Tant pis pour vous ! Vous n'aviez qu'à ne pas renverser le plateau !

— J'ai le droit de manger, tout de même !

— Vous mangerez en prison, et, au pis aller, vous sauterez un repas ! Vous n'en mourrez pas ! Allons, en route !

Ils traversèrent tous trois en silence l'énorme usine. Baley sur les talons du prisonnier, et R. Daneel fermant la marche. Parvenus au contrôle de la porte, Baley et R. Daneel se firent reconnaître, tandis que Clousarr signalait qu'il devait s'absenter, et donnait des instructions pour que l'on fît nettoyer la salle des balances. Ils sortirent alors et s'approchèrent de la voiture. Au moment d'y monter, Clousarr dit brusquement à Baley :

— Un instant, voulez-vous ?

Se retournant brusquement, il s'avança vers R. Daneel, et, avant que Baley eût pu l'en empêcher, il gifla à toute volée la joue du robot. Baley, d'un bond, lui saisit le bras et s'écria :

— Qu'est-ce qui vous prend ? Vous êtes fou ?

— Non, non, fit l'autre sans se débattre sous la poigne du détective. C'est parfait. Je voulais simplement faire une expérience.

R. Daneel avait tenté d'esquiver le coup, mais sans y réussir complètement. Sa joue ne portait cependant aucune trace de rougeur. Il regarda calmement son agresseur et lui dit :

— Ce que vous venez de faire était dangereux, Francis. Si je n'avais pas reculé très vite, vous auriez pu vous abîmer la main. Quoi qu'il en soit, si vous vous êtes blessé, je regrette d'en avoir été la cause.

Clousarr répliqua par un gros rire.

— Allons, montez, Clousarr ! ordonna Baley. Et vous aussi, Daneel ! Tous les deux sur le siège arrière. Et veillez à ce qu'il ne bouge pas, Daneel ! Même si vous lui cassez le bras, ça m'est égal. C'est un ordre !

— Et la Première Loi, qu'est-ce que vous en faites ? dit Clousarr en ricanant.

— Je suis convaincu que Daneel est assez fort et assez vif pour vous arrêter sans vous faire de mal. Mais vous mériteriez qu'on vous casse un ou deux bras : ça vous apprendrait à vous tenir tranquille !

Baley se mit au volant, et sa voiture prit en peu de temps de la vitesse. Le vent sifflait dans ses cheveux et dans ceux de Clousarr, mais la chevelure calamistrée de R. Daneel ne subit aucune perturbation. Le robot, toujours impassible, demanda alors à son voisin :

— Dites-moi, monsieur Clousarr, est-ce que vous haïssez les robots par crainte qu'ils ne vous privent de votre emploi ?

Baley ne pouvait se retourner pour voir l'attitude de Clousarr, mais il était fermement convaincu que celui-ci devait se tenir aussi à l'écart que possible du robot, et que son regard devait exprimer une indicible aversion.

— Pas seulement de mon emploi ! répliqua Clousarr. Ils priveront de travail mes enfants, et tous les enfants qui naissent actuellement.

— Mais voyons, reprit R. Daneel, il doit sûrement y avoir un moyen d'arranger les choses ! Par exemple, vos enfants pourraient recevoir une formation spéciale en vue d'émigrer sur d'autres planètes.

— Ah ! vous aussi ? coupa le prisonnier. L'inspecteur m'en a déjà parlé. Il m'a l'air d'être rudement bien dressé par les robots, l'inspecteur ! Après tout, c'est peut-être un robot, lui aussi ?

— Ça suffit, Clousarr ! cria Baley.

— Une école spéciale d'émigration, reprit Daneel, donnerait aux jeunes un avenir assuré, le moyen de s'élever rapidement dans la hiérarchie, et elle leur offrirait un grand choix de carrières. Si vous avez le souci de faire réussir vos enfants, vous devriez sans aucun doute réfléchir à cela.

— Jamais je n'accepterai quoi que ce soit d'un robot, d'un Spacien, ni d'aucun des chacals qui travaillent pour vous autres dans notre gouvernement ! riposta Clousarr.

L'entretien en resta là. Tout autour d'eux s'appesantit le lourd silence de l'autoroute, que troublèrent seuls le ronronnement du moteur et le crissement des pneus sur le bitume.

Dès qu'ils furent arrivés à la préfecture de police, Baley signa un ordre d'incarcération provisoire concernant Clousarr, et il remit le prévenu entre les mains des gardiens de la prison ; puis il prit avec Daneel la motospirale menant aux bureaux. R. Daneel ne manifesta aucune surprise de ce qu'ils n'eussent pas pris l'ascenseur. Et Baley trouva normale cette acceptation passive du robot, à laquelle il s'habituait petit à petit ; il tendait en effet, et de plus en plus, à utiliser, quand il en avait besoin, les dons remarquables de son coéquipier, tout en le laissant étranger à l'élaboration de ses propres plans, En l'occurrence, l'ascenseur était évidemment le moyen logique le plus rapide de relier le quartier cellulaire de la prison aux services de la police. Le long tapis roulant de la motospirale, qui grimpait dans l'immeuble, n'était généralement utilisé que pour monter un ou deux étages. Les gens ne cessaient de s'y engager et d'en sortir un instant plus tard. Seuls, Baley et Daneel y demeurèrent, continuant leur lente et régulière ascension vers les étages supérieurs.

Baley avait en effet éprouvé le besoin de disposer d'un peu de temps. Si peu que ce fût — quelques minutes au maximum — il désirait ce court répit, avant de se retrouver violemment engagé dans la nouvelle phase de son enquête, ce qui n'allait pas manquer de se produire dès qu'il arriverait à son bureau. Il lui fallait réfléchir et décider de ce qu'il allait faire. Si lente que fût la marche de la motospirale, elle fut encore trop rapide à son gré.

— Vous ne me paraissez pas vouloir interroger Clousarr maintenant, Elijah ? dit R. Daneel.

— Il peut attendre ! répliqua Baley nerveusement. Je veux d'abord voir ce qu'est l'affaire R. Sammy. A mon avis, murmura-t-il, comme se parlant à lui-même plutôt qu'au robot, les deux affaires sont liées.

— C'est dommage ! reprit Daneel, suivant son idée. A cause des réactions cérébrales de Clousarr...

— Ah ? Qu'est-ce qu'elles ont eu de particulier ?

— Elles ont beaucoup changé ! Qu'est-ce qui s'est donc passé entre vous dans la salle des balances, pendant mon absence ?

— Oh, fit Baley, d'un air détaché, je me suis borné à le sermonner ! Je lui ai prêché l'évangile selon saint Fastolfe !

— Je ne vous comprends pas, Elijah...

Baley soupira, et entreprit de s'expliquer :

— Eh bien, voilà ! dit-il. J'ai tenté de lui expliquer comment les Terriens pourraient sans danger se servir de robots, et envoyer leur excédent de population sur d'autres planètes. J'ai essayé de le débarrasser de quelques-uns de ses préjugés médiévalistes, et Dieu seul sait pourquoi je l'ai fait ! Je ne me suis jamais fait l'effet d'un missionnaire, pourtant ! Quoi qu'il en soit, il ne s'est rien passé d'autre.

— Je vois ce que c'est ! Dans ce cas, le changement de réaction de Clousarr peut s'expliquer, répliqua R. Daneel. Que lui avez-vous dit en particulier sur les robots, Elijah ?

— Ça vous intéresse ? Eh bien, je lui ai montré que les robots n'étaient que des machines, ni plus ni moins. Ça, c'était l'évangile selon saint Gerrigel ! J'ai l'impression qu'il doit y avoir ainsi des évangiles de toutes espèces.

— Lui avez-vous dit, par hasard, qu'on peut frapper un robot sans craindre qu'il riposte, comme c'est le cas pour n'importe quelle machine ?

— A l'exception du « punching-ball » ! Oui, Daneel. Mais qu'est-ce qui vous a fait deviner cela ? demanda Baley, en regardant avec curiosité son associé.

— Cela explique l'évolution de ses réactions cérébrales, et surtout le coup qu'il m'a porté en sortant de l'usine. Il a dû réfléchir à ce que vous lui aviez dit, et il a voulu en vérifier l'exactitude. En même temps, cela lui a donné, d'une part, l'occasion d'extérioriser ses sentiments agressifs à mon égard, d'autre part le plaisir de me mettre dans ce qui, à ses yeux, fut un état d'infériorité. Du moment qu'il a été poussé à agir ainsi, et en tenant compte de ses variations delta...

Il réfléchit un instant, puis reprit :

— Oui, c'est très intéressant, et je crois que maintenant je peux former un tout cohérent avec l'ensemble des données que je possède.

Comme ils approchaient des bureaux, Baley demanda :

— Quelle heure est-il ?

Mais aussitôt il se morigéna, car il aurait eu plus vite le renseignement en consultant sa montre. Au fond, ce qui le poussait à demander ainsi l'heure au robot, c'était un peu le même désir qu'avait eu Clousarr en giflant R. Daneel : donner un ordre banal que le robot ne pouvait pas ne pas exécuter, lui démontrant ainsi qu'il n'était qu'une machine, et que lui, Baley, était un homme.

« Nous sommes bien tous les mêmes ! se dit-il.

Tous frères ! Que ce soit intérieurement ou extérieurement, nous sommes tous pareils ! »

— 20 h 10 ! répondit Daneel.

Ils quittèrent la motospirale, et, comme d'habitude, il fallut quelques secondes à Baley pour se réhabituer à marcher sur un terrain stable, après un long parcours sur le tapis roulant.

— Avec tout ça, grommela-t-il, moi non plus, je n'ai pas dîné ! Quel fichu métier !...

Par la porte grand ouverte de son bureau, on pouvait voir et entendre le commissaire Enderby. La salle des inspecteurs était vide et fraîchement nettoyée, et la voix d'Enderby y résonnait curieusement. Baley eut l'impression qu'elle était plus basse que de coutume, et il trouva à son chef un visage défait ; sans ses lunettes, qu'il tenait à la main, la tête ronde du commissaire principal semblait nue, et il manifestait un véritable épuisement, s'épongeant le front avec une serviette en papier toute fripée.

Dès qu'il aperçut Baley sur le seuil de son bureau, Enderby s'écria d'une voix soudain perçante.

— Ah, vous voilà tout de même, vous ! Où diable étiez-vous donc ?

Baley, haussant les épaules, négligea l'apostrophe et répliqua :

— Qu'est-ce qui se passe ? Où est l'équipe de nuit ?

A ce moment, seulement, il aperçut dans un coin de la pièce une seconde personne.

— Tiens ? fit-il froidement. Vous êtes donc ici, docteur Gerrigel ?

Le savant grisonnant répondit à cette remarque par une brève inclinaison de la tête.

— Enchanté de vous revoir, monsieur Baley, fit-il.

Enderby rajusta ses lunettes et dévisagea Baley.
— On procède actuellement, en bas, à l'interrogatoire de tout le personnel. Je me suis cassé la tête à vous chercher. Votre absence a paru bizarre.
— Bizarre ? s'écria Baley. En voilà une idée !
— Toute absence est suspecte. C'est quelqu'un de la maison qui a fait le coup, et ça va coûter cher ! Quelle sale, quelle écœurante, quelle abominable histoire !...
Il leva les mains, comme pour prendre le Ciel à témoin de son infortune, et, à ce moment, il se rendit compte de la présence de R. Daneel.
« Hum ! se dit Baley. C'est la première fois que vous regardez Daneel les yeux dans les yeux, mon pauvre Julius ! Je vous conseille de faire attention !
— Lui aussi, reprit Enderby d'une voix plus calme, il va falloir qu'il signe une déposition. J'ai bien dû en signer une, moi ! Oui, même moi !
— Dites-moi donc, monsieur le commissaire, dit Baley, qu'est-ce qui vous donne la certitude que R. Sammy n'a pas pu lui-même détériorer un de ses organes ? Qu'est-ce qui vous incite à penser qu'on l'a volontairement détruit ?
— Demandez-le-lui ! répliqua Enderby en s'asseyant lourdement, et en désignant d'un geste le Dr Gerrigel.
Celui-ci se racla la gorge et déclara :
— Je ne sais pas trop par quel bout prendre cette affaire, monsieur Baley. Votre attitude me fait croire que ma présence ici vous surprend.
— Un peu, oui, admit Baley.
— Eh bien, rien ne me pressait de rentrer à Washington, et comme mes visites à New York sont assez rares, j'ai un peu flâné. Chose plus importante, j'ai

eu de plus en plus la conviction que je commettais une très grande faute, en quittant la Cité sans avoir tenté au moins un nouvel effort, pour obtenir l'autorisation d'examiner votre sensationnel robot. Je vois d'ailleurs, ajouta-t-il sans dissimuler sa vive satisfaction, qu'il vous accompagne toujours.

— Je regrette, répliqua Baley, très nerveusement, mais c'est absolument impossible.

— Vraiment ? fit le savant, déçu. Pas tout de suite, bien sûr ! Mais peut-être plus tard ?...

Baley continua à montrer un visage de bois.

— J'ai essayé de vous atteindre au téléphone, mais vous étiez absent, reprit Gerrigel, et nul ne savait où l'on pouvait vous joindre. Alors, j'ai demandé le commissaire principal, qui m'a fait venir ici, afin de vous y attendre.

— J'ai pensé que cela pourrait vous être utile, dit Enderby à son collaborateur. Je savais que vous désiriez voir le docteur.

— Merci, fit Baley sèchement.

— Malheureusement, continua l'expert, mon indicateur ne fonctionnait pas bien, à moins que ce soit moi qui n'aie pas bien su m'en servir. Toujours est-il que je me suis trompé de chemin, et que j'ai abouti à une petite pièce.

— C'était une des chambres noires photographiques, Lije, dit Enderby.

— Et dans cette pièce, j'ai trouvé, couché à plat ventre sur le plancher, ce qui tout de suite m'a paru être un robot. Après un bref examen, j'ai constaté qu'il était irrémédiablement désactivé, ou, en d'autres termes, mort. Je n'ai d'ailleurs eu aucune peine à déterminer la cause de cette dévitalisation.

— Qu'est-ce que c'était ? demanda Baley.

— Dans la paume droite du robot, à l'intérieur de son poing presque fermé, se trouvait un petit objet brillant en forme d'œuf, de deux centimètres de long sur un centimètre de large, et comportant à l'une de ses extrémités du mica. Le poing du robot était en contact avec sa tête, comme si son dernier acte avait précisément consisté à se toucher la tempe. Or, ce qu'il tenait dans sa main était un vaporisateur d'alpha. Je pense que vous savez ce que c'est ?

Baley fit un signe de tête affirmatif. Il n'avait besoin ni de dictionnaire ni de manuel spécial, pour comprendre de quoi il s'agissait. Au cours de ses études de physique, il avait manipulé plusieurs fois au laboratoire ce genre d'objet. C'était un petit morceau de plomb, à l'intérieur duquel, dans une étroite rigole, on avait introduit un peu de sel de plutonium. L'une des extrémités du conduit était obturée par du mica, lequel laissait passer les particules d'alpha ; ainsi, des radiations ne pouvaient se produire que dans la seule direction de la plaque de mica. Un tel vaporisateur radioactif pouvait servir à beaucoup de fins, mais l'une de ses utilisations n'était certes pas — légalement tout au moins —, de permettre la destruction des robots.

— Il a donc dû toucher sa tête avec le mica du vaporisateur ? dit Baley.

— Oui, fit le savant, et son cerveau positronique a aussitôt cessé de fonctionner. Autrement dit, sa mort a été instantanée.

— Pas d'erreur possible, monsieur le commissaire ? demanda Baley. C'était vraiment un vaporisateur d'alpha ?

La réponse d'Enderby fut catégorique, et accompagnée d'un vigoureux signe de tête :

— Pas l'ombre d'un doute ! fit-il, ses grosses lèvres esquissant une moue. Les compteurs pouvaient déceler l'objet à trois mètres ! Les pellicules de photos qui se trouvaient dans la pièce étaient brouillées.

Il réfléchit un long moment, puis, brusquement, il déclara :

— Docteur Gerrigel, j'ai le regret de vous prier de rester ici un ou deux jours, le temps d'enregistrer votre déposition et de procéder aux vérifications indispensables. Je vais vous faire conduire dans une chambre qui vous sera affectée, et où vous voudrez bien rester sous bonne garde, si vous n'y voyez pas d'inconvénient.

— Oh ! fit le savant, l'air troublé. Croyez-vous que ce soit nécessaire ?

— C'est plus sûr !

Le Dr Gerrigel, très décontracté, serra les mains de tout le monde, y compris de R. Daneel, et s'en alla.

Enderby soupira profondément et dit à Baley :

— C'est quelqu'un du service qui a fait le coup, Lije, et c'est ça qui me tracasse. Aucun étranger ne serait venu ici, juste pour démolir un robot. Il y en a assez au-dehors qu'on peut détruire en toute sécurité. De plus, il a fallu qu'on puisse se procurer le vaporisateur. Ce n'est certes pas facile !

R. Daneel intervint alors, et sa voix calme, impersonnelle, contrasta étrangement avec l'agitation du commissaire.

— Mais quel peut bien avoir été le mobile de ce meurtre ?

Enderby lança au robot un regard manifestement dégoûté, puis il détourna les yeux.

— Que voulez-vous, nous aussi nous sommes des

hommes ! J'ai idée que les policiers ne peuvent pas mieux que leurs compatriotes en venir à aimer les robots ! Maintenant que R. Sammy a disparu, j'imagine que quelqu'un doit se sentir soulagé. Vous-même, Lije, vous vous souvenez qu'il vous agaçait beaucoup ?

— Ce n'est pas un mobile suffisant pour l'assassiner ! dit R. Daneel.

— Non, en effet, approuva Baley.

— Ce n'est pas un assassinat, répliqua Enderby, mais une destruction matérielle. N'employons pas de termes légalement impropres. Le seul ennui, c'est que cela s'est passé ici, à la préfecture même ! Partout ailleurs, ça n'aurait eu aucune importance, aucune ! Mais maintenant, cela peut faire un véritable scandale ! Voyons, Lije ?

— Oui ?...

— Quand avez-vous vu R. Sammy pour la dernière fois ?

— R. Daneel lui a parlé après déjeuner. Il pouvait être environ 13 h 30. Il lui a donné l'ordre d'empêcher qu'on nous dérange pendant que nous étions dans votre bureau.

— Dans mon bureau ? Et pourquoi cela ?

— Pour discuter de l'enquête le plus secrètement possible. Comme vous n'étiez pas là, votre bureau était évidemment pratique.

— Ah, bien ! fit Enderby l'air peu convaincu mais sans insister sur ce point. Ainsi donc, vous ne l'avez pas vu vous-même ?

— Non, mais une heure plus tard, j'ai entendu sa voix.

— Vous êtes sûr que c'était lui ?

— Absolument sûr.

— Alors, il devait être environ 14 h 30 ?

— Peut-être un peu plus tôt.

Le commissaire se mordit la lèvre inférieure.

— Eh bien, dit-il, cela éclaircit au moins un point.

— Lequel ?

— Le gosse, Vince Barrett, est venu au bureau aujourd'hui. Le saviez-vous ?

— Oui. Mais il est incapable de faire quoi que ce soit de ce genre.

— Et pourquoi donc ? répliqua Enderby en levant vers son collaborateur un regard surpris. R. Sammy lui avait pris sa place, et je comprends ce qu'il doit ressentir : il doit trouver cela affreusement injuste, et désirer se venger. Vous ne réagiriez pas de même, vous ? Mais il a quitté le bureau à 14 heures, et vous avez entendu R. Sammy parler à 14 h 30. Il peut évidemment avoir donné à R. Sammy le vaporisateur avant de s'en aller, en lui prescrivant de ne s'en servir qu'une heure plus tard. Mais où aurait-il pu s'en procurer un ? Cela me paraît inconcevable. Revenons-en à R. Sammy. Quand vous lui avez parlé, à 14 h 30, qu'a-t-il dit ?

Baley hésita légèrement avant de répondre :

— Je ne me rappelle plus. Nous sommes partis peu après.

— Où avez-vous été ?

— A la Centrale de levure. Il faut d'ailleurs que je vous en parle.

— Plus tard, plus tard, fit le commissaire en se grattant le menton. Par ailleurs, j'ai su que Jessie est venue ici aujourd'hui. Quand j'ai vérifié toutes les entrées et sorties des visiteurs, j'ai trouvé son nom sur le registre.

— C'est exact, elle est venue, répliqua froidement Baley.

— Pourquoi ?

— Pour régler des questions de famille.

— Il faudra l'interroger, pour la forme.

— Bien sûr, monsieur le commissaire ! Je connais la routine du métier. Mais, j'y pense, le vaporisateur, d'où venait-il ?

— D'une des Centrales d'énergie nucléaire.

— Comment peuvent-ils expliquer qu'on le leur ait volé ?

— Ils ne l'expliquent pas, et n'ont aucune idée de ce qui a pu se passer. Mais, à part la déposition qu'on va vous demander pour la forme, cette affaire R. Sammy ne vous concerne en rien, Lije. Tenez-vous-en à votre enquête actuelle. Tout ce que je voulais... Mais non ! Continuez à mener l'enquête sur l'affaire de Spacetown !...

— Puis-je faire ma déposition un peu plus tard, monsieur le commissaire ? Car je n'ai pas encore dîné.

— Mais bien sûr ! s'écria Enderby en regardant Baley bien en face. Allez vous restaurer, surtout ! Mais restez à la préfecture !... C'est votre associé qui a raison, ajouta-t-il, comme s'il lui répugnait de s'adresser à R. Daneel lui-même ou de le désigner par son nom. Ce qu'il faut, c'est trouver le mobile de cet acte... le mobile !...

Baley se sentit soudain frissonner. Presque malgré lui, il eut l'impression qu'un autre cerveau que le sien rassemblait les uns après les autres tous les incidents de la journée, ceux de la veille, et ceux de l'avant-veille. Une fois de plus, les morceaux de puzzle s'emboîtaient les uns les autres, et commençaient à former petit à petit un dessin cohérent.

— De quelle centrale provenait le vaporisateur, monsieur le commissaire ? demanda-t-il.

— De l'usine de Williamsburg. Pourquoi ?

— Oh ! pour rien, pour rien !...

Tandis qu'il sortait avec R. Daneel du bureau d'Enderby, il entendit encore celui-ci murmurer : « Le mobile !... Le mobile !... »

Il avala un léger repas dans la petite salle à manger de la préfecture de Police, laquelle était rarement utilisée. Cette collation consistait en une tomate séchée sur de la laitue, et il l'ingurgita sans même se rendre compte de ce que c'était ; une seconde ou deux après avoir mis dans sa bouche la dernière cuillerée, il s'aperçut qu'il continuait automatiquement à chercher dans son assiette vide des aliments qui n'y étaient plus.

— Quel imbécile je suis ! grommela-t-il en repoussant son couvert.

Puis il appela R. Daneel ; celui-ci s'était assis à une table voisine, comme s'il voulait laisser Baley réfléchir en paix à ce qui, de toute évidence, le préoccupait, à moins que ce ne fût pour mieux méditer lui-même ; mais l'inspecteur ne s'attarda pas à déterminer quelle était la véritable raison de cet éloignement.

Daneel se leva et vint s'asseoir à la table de Baley.

— Que désirez-vous, mon cher associé ? dit-il.

— Daneel, lui répondit Baley sans le regarder. J'ai besoin que vous m'aidiez.

— A quoi faire, Elijah ?

— On va nous interroger, Jessie et moi : c'est certain. Laissez-moi répondre à ma façon. Vous me comprenez ?

— Je comprends ce que vous me dites, bien sûr ! Mais si l'on me pose nettement une question, comment pourrai-je dire autre chose que la vérité ?

— Si l'on vous interroge, c'est une autre affaire. Tout ce que je vous demande, c'est de ne pas fournir de renseignements, de votre propre initiative. Vous pouvez le faire, n'est-ce pas ?

— Je pense que oui, Elijah, pourvu que l'on ne s'aperçoive pas que je cause du tort à quelqu'un en gardant le silence.

— C'est à moi que vous causerez du tort si vous parlez ! Cela, je peux vous en donner l'assurance !

— Je ne comprends pas très bien votre point de vue, Elijah. Car, enfin, l'affaire R. Sammy ne vous concerne absolument pas.

— Ah ! vous croyez ça ! Tout tourne autour du mobile qui a incité quelqu'un à commettre cet acte. Vous avez vous-même défini le problème. Le commissaire principal s'est aussi posé la question. J'en fais autant moi-même. Pourquoi quelqu'un a-t-il désiré supprimer R. Sammy ? Remarquez bien ceci : il ne s'agit pas seulement d'avoir voulu supprimer les robots en général, car c'est un mobile qui pourrait être constaté chez n'importe quel Terrien. La question capitale, c'est de savoir qui a pu vouloir éliminer R. Sammy. Vince Barrett en était capable, mais le commissaire a estimé que ce gosse n'aurait jamais pu se procurer un vaporisateur d'alpha, et il a eu raison. Il faut chercher ailleurs, et il se trouve qu'une autre personne avait un mobile pour commettre cet acte. C'est d'une évidence criante, aveuglante. Ça se sent à plein nez !

— Et qui est cette personne, Elijah ?

— C'est moi, Daneel ! dit doucement Baley.

Le visage inexpressif de R. Daneel ne changea pas à l'énoncé de cette déclaration, et le robot se borna à secouer vigoureusement la tête.

— Vous n'êtes pas d'accord, à ce que je vois, reprit l'inspecteur. Voyons ! Ma femme est venue au bureau aujourd'hui. Tout le monde le sait, et le commissaire s'est même demandé ce qu'elle était venue faire ici. Si je n'étais pas un de ses amis personnels, il n'aurait pas cessé si vite de m'interroger. Mais on va sûrement découvrir pourquoi Jessie est venue ; c'est inévitable. Elle faisait partie d'une conspiration, stupide et inoffensive sans doute, mais pourtant réelle. Or, un inspecteur de police ne peut se permettre d'avoir une femme mêlée à ce genre d'histoire. Mon intérêt évident a donc été de veiller à étouffer l'affaire. Qui, en fait, était au courant ? Vous et moi, et Jessie bien entendu, et puis R. Sammy. Il l'a vue dans un état d'affollement complet. Quand il lui a interdit l'entrée du bureau, elle a dû perdre la tête : rappelez-vous la mine qu'elle avait quand elle est entrée !

— Il me semble improbable, répliqua R. Daneel, qu'elle lui ait dit quelque chose de compromettant.

— C'est possible. Mais je vois comment les enquêteurs vont raisonner. Ils l'accuseront de s'être trahie, et dès lors, ils me trouveront un mobile plausible : j'ai supprimé R. Sammy pour l'empêcher de parler.

— Ils ne penseront pas cela !

— Détrompez-vous bien ! Ils vont le penser ! Le meurtre a été commis précisément pour me rendre suspect. Pourquoi se servir d'un vaporisateur ? C'était un moyen plutôt risqué. Il est difficile de s'en procurer, et c'est un objet dont on peut aisément trouver l'origine. C'est bien pour cela qu'on l'a utilisé. L'assassin a même ordonné à R. Sammy de se rendre dans la chambre noire et de s'y tuer. Je considère comme évident que l'on a agi ainsi, pour empêcher la moindre erreur de jugement sur la méthode employée par le criminel. Car, même si nous avions tous été assez stupides pour ne pas reconnaître immédiatement le vaporisateur, quelqu'un n'aurait pas manqué de s'apercevoir très vite que les pellicules photographiques étaient brouillées.

— Et comment tout ceci vous compromettrait-il, Elijah ? demanda R. Daneel.

Baley eut un pâle sourire, mais son visage amaigri ne reflétait aucune gaieté, bien au contraire.

— D'une façon très précise, répondit-il. Le vaporisateur provient de la centrale d'énergie nucléaire que vous et moi nous avons traversée hier. On nous y a vus, et cela va se savoir. J'ai donc pu m'y procurer l'arme, alors que j'avais déjà un mobile pour agir. Et l'on peut très bien affirmer que nous sommes les derniers à avoir vu et entendu R. Sammy, à l'exception, bien sûr, du véritable criminel.

— J'étais avec vous, et je peux témoigner que vous n'avez pas eu l'occasion de voler un vaporisateur dans la centrale.

— Merci, dit tristement Baley. Mais vous êtes un robot, et votre témoignage est sans valeur.

— Le commissaire principal est votre ami : il m'écoutera !

— Il a d'abord sa situation à sauvegarder, et j'ai

remarqué qu'il n'est déjà plus très à l'aise avec moi. Je n'ai qu'une seule et unique chance de me tirer de cette très fâcheuse situation.

— Laquelle ?

— Je me demande : pourquoi suis-je ainsi l'objet d'un coup monté ? Il est évident qu'on veut se débarrasser de moi. Mais pourquoi ? Il est non moins évident que je constitue un danger pour quelqu'un. Or, je fais de mon mieux pour mettre en danger celui qui a tué le Dr Sarton, à Spacetown. Cela implique qu'il s'agit de Médiévalistes, bien sûr, ou tout au moins d'un petit groupe de gens appartenant à ce mouvement. C'est dans ce groupe qu'on a dû savoir que j'avais traversé la centrale d'énergie atomique ; l'un de ces gens a peut-être réussi à nous suivre sur les tapis roulants jusqu'à la porte de la centrale, alors que vous pensiez que nous les avions tous semés en route. Il en résulte que si je trouve l'assassin du Dr Sarton, je trouve du même coup celui ou ceux qui essaient de se débarrasser de moi. Si donc je réfléchis bien, et si je parviens à résoudre l'énigme, oui, si seulement j'y parviens, alors je suis sauvé ! Moi et Jessie ! Pourtant, je ne supporterais pas de la voir inculpée !... Mais je n'ai pas beaucoup de temps ! fit-il, serrant et desserrant tour à tour son poing. Non ! Je n'ai pas beaucoup de temps devant moi !...

Et soudain il leva les yeux, avec un fol espoir, vers le visage finement ciselé de R. Daneel. Quelle que fût la nature de cette créature mécanique, le robot s'était révélé un être fort et loyal, inaccessible à l'égoïsme. Que peut-on demander de plus à un ami ? Or, Baley avait en cet instant besoin d'un ami ; et il n'était certes pas d'humeur à ergoter sur le fait que des engrenages remplaçaient, dans le corps de celui-là, les vaisseaux sanguins.

Mais R. Daneel secoua la tête et déclara, sans que, bien entendu, l'expression de son visage se modifiât :

— Je m'excuse beaucoup, Elijah, mais je ne m'attendais à rien de tout cela. Peut-être mon activité va-t-elle avoir pour résultat de vous causer du tort ; mais il ne faut pas m'en vouloir, car l'intérêt général a exigé que j'agisse ainsi.

— Que voulez-vous dire ? balbutia Baley.

— Je viens d'avoir un entretien avec le Dr Fastolfe.

— Ah oui ! Et quand ça ?

— Pendant que vous dîniez.

— Et alors ? fit Baley, serrant les lèvres. Que s'est-il passé ?

— Pour vous disculper des soupçons qu'on fait peser sur vous au sujet du meurtre de R. Sammy, il faudra trouver un autre moyen que l'enquête sur l'assassinat du Dr Sarton, mon créateur. En effet, à la suite de mes comptes rendus, les autorités de Spacetown ont décidé de clore notre enquête ce soir même, et de se préparer à quitter au plus tôt Spacetown et la Terre.

17
REUSSITE D'UNE EXPERIENCE

Ce fut presque avec détachement que Baley regarda sa montre. Il était 21 h 45. Dans deux heures et quart minuit sonnerait. Il s'était réveillé avant 6 heures du matin, et, depuis deux jours et demi, il avait vécu en état de tension permanente. Aussi en était-il arrivé à un point où tout lui semblait un peu irréel. Il tira de sa poche sa pipe et la petite blague qui contenait encore quelques précieuses parcelles de tabac, puis, s'efforçant non sans peine de conserver une voix calme, il répondit :

— Qu'est-ce que tout cela signifie, Daneel ?

— Ne le comprenez-vous donc pas ? N'est-ce pas évident ?

— Non, répliqua patiemment Baley. Je ne comprends pas et ce n'est pas évident.

— La raison de notre présence à Spacetown, dit le robot, c'est que notre peuple désire briser la carapace dont la Terre s'est entourée, et forcer ainsi vos compatriotes à de nouvelles émigrations, bref, à coloniser.

— Je le sais, Daneel. Inutile d'insister là-dessus.

— Il le faut, cependant, Elijah, car c'est le point

capital. Si nous avons été désireux d'obtenir la sanction du meurtre du Dr Sarton, ce n'était pas, vous le comprenez, parce que nous espérions ainsi faire revenir à la vie mon créateur ; c'était uniquement parce que, si nous n'avions pas agi de cette manière, nous aurions renforcé la position de certains politiciens qui, sur notre planète, manifestent une opposition irréductible au principe même de Spacetown.

— Mais maintenant, s'écria Baley avec une violence soudaine, vous venez m'informer que vous vous préparez à rentrer chez vous de votre propre initiative ! Pourquoi, au nom du Ciel ? Pourquoi ? La solution de l'énigme Sarton est extrêmement proche. Elle ne peut pas ne pas être à portée de ma main, sans quoi on ne se donnerait pas tant de mal pour m'éliminer de l'enquête. J'ai nettement l'impression que je possède toutes les données indispensables pour découvrir la solution du problème. Cette solution, elle doit se trouver ici même, quelque part ! dit-il rageusement, on se frappant les tempes d'un geste presque frénétique. Il suffirait, pour que je la déniche, d'une phrase, d'un mot ! J'en suis sûr !...

Il ferma longuement les yeux, comme si les ténèbres opaques dans lesquelles il tâtonnait depuis soixante heures commençaient à se dissiper, laissant paraître la lumière. Mais hélas, celle-ci ne surgissait pas ! Pas encore ! Il frissonna, respira profondément, et se sentit honteux. Il se donnait en spectacle, fort pitoyablement, devant une machine froide et insensible, qui ne pouvait que le dévisager en silence.

— Eh bien, tant pis ! finit-il par dire. Pourquoi les Spaciens s'en vont-ils ?

— Nous sommes arrivés au terme de notre expérience, et notre but est atteint : nous sommes convaincus, maintenant, que la Terre va se remettre à coloniser.

— Ah ! vraiment ? Vous avez opté pour l'optimisme, à ce que je vois !

Le détective tira la première bouffée du bienfaisant tabac, et il sentit qu'il redevenait enfin maître de lui.

— C'est moi qui suis optimiste, répliqua R. Daneel. Depuis longtemps, nous autres Spaciens, nous avons tenté de changer la mentalité des Terriens en modifiant l'économie de la Terre. Nous avons essayé d'implanter chez vous notre propre civilisation C/Fe. Vos gouvernements, que ce soit celui de votre planète ou celui de n'importe quelle Cité, ont coopéré avec nous, parce qu'ils ne pouvaient faire autrement. Et pourtant, après vingt-cinq ans de travail, nous avons échoué : plus nous avons fait d'efforts, plus l'opposition des Médiévalistes est également renforcée.

— Je sais tout cela, dit Baley, qui songea . « A quoi bon l'interrompre ? Il faut qu'il raconte son histoire à sa façon ; comme un disque. Ah, machine ! » eut-il envie de hurler.

— Ce fut le Dr Sarton, reprit R. Daneel, qui, le premier, fut d'avis de réviser notre tactique. Il estimait que nous devions d'abord trouver une élite de Terriens partageant nos désirs, ou pouvant être persuadés de la justesse de nos vues. En les encourageant et en les aidant, nous pourrions les inciter à créer eux-mêmes un courant d'opinion, au lieu de les incorporer dans un mouvement d'origine étrangère. La difficulté consistait à trouver sur Terre le meilleur élément convenant à notre plan. Or, vous avez été vous-même, Elijah, une expérience fort intéressante.

— Moi ?... Moi ?... Que voulez-vous dire ?

— Quand le commissaire principal vous a recommandé à nous, nous en avons été très contents. Votre profil psychique nous a tout de suite montré que vous étiez un type de Terrien très utile à la poursuite de notre but. La cérébroanalyse, à laquelle j'ai procédé sur vous dès notre première rencontre, a confirmé l'opinion que nous avions de vous. Vous êtes un réaliste, Elijah. Vous ne rêvez pas romantiquement sur le passé de la Terre, quel que soit l'intérêt fort louable que vous professez pour les études historiques. Et vous n'ingurgitez pas non plus, en homme têtu et obstiné, tout ce que la culture des Cités terrestres actuelles tend à vous inculquer. C'est pourquoi nous nous sommes dit que c'étaient des Terriens dans votre genre qui pouvaient, de nouveau, mener leurs compatriotes vers les étoiles. C'était une des raisons pour lesquelles le Dr Fastolfe désirait tant vous voir, hier matin. A la vérité, votre esprit réaliste nous a d'abord mis dans l'embarras. Vous vous êtes refusé à admettre que, même pour servir fanatiquement un idéal, fût-il erroné, un homme pût accomplir des actes ne correspondant pas à ses moyens normaux : par exemple, traverser, de nuit et seul, la campagne, pour aller supprimer celui qu'il considérait comme le pire ennemi de sa propre cause. C'est pourquoi nous n'avons pas été exagérément surpris, quand vous avez tenté de prouver, avec autant d'obstination que d'audace, que ce meurtre était une duperie. Cela nous a montré, dans une certaine mesure, que vous étiez l'homme dont nous avions besoin pour notre expérience.

— Mais, pour l'amour du Ciel, s'écria Baley en frappant du poing sur la table, de quelle expérience parlez-vous ?

— Elle consiste à tenter de vous persuader que la réponse aux problèmes dans lesquels la Terre se débat, c'est d'entreprendre de nouvelles colonisations.

— Eh bien, vous avez réussi à me persuader : ça, je vous l'accorde !

— Oui, sous l'influence d'une certaine drogue...

Baley, bouche bée, lâcha sa pipe, qu'il rattrapa au vol. Il revécut la scène de Spacetown, et son long retour à la conscience, après s'être trouvé mal en découvrant que R. Daneel était bien un robot : celui-ci lui pinçait le bras et lui faisait une piqûre...

— Qu'est-ce qu'il y avait dans la seringue ? balbutia-t-il.

— Rien de nocif, soyez-en sûr, Elijah ! Ce n'était qu'une drogue inoffensive, simplement destinée à vous rendre plus compréhensif.

— De cette façon, j'étais obligé de croire tout ce qu'on me racontait, n'est-ce pas ?

— Pas tout à fait. Vous n'auriez rien cru qui fût en contradiction avec ce qui, déjà, constituait la base de votre pensée secrète. En réalité, les résultats de l'opération ont été décevants. Le Dr Fastolfe avait espéré que vous épouseriez fanatiquement ses théories. Au lieu de cela, vous les avez approuvées avec une certaine réserve. Votre réalisme naturel s'opposait à toute spéculation hasardeuse. Alors nous nous sommes rendu compte que notre seul espoir de succès, c'était de convaincre des natures romanesques ; malheureusement, tous les rêveurs sont des Médiévalistes, soit réels, soit en puissance.

Baley ne put s'empêcher d'éprouver un sentiment de fierté à la pensée que, grâce à son obstination, il les avait déçus : cela lui fit un intense plaisir. Après tout, ils n'avaient qu'à faire leurs expériences sur d'autres gens ! Et il répliqua, durement :

— Alors, maintenant, vous laissez tout tomber, et vous rentrez chez vous ?

— Comment cela ? Mais pas du tout ! Je viens de vous dire, tout à l'heure, que nous étions maintenant convaincus que la Terre se décidera à coloniser de nouveau. Et c'est vous qui nous avez donné cette assurance.

— Moi ?... Je voudrais bien savoir comment, par exemple !

— Vous avez parlé à Francis Clousarr des bienfaits de la colonisation. J'ai l'impression que vous vous êtes exprimé avec beaucoup d'ardeur ! Cela, c'était déjà un bon résultat de notre expérience. Mais, bien plus, les réactions de Clousarr, déterminées par cérébroanalyse, ont nettement évolué ; le changement a été sans doute assez subtil à déceler, mais il fut incontestable.

— Vous prétendez que je l'ai convaincu de la justesse de mes vues ? Cela, je n'y crois pas.

— Non. On ne convainc pas si facilement les gens ; mais les changements révélés par la cérébroanalyse ont démontré, de façon pertinente, que l'esprit médiévaliste demeure ouvert à ce genre de persuasion. J'ai moi-même poussé plus loin les choses. En quittant l'usine de levure, j'ai deviné, en constatant les modifications survenues dans les réactions cérébrales de Clousarr, ce qui s'était passé entre vous. Alors, j'ai fait allusion à la création d'écoles spéciales, préparant les jeunes à des émigrations futures, et préconisé la colonisation comme le meilleur moyen d'assurer l'avenir de ses enfants. Il a repoussé cette idée, mais, de nouveau, son aura s'est modifiée. Dès lors, il m'a paru parfaitement évident que c'était sur ce plan-là que l'on avait le plus de chances de s'attaquer avec succès aux préjugés dont souffrent vos compatriotes.

R. Daneel s'arrêta un instant, puis il reprit :

— Ce que l'on appelle le Médiévalisme est une tournure d'esprit qui n'exclut pas le goût d'entreprendre. Cette faculté de redevenir des pionniers qu'ont les Médiévalistes, c'est, bien entendu, à la Terre de décider dans quelle voie il faut l'utiliser et la développer. Elle tend actuellement à se tourner vers la Terre elle-même, qui est toute proche, et riche d'un passé prestigieux. Mais la vision des Mondes Extérieurs n'est pas moins fascinante, pour tout esprit aventureux, et Clousarr en a incontestablement subi l'attrait, après vous avoir entendu lui exposer les principes d'une nouvelle expansion.

« Il en résulte que nous, les Spaciens, nous avons d'ores et déjà atteint le but que nous nous étions fixés, et sans même nous en rendre compte. Or, c'est nous-mêmes, bien plus que toute idée nouvelle que nous tentions de vous faire accepter, qui avons représenté le principal obstacle au succès de notre entreprise. Nous avons poussé tous ceux qui, sur Terre, se montraient épris d'aventures romanesques, à tourner au Médiévalisme, et à s'organiser en un mouvement cristallisant leurs aspirations les plus ardentes. Après tout, c'est le Médiévaliste qui cherche à s'affranchir de coutumes qui paralysent actuellement son développement ; alors que les hauts fonctionnaires des Cités ont tout à gagner au maintien du « statu quo ». Maintenant, il faut que nous quittions Spacetown, et que nous cessions d'irriter les Médiévalistes par notre continuelle présence, sans quoi ils se voueront irrémédiablement à la Terre, et à la Terre seule. Il faut que nous laissions derrière nous quelques-uns de nos compatriotes et quelques robots comme moi ; et avec le concours de Terriens compréhensifs, comme vous, nous jetterons les bases d'écoles de colonisation comme celles dont j'ai parlé à Clousarr. Alors, peut-être, les Médiévalistes consentiront-ils à regarder ailleurs que vers la Terre. Ils auront automatiquement besoin de robots, et nous les leur procurerons, à moins qu'ils ne réussissent à en construire eux-mêmes. Et petit à petit, ils se convaincront de la nécessité de créer une culture et une société nouvelles, celles que je vous ai désignées sous le symbole C/Fe, parce que c'est cela qui leur conviendra le mieux.

R. Daneel avait parlé longtemps, tout d'une traite, et, s'en rendant compte, il ajouta en manière d'excuse :

— Si je vous ai dit tout cela, c'est pour vous expliquer pourquoi j'ai été, hélas ! obligé de faire quelque chose qui peut vous causer personnellement du tort.

« Evidemment ! songea Baley, non sans amertume. Un robot ne doit faire aucun tort à un homme, à moins qu'il trouve un moyen de prouver qu'en fin de compte le tort qu'il aura causé profite à l'humanité en général ! »

— Un instant, je vous prie ! ajouta-t-il, tout haut cette fois. Je voudrais revenir à des questions pratiques. Vous allez donc rentrer chez vous ; mais vous y annoncerez qu'un Terrien a tué un Spacien, et n'a été ni découvert ni par conséquent puni. Les Mondes Extérieurs exigeront aussitôt de nous une indemnité ; mais je tiens à vous avertir, Daneel, que la Terre n'est plus disposée à se faire traiter ainsi, et qu'il y aura de la bagarre.

— Je suis certain qu'il ne se passera rien de tel, Elijah. Ceux d'entre nous qui préconiseraient le plus une indemnité de ce genre sont ceux-là mêmes qui réclament le plus ardemment la fin de l'expérience entreprise à Spacetown. Il nous sera donc facile de leur présenter cette dernière décision comme une compensation, s'ils consentent à ne plus exiger de vous d'indemnité. C'est, en tout cas, ce que nous avons l'intention de faire : nous voulons qu'on laisse les Terriens tranquilles.

— Tout cela est bien joli, rétorqua Baley, dont le désespoir était si violent que sa voix en devint rauque. Mais qu'est-ce que je vais devenir, moi, là-dedans ? Si telle est la volonté de Spacetown, le commissaire principal laissera tomber l'affaire Sarton sur-le-champ. Mais l'affaire R. Sammy, elle, continuera à suivre son cours, attendu qu'elle implique nécessairement la culpabilité d'au moins un membre de l'Administration. A tout moment, je m'attends maintenant à voir Enderby se dresser devant moi, avec un écrasant faisceau de preuves qui m'accableront. Je le sens. J'en suis sûr. C'est un coup bien monté, Daneel ! Je serai déclassé ! Et quand à Jessie, elle sera traînée dans la boue comme une criminelle ! Et Dieu sait ce qu'il adviendra de mon fils !...

— Ne croyez pas, Elijah, que je ne me rende pas compte de ce qu'est actuellement votre douloureuse position. Mais quand c'est l'intérêt même de l'humanité qui est en jeu, il faut admettre les torts inévitables que certains êtres subissent. Le Dr Sarton a laissé une veuve, deux enfants, des parents, une sœur, beaucoup d'amis. Tous le pleurent et sont indignés à la pensée que son meurtrier n'a été ni trouvé ni châtié.

— Alors, pourquoi ne pas rester ici, Daneel, et le découvrir ?

— Maintenant, ce n'est plus nécessaire.

— Allons donc ! dit amèrement Baley. Vous feriez mieux de reconnaître franchement que toute cette enquête n'a été qu'un prétexte pour nous étudier plus facilement, plus librement. En fait, vous ne vous êtes pas le moins du monde soucié de démasquer l'assassin.

— Nous aurions aimé savoir qui a commis ce crime, répondit calmement R. Daneel ; mais il ne nous est jamais arrivé de nous demander si l'intérêt d'un homme ou d'une famille primait l'intérêt général, Elijah. Pour nous, poursuivre l'enquête serait risquer de compromettre une situation qui nous paraît satisfaisante : nul ne peut prévoir la gravité des conséquences et des dommages qui en résulteraient.

— Vous estimez donc que le coupable pourrait être une haute personnalité médiévaliste, et que désormais les Spaciens ne veulent rien faire qui risque de dresser contre eux des gens en qui ils voient déjà leurs futurs amis ?

— Je ne me serais pas exprimé tout à fait comme vous, Elijah, mais il y a du vrai dans ce que vous venez de dire.

— Et votre amour de la justice, Daneel, vos circuits spéciaux, qu'est-ce que vous en faites ? Vous trouvez qu'elle est conforme à la justice, votre attitude ?

— Il y a divers plans dans le domaine de la justice, Elijah. Si, pour l'instaurer sur le plan le plus élevé, on constate qu'il est impossible de résoudre équitablement certains cas particuliers, à l'échelon inférieur, il faut sacrifier ceux-ci à l'intérêt général.

Dans cette controverse, Baley eut l'impression d'user de toute son intelligence pour assiéger l'inexpugnable logique du cerveau positronique de R. Daneel. Parviendrait-il à y découvrir une fissure, un point faible ? Son sort en dépendait. Il répliqua :

— Ne ressentez-vous, vous-même, aucune curiosité personnelle, Daneel ? Vous vous êtes présenté à moi comme un détective. Savez-vous ce que ce terme implique ? Ne comprenez-vous pas que, dans une enquête, il y a plus que l'accomplissement d'une tâche professionnelle ? C'est un défi que l'on a entrepris de relever. Votre cerveau se mesure à celui du criminel, dans une lutte sans merci. C'est un combat entre deux intelligences. Comment donc abandonner la lutte et se reconnaître battu ?

— Il ne faut certainement pas la continuer, déclara le robot, si son issue ne peut rien engendrer d'avantageux.

— Mais, dans ce cas, n'éprouverez-vous pas le sentiment que vous avez perdu quelque chose ? Ne vous restera-t-il aucun regret d'ignorer ce que vous avez tant cherché à découvrir ? Ne vous sentirez-vous pas insatisfait, mécontent de ce que votre curiosité ait été frustrée ?

Tout en parlant, Baley, qui ne comptait qu'à peine, dès le début, convaincre son interlocuteur, sentit faiblir même cette vague lueur d'espérance. Pour la seconde fois, il avait usé du mot curiosité, et ce mot lui rappela ce qu'il avait dit, quatre heures auparavant, à Francis Clousarr. Il avait eu alors la confirmation saisissante des qualités qui différencieront toujours l'homme de la machine. La curiosité était l'une d'elles ; il fallait qu'elle le fût. Un petit chaton de six semaines est curieux, mais comment une machine pourrait-elle jamais éprouver de la curiosité, si humanoïde qu'elle soit ?...

Comme s'il faisait écho à ces réflexions, R. Daneel lui demanda :

— Qu'entendez-vous par curiosité ?

Baley chercha la définition la plus flatteuse possible :

— Nous appelons curiosité, finit-il par répondre, le désir que nous éprouvons d'accroître notre savoir.

— Je suis animé, moi aussi, d'un tel désir, dit le robot, quand l'accomplissement d'une tâche que l'on m'a confiée exige que j'accroisse mes connaissances dans certains domaines.

— Ah oui ! fit Baley, non sans ironie. Ainsi, par exemple, vous m'avez posé des questions au sujet des verres correcteurs de mon fils Bentley : c'était pour mieux connaître les coutumes des Terriens, n'est-ce pas ?

— Exactement, répliqua R. Daneel, sans relever l'ironie de la remarque. Mais un accroissement du savoir, sans but déterminé — ce qui, je crois, correspond au mot curiosité, tel que vous l'avez employé — est à mon sens quelque chose d'improductif. Or, j'ai été conçu et construit pour éviter tout ce qui est improductif.

Ce fut ainsi que, tout à coup, Elijah Baley eut la révélation de la « phrase » qu'il cherchait, qu'il attendait depuis des heures ; et, en un instant, l'épais brouillard dans lequel il se débattait se dissipa, faisant place à une vive et lumineuse transparence. Tandis que R. Daneel continuait à parler, les lèvres du détective s'entrouvrirent et il resta un long moment bouche bée.

Certes, sa pensée ne saisissait pas encore dans son ensemble toute la vérité. Elle se révéla à lui plus subtilement que cela. Quelque part, au plus profond de son subconscient, une thèse s'était édifiée ; il l'avait élaborée avec soin, dans les moindres détails ; mais, à un moment donné, il s'était trouvé stoppé par un illogisme. Cet illogisme-là, on ne pouvait ni sauter par-dessus, ni le fouler aux pieds, ni l'écarter d'un geste : tant qu'il n'aurait pas réussi à en supprimer les causes, Baley savait que sa thèse demeurerait enfouie dans les ténèbres de sa pensée, et qu'il lui serait impossible de lui donner pour bases des preuves péremptoires.

Mais la phrase révélatrice avait enfin été dite, l'illogisme s'était dissipé, et sa thèse tenait maintenant debout : tout s'expliquait.

La soudaine clarté qui semblait avoir jailli dans son cerveau stimula puissamment Baley. Tout d'abord, il savait désormais quel était exactement le point faible de R. Daneel et de toute machine. Plein d'un fiévreux espoir, il songea :

« Il n'y a pas de doute ! Le cerveau positronique doit être tellement positif qu'il prend tout ce qu'on lui dit à la lettre !... »

Après avoir longuement réfléchi, il dit au robot :

— Ainsi donc, à dater d'aujourd'hui, Spacetown considère comme close l'expérience à laquelle sa création avait donné naissance, et, du même coup, l'affaire Sarton est enterrée ? C'est bien cela, n'est-ce pas ?

— Telle est en effet la décision prise par les Spaciens, Elijah, répondit tranquillement R. Daneel.

— Voyons ! dit Baley en consultant sa montre. Il est 22 h 30. La journée n'est pas finie, et il reste encore une heure et demie avant que minuit sonne !

R. Daneel ne répondit rien et parut réfléchir.

— Donc, reprit Baley, s'exprimant cette fois rapidement, jusqu'à minuit il n'y a rien de changé, ni aux plans de Spacetown ni à l'enquête qu'on nous a confiée, et vous continuez à la mener avec moi, Daneel, en pleine association !

Plus il parlait, plus sa hâte l'incita à user d'un langage presque télégraphique.

— Reprenons donc l'enquête ! Laissez-moi travailler. Ça ne fera aucun mal aux Spaciens ! Au contraire, ça leur fera beaucoup de bien. Parole d'honneur ! Si vous estimez que je leur cause le moindre tort, vous m'arrêterez. Je n'en ai pas pour longtemps, d'ailleurs : une heure et demie ! Ce n'est pas grand-chose !

— On ne peut rien objecter à ce que vous venez de dire, Elijah, répondit R. Daneel. La journée n'est pas achevée, en effet, je n'y avais pas pensé, mon cher associé.

« Tiens, tiens ! songea Baley en souriant. Je suis de nouveau le « cher associé » !... »

— Dites-moi, ajouta-t-il tout haut, quand j'étais à Spacetown, est-ce que le Dr Fastolfe n'a pas fait allusion à un film que l'on a pris sur les lieux du crime ?

— Oui, c'est exact.

— Pouvez-vous m'en montrer un exemplaire ?

— Bien sûr, Elijah.

— Je veux dire : maintenant ! Instantanément !

— Oh, dans dix minutes au maximum, si je peux me servir des transmissions de la préfecture !

Il lui fallut moins de temps que cela pour mener à bien l'opération. Baley tint dans ses mains, qui tremblaient un peu, un tout petit appareil en aluminium que R. Daneel venait de lui remettre, et dont une des faces comportait une lentille. Sous l'effet d'une mystérieuse action provenant de Spacetown, le film désiré allait pouvoir dans un instant être transmis à ce micro-projecteur, et les images tant attendues allaient apparaître sur le mur de la salle à manger, qui servirait d'écran.

Tout à coup, la voix du commissaire principal retentit dans la pièce. Il se tenait sur le seuil, et, à la vue de ce que faisait Baley, il ne put réprimer un tressaillement, tandis qu'un éclair de colère passait dans ses yeux.

— Dites donc, Lije, s'écria-t-il d'une voix mal assurée, vous en mettez un temps à dîner !

— J'étais mort de fatigue, monsieur le commissaire, fit l'inspecteur. Je m'excuse de vous avoir fait attendre.

— Oh ! ce n'est pas bien grave. Mais... venez donc chez moi !

Baley mit l'appareil dans sa poche, et fit signe à R. Daneel de le suivre.

Quand ils furent tous trois dans son bureau, Enderby commença par arpenter la pièce de long en large, sans dire un mot. Baley, lui-même, tendu à l'extrême, l'observa en silence et regarda l'heure : il était 22 h 45. Le commissaire releva ses lunettes sur son front, et se frotta tellement les yeux qu'il fit rougir sa peau tout autour des orbites. Puis, ayant remis ses verres en place, il regarda longuement Baley avant de lui demander, d'un ton bourru :

— Quand avez-vous été pour la dernière fois à la centrale de Williamsburg, Lije ?

— Hier, quand j'ai quitté le bureau ; il devait être environ 18 heures, à peine plus que cela !

— Ah ! fit le commissaire en hochant la tête. Pourquoi ne me l'avez-vous pas dit ?

— J'allais vous en parler. Je n'ai pas encore remis ma déposition !

— Pourquoi êtes-vous allé là-bas ?

— Je n'ai fait que traverser l'usine en rentrant à notre appartement provisoire.

— Non, Lije ! Ça n'existe pas ! Personne ne traverse une centrale pareille pour aller ailleurs.

Baley haussa les épaules. Il était sans intérêt de revenir sur la poursuite des Médiévalistes dans le dédale des tapis roulants. Ce n'était pas le moment. Aussi se borna-t-il à répliquer :

— Si vous essayez d'insinuer que j'ai eu l'occasion de me procurer le vaporisateur d'alpha qui a détruit R. Sammy, je me permets de vous rappeler que Daneel était avec moi ; il peut témoigner que j'ai traversé la centrale sans m'arrêter, et qu'enfin je n'avais pas de vaporisateur sur moi quand j'en suis sorti.

Le commissaire principal s'assit lentement. Il ne tourna pas les yeux vers R. Daneel et ne lui parla pas davantage. Il étendit sur la table ses mains potelées et les regarda d'un air très malheureux.

— Ah ! Lije ! fit-il. Je ne sais vraiment que dire ou que penser ! Et il ne sert de rien de prendre votre... associé pour alibi ! Vous savez bien que son témoignage est sans valeur !

— Je n'en nie pas moins formellement m'être procuré un vaporisateur !

Les doigts du commissaire se nouèrent puis se dénouèrent nerveusement.

— Lije, reprit-il, pourquoi Jessie est-elle venue vous voir cet après-midi ?

— Vous me l'avez déjà demandé. Je vous répète que c'était pour régler des questions de famille.

— Francis Clousarr m'a donné des renseignements, Lije.

— De quel genre ?

— Il affirme qu'une certaine Jézabel Baley est membre d'un mouvement médiévaliste clandestin, dont le but est de renverser par la force le gouvernement de la Cité.

— Etes-vous sûr qu'il s'agit d'elle ? Il y a beaucoup de Baley !

— Il n'y a pas beaucoup de Jézabel Baley !

— Il l'a désigné par son prénom ? Vraiment ?

— Oui. Il a dit : Jézabel. Je l'ai entendu de mes oreilles, Lije. Je ne vous répète pas le compte rendu d'une tierce personne !

— Bon ! Admettons que Jessie ait appartenu à une société composée de rêveurs à moitié timbrés : tout ce qu'elle y a fait, c'est assister à des réunions qui lui portaient sur les nerfs !

— Ce n'est pas ainsi qu'en jugeront les membres d'un conseil de discipline, Lije !

— Prétendez-vous que je vais être suspendu de mes fonctions, et tenu pour suspect d'avoir détruit un bien d'Etat, en la personne de R. Sammy ?

— J'espère qu'on n'en arrivera pas là, Lije. Mais les choses m'ont l'air de prendre une très mauvaise tournure ! Tout le monde sait que vous détestiez

R. Sammy. Votre femme lui a parlé cet après-midi. Elle était en larmes, et on a entendu quelques-unes de ses paroles. Elles étaient apparemment insignifiantes, mais vous n'empêcherez pas que deux et deux fassent quatre, Lije ! Vous avez fort bien pu juger dangereux de laisser R. Sammy libre de parler. Et le plus grave, c'est que vous avez eu une occasion de vous procurer l'arme.

— Un instant, je vous prie, monsieur le commissaire ! coupa Baley. Si j'avais voulu réduire à néant toute preuve contre Jessie, est-ce que je me serais donné la peine d'arrêter Francis Clousarr ? Il m'a tout l'air d'en savoir beaucoup plus sur elle que R. Sammy. Autre chose ! J'ai traversé la centrale de Williamsburg dix-huit heures avant que R. Sammy parlât à Jessie. Comment aurais-je pu savoir, si longtemps d'avance, qu'il me faudrait le supprimer, et que, dans ce but, j'aurais besoin d'un vaporisateur ?

— Ce sont là de bons arguements, Lije. Je ferai ce que je pourrai, et je vous assure que cette histoire me consterne !

— Vraiment, monsieur le commissaire ? Croyez-vous réellement à mon innocence ?

— Je vous dois une complète franchise, Lije. Eh bien, la vérité, c'est que je ne sais que penser !

— Alors, moi, je vais vous dire ce qu'il faut en penser : monsieur le commissaire, tout ceci est un coup monté avec le plus grand soin, et dans un but précis !

— Doucement, doucement, Lije ! s'écria Enderby, très crispé. Ne vous emballez pas aveuglément ! Ce genre de défense ne peut vous attirer la moindre sympathie, car il a été utilisé par trop de malfaiteurs, vous le savez bien !

— Je me moque pas mal de susciter la sympathie des gens ! Ce que je dis, moi, c'est la pure et simple vérité. On cherche à m'éliminer dans l'unique but de m'empêcher de découvrir comment le Dr Sarton a été assassiné. Mais, malheureusement pour le bon vieux camarade qui a monté ce coup-là, il s'y est pris trop tard ! Car l'affaire Sarton n'a plus de secret pour moi !

— Qu'est-ce que vous dites ?

Baley regarda sa montre ; il était 23 heures. D'un ton catégorique, il déclara :

— Je sais qui est l'auteur du coup monté contre moi, je sais comment et par qui le Dr Sarton a été assassiné, et je dispose d'une heure pour vous le dire, pour arrêter le criminel, et pour clore l'enquête !

18

FIN D'UNE ENQUETE

Les yeux du commissaire principal se bridèrent, et il lança à Baley un regard venimeux.

— Qu'est-ce que vous allez faire, Lije ? Hier matin, dans la demeure de Fastolfe, vous avez déjà essayé un coup du même genre. Ne recommencez pas, je vous prie !

— D'accord, fit Baley. Je me suis trompé la première fois !

Et, dans sa rage, il songea :

« La seconde fois, aussi, je me suis trompé ! Mais pas cette fois-ci ! Ah ! non, pas ce coup-ci ! »

Mais ce n'était pas le moment de s'appesantir sur le passé, et il reprit aussitôt :

— Vous allez juger par vous-même, monsieur le commissaire ! Admettez que les charges relevées contre moi aient été montées de toutes pièces. Pénétrez-vous comme moi de cette conviction, et voyez un peu où cela va nous mener ! Demandez-vous alors qui a bien pu monter un coup pareil. De toute évidence, ce ne peut être que quelqu'un ayant su que, hier soir, j'ai traversé la centrale de Williamsburg.

— D'accord. De qui donc peut-il s'agir ?

— Quand j'ai quitté le restaurant, j'ai été suivi par un groupe de Médiévalistes. Je les ai semés, ou du moins je l'ai cru, mais évidemment l'un d'entre eux m'a vu pénétrer dans la centrale. Mon seul but, en agissant ainsi — vous devez bien le comprendre — était de leur faire perdre ma trace.

Enderby réfléchit un instant, puis demanda :

— Clousarr ? Etait-il dans ce groupe ?

Baley fit un signe de tête affirmatif.

— Bon, nous l'interrogerons. S'il y a quoi que ce soit à tirer de lui, nous le lui arracherons. Que puis-je faire de plus, Lije ?

— Attendez, maintenant. Ne me bousculez pas. Ne voyez-vous pas où je veux en venir ?

— Eh bien, si j'essayais de vous le dire ? répliqua Enderby en joignant les mains. Clousarr vous a vu entrer dans la centrale de Williamsburg, ou bien c'est un de ses complices qui, vous ayant repéré, lui aura communiqué le renseignement. Il a aussitôt décidé d'utiliser ce fait pour vous attirer des ennuis, et pour vous obliger à abandonner la direction de l'enquête. Est-ce là ce que vous pensez ?

— C'est presque cela.

— Parfait ! fit le commissaire, qui parut s'intéresser davantage à l'affaire. Il savait que votre femme faisait partie du mouvement, bien entendu, et il était convaincu que vous n'accepteriez pas que l'on fouillât dans votre vie privée, pour y trouver des charges contre vous. Il aura pensé que vous donneriez votre démission plutôt que de tenter de vous justifier. A ce propos, Lije, que diriez-vous de démissionner ? Je veux dire que, si ça tourne vraiment mal, nous pourrions, de cette façon, étouffer l'affaire !

— Pas pour tout l'or du monde, monsieur le commissaire !

— Comme vous voudrez ! dit Enderby en haussant les épaules. Où en étais-je ? Ah, oui ! Eh bien, Clousarr se sera procuré sans doute un vaporisateur, par l'intermédiaire d'un autre membre du mouvement travaillant à la centrale, et il aura chargé un second complice de détruire R. Sammy.

Il tambourina légèrement de ses doigts sur sa table.

— Non, Lije ! reprit-il. Elle ne vaut rien, votre thèse.

— Et pourquoi donc ?

— Trop tirée par les cheveux ! Trop de complices ! De plus, Clousarr a un alibi à toute épreuve, pour la nuit et le matin du meurtre du Dr Sarton. Nous avons vérifié cela tout de suite, et j'étais évidemment le seul à connaître la raison pour laquelle cette heure-là méritait un contrôle particulier.

— Je n'ai jamais accusé Clousarr, monsieur le commissaire. C'est vous qui l'avez nommé. A mon avis, ce pouvait être n'importe quel membre du mouvement médiévaliste. Clousarr n'est rien de plus qu'un visage reconnu par hasard par Daneel. Je ne pense même pas qu'il joue un rôle important dans le mouvement. Cependant, il y a quelque chose d'étrange à son sujet.

— Quoi donc ? demanda Enderby d'un air soupçonneux.

— Il savait que Jessie avait adhéré au mouvement : pensez-vous qu'il connaisse tous les adhérents ?

— Je n'en sais rien, moi ! Ce que je sais, c'est qu'il connaissait Jessie. Peut-être la considérait-on dans ce milieu comme une personne importante, parce qu'elle était mariée à un détective. Et peut-être l'a-t-il remarquée à cause de cela ?

— Et vous dites que, tout de go, il vous a informé que Jézabel Baley était membre du mouvement ? Il vous a déclaré ça tout de suite : Jézabel Baley ?

— Eh bien, oui ! répéta Enderby. Je viens de vous dire que je l'ai entendu de mes propres oreilles.

— C'est justement cela que je trouve bizarre, monsieur le commissaire. Car Jessie ne s'est plus servie de son prénom depuis la naissance de Bentley. Pas une seule fois ! Et je vous affirme que je sais de quoi je parle ! Quand elle a adhéré à ce mouvement médiévaliste, il y avait longtemps que personne ne l'appelait plus Jézabel : cela aussi, j'en suis sûr. Alors, comment Clousarr a-t-il pu apprendre qu'elle avait ce prénom-là ?

Le commissaire principal rougit violemment et se hâta de répliquer :

— Oh ! s'il en est ainsi, il faut croire qu'il a dû dire Jessie. Moi, je n'y ai pas réfléchi, et, automatiquement, j'ai enregistré sa déclaration comme s'il avait appelé votre femme par son vrai prénom. Mais, en fait, maintenant que j'y réfléchis, je suis sûr qu'il a dit Jessie et non Jézabel.

— Mais jusqu'à maintenant, vous étiez formellement sûr de l'avoir entendu nommer Jézabel Baley. Je vous ai posé plusieurs fois la question.

— Dites donc, Baley ! s'écria Enderby d'une voix pointue. Vous n'allez tout de même pas prétendre que je mens ?

— Ce que je me demande maintenant, reprit Baley, c'est si, en réalité, Clousarr a fait la moindre déclaration au sujet de Jessie. Je me demande si ce n'est pas vous qui avez monté ce coup-là. Voilà vingt ans que vous connaissez Jessie, et vous êtes le seul, sans doute, à savoir qu'elle a pour prénom Jézabel.

— Vous perdez la tête, mon garçon !

— Vous croyez ? Où étiez-vous donc après déjeuner ? Vous avez été absent de votre bureau pendant au moins deux heures.

— Est-ce que vous prétendez m'interroger, par hasard ?

— Je vais même répondre à votre place : vous étiez à la centrale d'énergie de Williamsburg !

Le commissaire principal se leva d'un bond. Son front était luisant, et, au coin de ses lèvres, il y avait de petites taches blanches, comme de l'écume séchée.

— Que diable êtes-vous en train de raconter ?

— Y étiez-vous, oui ou non ?

— Baley, vous êtes suspendu ! Rendez-moi votre insigne !

— Pas encore ! Vous m'entendrez d'abord, et jusqu'au bout !

— Il n'en est pas question. C'est vous le coupable, un coupable diabolique, même ! Et ce qui me dépasse, c'est que vous ayez assez d'audace et assez peu de dignité pour m'accuser, moi, moi entre tous, d'avoir comploté votre perte !

Son indignation était telle qu'il en perdit un instant la parole. Dès qu'il l'eut retrouvée, il balbutia :

— B... Baley, je... je vous arrête !

— Non ! répliqua l'inspecteur, très maître de lui. Pas encore, monsieur le commissaire ! Je vous préviens que mon arme est dans ma poche, braquée sur vous, et qu'elle est chargée. N'essayez pas de me prendre pour un imbécile, car je n'en suis pas un ! Je suis décidé à tout, vous m'entendez bien, à tout, pour pouvoir aller jusqu'au bout de ma démonstration ! Quand j'aurai terminé, vous ferez ce que vous voudrez : peu m'importe !

Julius Enderby, les yeux hagards, regarda fixement la poche dans laquelle Baley tenait son arme braquée sur son chef.

— Ça vous coûtera cher, Baley ! finit-il par s'écrier. Vous passerez vingt ans en prison, vous m'entendez ! Vingt ans dans le plus noir des cachots de la Cité !

A ce moment, R. Daneel s'approcha vivement de l'inspecteur et il lui saisit le poignet, en lui disant calmement :

— Je ne peux pas vous laisser agir ainsi, mon cher associé. Il ne faut pas que vous fassiez du mal au commissaire principal !

Pour la première fois depuis que R. Daneel était entré dans la Cité, Enderby lui adressa directement la parole :

— Arrêtez-le, vous ! Je vous l'ordonne au nom de la Première Loi !

Mais Baley répliqua, très rapidement :

— Je n'ai aucune intention de lui faire du mal, Daneel, à condition que vous l'empêchiez de m'arrêter. Vous vous êtes engagé à m'aider à mener cette enquête jusqu'à son terme. Il nous reste quarante-cinq minutes.

R. Daneel, sans lâcher le poignet de Baley, dit alors à Enderby :

— Monsieur le commissaire principal, j'estime que Elijah a le droit de dire tout ce qu'il a découvert. En ce moment même, d'ailleurs, je suis en communication permanente avec le Dr Fastolfe...

— Quoi ? glapit Enderby. Comment cela ?

— Je suis muni d'un appareil émetteur-récepteur, répondit inexorablement le robot, et je peux vous certifier que, si vous refusez d'entendre ce que Elijah veut vous dire, cela fera une très fâcheuse impression sur le Dr Fastolfe qui nous écoute. Il pourrait en résulter de graves conséquences, croyez-moi !

Le commissaire se laissa retomber sur sa chaise, sans pouvoir articuler une seule parole. Baley en profita pour enchaîner aussitôt :

— J'affirme, monsieur le commissaire, que vous vous êtes rendu aujourd'hui à la centrale de Williamsburg, que vous y avez pris un vaporisateur, et que vous l'avez remis à R. Sammy. Vous avez choisi exprès cette centrale-là pour pouvoir me rendre suspect. Mieux encore, vous avez profité du retour du Dr Gerrigel pour l'inviter à venir dans les locaux de nos services. Vous lui avez fait remettre un indicateur truqué, qui l'a conduit automatiquement, non pas à votre bureau, mais à la chambre noire, où il ne pouvait pas ne pas découvrir les restes de R. Sammy. Vous avez compté sur lui pour émettre un diagnostic immédiat et correct. Et maintenant, ajouta-t-il en remettant son arme dans son étui, si vous voulez m'arrêter, allez-y ! Mais je doute que Spacetown accepte cela comme une réponse à ce que je viens d'affirmer.

— Le mobile !... balbutia Enderby, à bout de souffle.

Ses lunettes étaient embuées de sueur, et il les ôta, ce qui, aussitôt, lui redonna un air désemparé et misérable :

— Quel aurait été le mobile d'un tel acte, si je l'avais commis ?

— Vous m'avez fourré dans un beau pétrin, pas vrai ? Et quel bâton dans les roues de l'enquête Sarton ! En plus de tout cela, R. Sammy en savait trop.

— Sur quoi, au nom du Ciel ?

— Sur la façon dont un Spacien a été assassiné, il y a cinq jours et demi. Car, monsieur le commissaire, c'est vous-même qui, à Spacetown, avez tué le Dr Sarton !

R. Daneel jugea nécessaire d'intervenir, tandis que Enderby, la tête dans ses mains, faisait des signes de dénégation et semblait positivement s'arracher les cheveux.

— Mon cher associé, dit le robot, votre théorie est insoutenable, je vous assure ! Voyons, vous savez bien que le commissaire principal n'a pas pu assassiner le Dr Sarton ! Il en est incapable !

— Alors, écoutez-moi, Daneel ! Ecoutez-moi bien ! C'est moi que Enderby a supplié de prendre en main l'enquête, moi et non pas l'un de mes supérieurs hiérarchiques. Pourquoi l'a-t-il fait ? Pour plusieurs raisons. La première, c'est que nous étions des amis d'enfance : il s'est donc dit qu'il ne me viendrait jamais à l'esprit qu'un vieux camarade de classe, devenu son chef respecté, pourrait être un criminel. Je suis connu dans le service pour ma droiture, Daneel, et il a spéculé là-dessus. En second lieu, il savait que Jessie avait adhéré à un mouvement clandestin, et il comptait en profiter pour me manœuvrer, faire échouer l'enquête ou encore me faire chanter et m'obliger à me taire, si je touchais de trop près à la solution de l'énigme. En fait, il n'avait pas vraiment peur de me voir découvrir la vérité. Dès le début de l'enquête, il a fait de son mieux pour exciter en moi une grande méfiance à votre égard, Daneel, comptant bien qu'ainsi nous agirions l'un contre l'autre, vous et moi. Il connaissait l'histoire du déclassement dont mon père a été l'objet, et il pouvait facilement deviner comment je réagirais moi-même. Voyez-vous, c'est un immense avantage, pour un meurtrier, que d'être lui-même chargé de l'enquête concernant son propre crime !...

Enderby finit par retrouver l'usage de la parole, et répliqua d'une voix sans timbre :

— Comment donc aurais-je pu être au courant de ce que faisait Jessie ?... Vous ! s'écria-t-il, dans un sursaut d'énergie, en se tournant vers le robot. Si vous êtes en communication avec Spacetown, dites-leur que tout ceci n'est qu'un mensonge ! Oui, un mensonge !...

Baley l'interrompit, d'abord d'une voix forte, puis sur un ton plus bas, mais dont le calme était empreint d'une étrange force de persuasion :

— Vous étiez certainement au courant de ce que faisait Jessie, pour la bonne raison que vous faites vous-même partie du mouvement médiévaliste, monsieur le commissaire ! Allons donc ! Vos lunettes démodées, les fenêtres de votre bureau, tout cela prouve que, par tempérament, vous êtes partisan de ces idées-là ! Mais j'ai de meilleures preuves ! Comment Jessie a-t-elle découvert que Daneel était un robot ? Sur le moment, cela m'a beaucoup troublé. Nous savons maintenant, bien sûr, que ses amis médiévalistes l'ont mise au courant, mais cela ne résout pas le problème : comment les Médiévalistes eux-mêmes ont-ils, si rapidement, su l'arrivée de R. Daneel dans la Cité ? Vous, monsieur le commissaire, vous avez esquivé la question, en prétendant que Daneel avait été reconnu au cours de l'incident du magasin de chaussures. Je n'ai jamais cru réellement à cette explication : je ne le pouvais pas. Dès ma première rencontre avec Daneel, je l'ai pris pour un homme, et j'ai une excellente vue ! Or, hier, j'ai fait venir de Washington le Dr Gerrigel. J'avais, pour cela, plusieurs raisons ; mais la principale, celle qui m'a poussé d'abord à le convoquer, c'était de voir s'il découvrirait, sans que je l'y incite spécialement, que Daneel était un robot. Eh bien, monsieur le commissaire, il ne l'a pas reconnu ! Je les ai présentés l'un à l'autre, ils se sont serré la main, et nous avons eu tous trois un long entretien ; petit à petit, j'ai amené la conversation sur les robots humanoïdes, et ce fut alors, seulement, qu'il a commencé à comprendre. Or, il s'agissait du Dr Gerrigel, le plus savant expert en Robotique que nous possédions. Auriez-vous l'audace de prétendre que quelques agitateurs médiévalistes auraient pu faire mieux que lui, et cela, dans la confusion et la tension d'un début d'émeute ? Et voudriez-vous me faire croire qu'ils auraient ainsi acquis une telle certitude, concernant Daneel, qu'ils auraient alerté tous leurs adhérents, les invitant à passer à l'action contre le robot ? Allons, monsieur le commissaire, vous voyez bien que cette thèse est insoutenable !

« Ce qui, en revanche, est évident, c'est que, dès le début, les Médiévalistes ont su exactement à quoi s'en tenir sur Daneel. L'incident du magasin de chaussures a été monté de toutes pièces, pour montrer à Daneel — et par conséquent à Spacetown — l'importance de l'aversion que les Terriens éprouvent à l'égard des robots. Ce but que l'on a ainsi cherché à atteindre, c'était de brouiller les pistes, et de détourner sur la population tout entière de New York les soupçons qui auraient pu peser sur quelques personnes. Or, si, dès le premier jour, les Médiévalistes ont été renseignés sur R. Daneel, par qui l'ont-ils été ? J'ai, à un moment donné, pensé que c'était par Daneel lui-même ; mais j'ai vite été détrompé. Le seul, l'unique Terrien qui fût au courant, c'était vous, monsieur le commissaire !

— Je proteste ! répliqua Enderby, retrouvant une surprenante énergie. Il pouvait y avoir des espions à la préfecture de police, et tout ce que nous avons fait, vous et moi, a pu être remarqué. Votre femme a pu être l'un d'eux, et si vous ne trouvez pas invraisemblable de me soupçonner moi-même, je ne vois pas pourquoi vous ne soupçonneriez pas d'autres membres de la police !

Baley fit une moue méprisante et rétorqua :

— Ne nous égarons pas sur les pistes chimériques de mystérieux espions avant de voir où la solution la plus simple et la plus logique peut nous mener. J'affirme, moi, que l'informateur des agitateurs, le seul, le véritable, c'était vous, monsieur le commissaire ! Et maintenant que je revois en pensée tout ce qui s'est passé, il me semble remarquable de noter combien votre moral s'assombrissait quand je semblais toucher au but, ou au contraire devenait meilleur dès que je m'en éloignais. Vous avez commencé par être nerveux. Quand j'ai exprimé l'intention d'aller à Spacetown, sans vous en donner la raison, vous vous êtes positivement effondré. Pensiez-vous que je vous avais déjà démasqué, et que je vous tendais un piège pour vous livrer aux Spaciens ? Vous m'avez dit que vous les haïssiez, et vous étiez prêt de fondre en larmes. J'ai cru un moment que cela tenait au cuisant souvenir de l'humiliation que vous aviez subie à Spacetown, quand on vous avait soupçonné ; mais Daneel m'a détrompé, en m'assurant qu'on avait pris grand soin de vous ménager, et qu'en fait vous ne vous étiez jamais douté que l'on vous avait soupçonné. Votre panique a donc été causée, non par l'humiliation, mais par la peur. Là-dessus, j'ai trouvé une solution complètement fausse, et, comme vous assistiez à la scène, vous avez constaté combien j'étais loin, immensément loin, du but ; et aussitôt vous avez repris confiance. Vous m'avez même réprimandé, prenant la défense des Spaciens. Après cela, vous êtes resté quelque temps très maître de vous, et confiant dans l'avenir. Sur le moment, j'ai même été un peu surpris de ce que vous m'ayez si facilement pardonné mes injustes accusations contre les Spaciens, attendu que vous m'aviez longuement chapitré sur la nécessité de ménager leur susceptibilité. En fait, mon erreur vous avait fait un grand plaisir.

« Mais voilà que j'ai appelé au téléphone le Dr Gerrigel, et que vous avez voulu en connaître la raison ; comme je n'ai pas voulu vous la donner, cela vous a aussitôt plongé dans la consternation, parce que vous avez eu peur...

— Un instant, mon cher associé ! coupa R. Daneel, en levant la main.

Baley regarda l'heure : il était 23 h 42 !

— Qu'y a-t-il, Daneel ? répondit-il.

— Si l'on admet qu'il est membre du mouvement médiévaliste, le commissaire a pu être tout simplement ennuyé que vous en fassiez la découverte. Mais cela n'implique pas nécessairement qu'il soit responsable du meurtre. Rien ne l'incrimine, et il ne peut avoir commis un tel acte !

— Vous faites complètement erreur, Daneel ! Il ne savait pas pourquoi j'avais besoin du Dr Gerrigel, mais il ne se trompait pas en étant convaincu que je désirais me renseigner plus amplement sur les robots. Et cela l'a terrifié, parce que, pour commettre son plus grand crime, il s'est servi d'un robot. N'est-ce pas exact, monsieur le commissaire principal ?

Enderby secoua la tête désespérément, et balbutia :

— Quand tout ceci sera fini...

Mais il ne put articuler un mot de plus.

— Comment le Dr Sarton a-t-il été assassiné ? s'écria alors Baley, contenant mal sa rage. Eh bien, je vais vous le dire, moi ! Par l'association C/Fe, mille tonnerres ! Oui : C/Fe ! Je me sers du propre symbole que vous m'avez appris, Daneel ! Vous êtes tellement imbu des mérites de la culture C/Fe que vous n'êtes plus capable, Daneel, de voir comment un Terrien peut s'être inspiré de ces principes pour mener à bien une entreprise avantageuse pour lui seul. Alors, il me faut vous l'expliquer en détail.

« Pour un robot, la traversée de la campagne, même de nuit, même seul, ne comporte aucune difficulté. Le commissaire a remis à R. Sammy une arme, et il lui a dit où il devait aller, par quel chemin, et quand il devait exécuter ses ordres. Il s'est rendu, de son côté, à Spacetown par l'express, et on lui a confisqué son propre revolver dans les Toilettes ; R. Sammy lui a ensuite remis celui qu'il avait apporté, et avec lequel Enderby a tué le Dr Sarton ; puis il a rendu l'arme à R. Sammy, qui l'a rapportée à New York en revenant à travers champs. Et aujourd'hui il a détruit R. Sammy, qui en savait trop, et qui constituait désormais un danger pour lui. Cette thèse-là explique tout, en particulier la présence du commissaire à Spacetown et la disparition de l'arme du crime ; de plus, elle épargne de supposer qu'un citoyen de New York a pu, de nuit, traverser la campagne à ciel ouvert.

— Je regrette pour vous, répliqua R. Daneel, mais je suis heureux pour le commissaire, que votre solution n'explique rien en réalité, Elijah ! Je vous ai déjà affirmé que la cérébroanalyse du cerveau du commissaire a prouvé qu'il est incapable d'avoir délibérément commis un meurtre. J'ignore quel est le terme exact par lequel vous définissez dans votre langue ce fait psychologique. Est-ce de la lâcheté, est-ce un scrupule de conscience, est-ce de la pitié ? Je ne connais que les définitions de ces termes données par le dictionnaire, et je ne peux juger s'ils s'appliquent au cas qui nous occupe. Mais, de toute manière, le commissaire n'a pas commis d'assassinat.

— Merci ! murmura Enderby, dont la voix se raffermit, et qui parut reprendre confiance. J'ignore pour quels motifs vous essayez de me démolir ainsi, Baley, mais, puisque vous l'avez voulu, nous irons jusqu'au bout !

— Oh ! un peu de patience, je vous prie ! répliqua l'inspecteur. Je suis loin d'en avoir terminé. En particulier, j'ai ceci à vous montrer !

Ce disant, il tira de sa poche le petit cube d'aluminium que lui avait remis Daneel, et il le posa bruyamment sur la table. De toutes ses forces, il chercha à se donner encore plus d'assurance, espérant que celle-ci impressionnerait ses deux interlocuteurs. Car, depuis une demi-heure, il s'était refusé à songer à un petit fait, cependant essentiel : l'arrivée inopinée de Enderby dans la salle à manger l'avait empêché de voir le film pris sur les lieux du crime, et il ignorait ce que l'on pouvait y découvrir. Ce qu'il allait donc faire, c'était un coup de bluff, un pari redoutable : mais il n'avait pas le choix.

A la vue de l'objet, Enderby se rejeta en arrière.

— Qu'est-ce que c'est que ça ? demanda-t-il.

— Oh ! n'ayez crainte ! fit Baley, sarcastique. Ce n'est pas une bombe, mais tout simplement un micro-téléviseur, émetteur-récepteur, qui sert d'appareil de projection cinématographique.

— Et qu'est-ce qu'il est censé prouver ?

— Nous allons le voir.

Il alla baisser la lumière du lustre qui éclairait le bureau du commissaire, puis revint s'asseoir près du petit cube dont il actionna une manette.

L'un des murs du bureau du commissaire principal s'éclaira soudain et servit d'écran de projection, du parquet jusqu'au plafond. Ce qui frappa le plus Baley, tout d'abord, ce fut l'étrange lumière dans laquelle baignait la pièce que le film représentait ; c'était une clarté grisâtre, comme on n'en voyait jamais dans la Cité, et Baley, partagé entre une instinctive curiosité et un certain malaise, se dit que sans doute on avait tourné le film aux premières lueurs du jour, et que ce devait donc être l'aurore qu'il voyait ainsi. Le film montrait le bureau du Dr Sarton, et, au milieu de la pièce, on pouvait voir l'horrible cadavre, tout déchiqueté, du savant spacien. Enderby le contempla, les yeux exorbités, tandis que Baley reprenait son exposé.

— Je sais que le commissaire principal n'est pas un tueur, Daneel. Je n'avais pas besoin de vous pour l'apprendre. Si j'avais davantage réfléchi à ce fait, dès le début de l'enquête, j'aurais trouvé plus vite la solution. Mais je ne l'ai découverte qu'il y a une heure, quand, sans y attacher d'importance, je vous ai rappelé qu'un jour vous vous êtes intéressé aux verres correcteurs de Bentley. Oui, monsieur le commissaire, c'est comme ça que je vous ai démasqué ! J'ai tout d'un coup compris que votre myopie et vos lunettes étaient la clef de l'énigme. J'ai idée qu'on ne sait pas ce que c'est que la myopie dans les Mondes Extérieurs, sans quoi ils auraient pu trouver, tout comme moi, et sur-le-champ, l'explication du meurtre. Quand, exactement, avez-vous cassé vos lunettes, monsieur le commissaire ?

— Que voulez-vous dire ? fit Enderby.

— La première fois que vous m'avez exposé l'affaire Sarton, vous m'avez dit que vous aviez cassé vos lunettes à Spacetown. Moi, j'ai aussitôt pensé que cet incident avait été dû à votre agitation, au moment où l'on vous avait annoncé le meurtre. Mais vous, vous ne m'avez jamais confirmé la chose, et je me suis lourdement trompé en faisant cette supposition. En réalité, si vous êtes entré dans Spacetown avec l'intention d'y commettre un crime, vous deviez être suffisamment agité et nerveux pour laisser choir vos lunettes et les casser avant le meurtre. N'est-ce pas exact, et n'est-ce pas, en fait, ce qui s'est passé ?

— Je ne vois pas où vous voulez en venir, mon cher associé, dit R. Daneel.

« Je suis encore son « cher associé » pour dix minutes ! se dit Baley. Vite, vite ! Il faut que je parle vite, et que je pense encore plus vite !... »

Tout en parlant, il n'avait pas cessé de manipuler les boutons de réglage du micro-projecteur. Il était tellement hypertendu que ses gestes manquaient de précision. Maladroitement, il parvint cependant à modifier le grossissement de la lentille, en sorte que, par saccades progressives, le cadavre prit des dimensions plus imposantes et sembla se rapprocher, au point que Baley eut presque l'illusion de sentir l'âcre odeur de la chair brûlée. La tête, les épaules, et l'un des bras étaient comme désarticulés, et ce qui les reliait aux hanches n'était plus qu'un hamas informe de chair et d'os calcinés, car le projectile utilisé par le meurtrier avait contenu un explosif des plus violents.

Baley jeta du coin de l'œil un regard vers Enderby ; celui-ci avait fermé les yeux et semblait malade. Baley eut aussi la nausée, mais il se força à regarder, car c'était indispensable. Lentement, avec le plus grand soin, il fit passer sur le mur, en les grossissant au maximum, toutes les images du film, ce qui lui permit d'examiner, comme à la loupe, les moindres recoins du bureau du Dr Sarton. Il s'attacha surtout à en étudier le parquet, morceau par morceau.

Tout en manipulant l'appareil, il ne cessa de parler. Il le fallait : il ne pourrait se taire que quand il aurait trouvé ce qu'il cherchait. Et s'il ne le trouvait pas, toute sa démonstration risquait d'être inutile, pire qu'inutile même. Son cœur battait à tout rompre, et il avait la tête en feu.

— Il est évident, reprit-il donc, que le commissaire principal est incapable d'assassiner quelqu'un avec préméditation. C'est la pure vérité. Je dis bien : avec préméditation. Mais n'importe qui, lui comme un autre, peut tuer quelqu'un accidentellement. Eh bien, ce n'était pas pour tuer le Dr Sarton que le commissaire est venu à Spacetown, mais pour vous tuer, vous, Daneel ! Oui, vous ! La cérébroanalyse vous a-t-elle révélé qu'il est incapable de détruire une machine ? Non, n'est-ce pas ? Ce n'est pas un meurtre, ça ! C'est tout bonnement du sabotage !

« Or, le commissaire principal est médiévaliste, et c'est un convaincu. Il a travaillé avec le Dr Sarton, et il a su dans quel but celui-ci vous a créé, Daneel. Il a eu peur que ce but soit atteint, et que les Terriens soient un jour obligés de quitter la Terre. Alors il a décidé de vous supprimer. Vous étiez le seul robot de votre espèce qui ait encore été créé, et il avait tout lieu de croire qu'en démontrant ainsi l'importance et la résolution des Médiévalistes, il décourageait les Spaciens. Il ne connaissait pas moins la forte opposition que manifeste, dans les Mondes Extérieurs, l'opinion publique contre l'expérience de Spacetown. Le Dr Sarton avait dû lui en parler, et il s'est dit que son acte allait définitivement inciter les Spaciens à quitter la Terre.

« Je ne prétends même pas que l'idée de vous détruire, Daneel, lui ait été agréable. J'imagine qu'il en aurait volontiers chargé R. Sammy ; mais vous aviez un aspect humain tellement parfait, qu'un robot aussi primitif que R. Sammy aurait risqué de s'y tromper, ou de n'y rien comprendre. Les impératifs de la Première Loi l'auraient empêché d'exécuter l'ordre. Le commissaire aurait également pu envoyer un autre Médiévaliste chez le Dr Sarton, mais il était le seul Terrien à avoir accès à toute heure à Spacetown.

« Je voudrais donc tenter maintenant de reconstituer ce qu'a dû être son plan. Je ne fais que deviner, je l'admets ; mais je crois que je ne me trompe guère. Il a pris rendez-vous avec le Dr Sarton, mais il est venu, exprès, de bonne heure : en fait, c'était à l'aube. Il pensait que le Dr Sarton dormirait, mais que vous, Daneel, vous seriez éveillé. Je pose en principe que vous habitiez chez le docteur, Daneel. Ai-je tort ?

— Pas du tout, Elijah. Vous êtes tout à fait dans le vrai, au contraire.

— Bon, alors, continuons ! C'est vous qui deviez donc ouvrir la porte à l'arrivée du commissaire, lequel, aussitôt, aurait déchargé sur vous son arme, dans votre tête ou dans votre poitrine. Puis il se serait enfui à travers les rues désertes de Spacetown encore endormie, jusqu'au lieu de rendez-vous fixé à R. Sammy. Il lui aurait rendu l'arme du crime, puis serait revenu lentement à la demeure du Dr Sarton. Au besoin, il aurait fait semblant de découvrir lui-même le cadavre ; mais, bien entendu, il préférait qu'un autre s'en chargeât. Si on l'interrogeait au sujet de son arrivée si matinale, il pourrait sans doute prétexter d'une communication urgente qu'il désirait faire à Sarton, concernant, par exemple, une attaque de Médiévalistes contre Spacetown dont il aurait eu vent. Sa visite aurait eu pour objet d'inciter les Spaciens à prendre secrètement leurs précautions, afin d'éviter une bagarre entre les Terriens et eux. La découverte du robot détruit ne rendrait que plus plausible cette thèse.

« Si, d'autre part, on s'étonnait de ce que vous ayez mis si longtemps, monsieur le commissaire, pour vous rendre chez le Dr Sarton, vous pourriez dire... voyons... que vous aviez vu quelqu'un s'enfuir vers la campagne, et que vous lui aviez donné la chasse. Vous les auriez ainsi lancés sur une fausse piste. Quant à R. Sammy, nul ne risquait de le démasquer. Un robot circulant hors de la Cité ne pouvait que rencontrer d'autres robots travaillant dans les fermes. Est-ce que je me trompe beaucoup, monsieur le commissaire ?

— Je... je n'ai pas... balbutia Enderby.

— Non, fit Baley. Vous n'avez pas tué Daneel. Il est là, devant vous, et, depuis qu'il a pénétré dans la Cité, vous n'avez pas eu la force de le regarder en face ni de l'appeler par son nom. Maintenant, monsieur le commissaire, maintenant, regardez-le bien !

Mais Enderby en fut incapable, et il enfouit son visage dans ses mains tremblantes. A ce moment précis, Baley, qui ne tremblait guère moins, faillit faire tomber le microprojecteur : il venait de trouver ce qu'il cherchait si ardemment.

L'image que projetait l'appareil sur le mur représentait l'entrée du bureau du Dr Sarton. La porte était ouverte ; c'était une porte à glissière, qui s'enfonçait dans le mur en coulissant sur une rainure métallique. Et là, dans la rainure métallique, là, oui là, quelque chose brillait, et l'on ne pouvait se tromper sur la nature de ce scintillement !...

— Je vais vous dire ce qui s'est passé, reprit Baley. C'est en arrivant chez le Dr Sarton que vous avez laissé tomber vos lunettes. Vous deviez être nerveux et je vous ai déjà vu dans cet état : vous ôtez alors vos lunettes et vous les essuyez. C'est ce que vous avez fait, mais, comme vos mains tremblaient, vous avez laissé tomber vos verres, et peut-être même avez-vous marché dessus. Toujours est-il qu'ils se sont cassés, et, juste à ce moment, la porte s'est ouverte, laissant paraître une silhouette que vous avez prise pour Daneel.

« Vous avez aussitôt tiré dessus, puis ramassé en hâte les débris de vos lunettes, et pris la fuite. On a peu après trouvé le corps, et, quand vous êtes arrivé, vous avez découvert que vous aviez tué, non pas Daneel, mais le pauvre Dr Sarton qui s'était levé de grand matin. Pour son plus grand malheur, le savant avait créé Daneel à son image, et, sans vos verres, vous n'avez pas pu, dans l'état de tension extrême où vous vous trouviez, les distinguer l'un de l'autre. Quant à vous donner maintenant une preuve tangible de ce que je viens d'affirmer, la voici !

Baley manipula encore un peu son petit appareil, sous les yeux terrifiés d'Enderby, cependant que R. Daneel demeurait impassible. L'image de la porte grossit, et bientôt, il n'y eut plus, sur le mur du bureau, que la rainure métallique dans laquelle avait glissé cette porte.

— Ce scintillement dans la glissière, Daneel, par quoi est-il causé, à votre avis ?

— Par deux petits morceaux de verre, répliqua calmement le robot. Nous n'y avions attaché aucune importance.

— Il ne va plus en être de même maintenant ! Car ce sont des fragments de lentilles concaves. Vous pouvez mesurer leurs propriétés optiques, et les comparer avec celles des lunettes que Enderby porte en ce moment même ! Et ne vous avisez pas de les détruire, monsieur le commissaire !

Ce disant, il se précipita sur son chef et lui arracha ses lunettes. Un peu à court de souffle, tant il était bouleversé, il les tendit à R. Daneel, et déclara :

— Je crois que cela suffit à prouver qu'il se trouvait chez le Dr Sarton plus tôt qu'on ne le pensait, n'est-ce pas ?

— J'en suis absolument convaincu, Elijah ! répondit le robot. Et je m'aperçois maintenant que la cérébroanalyse du commissaire à laquelle j'ai procédé m'a complètement trompé. Mon cher associé, je vous félicite !

La montre de Baley marquait minuit : une nouvelle journée commençait.

Julius Enderby baissa lentement la tête et l'enfouit dans son coude replié. Les mots qu'il prononça résonnèrent dans la pièce comme des gémissements :

— Je me suis trompé ! Ce fut... une erreur ! Je n'ai jamais eu... l'intention... de le tuer !

Et soudain, il glissa de son siège et s'effondra sur le parquet où il resta sans bouger, tout recroquevillé. R. Daneel s'agenouilla auprès de lui et dit à Baley :

— Vous ne lui avez pas fait mal, j'espère, Elijah ? Ah, que c'est dommage ! Il n'est pas mort, n'est-ce pas ?

— Non. Seulement inconscient.

— Il va revenir à lui. Le coup a été trop dur à encaisser, j'imagine ! Mais il le fallait, Daneel. Je ne pouvais pas agir autrement. Je ne possédais aucune preuve acceptable par un tribunal ; je n'avais que mes déductions logiques. Il a donc fallu que je le harcèle sans répit, pour briser petit à petit sa résistance et faire éclater la vérité, en espérant qu'il finirait par s'effondrer. C'est ce qui s'est produit, Daneel. Vous venez de l'entendre avouer, n'est-ce pas ?

— Oui.

— Bon ! Mais n'oubliez pas que je vous ai promis que le succès de cette enquête ne causerait aucun tort à Spacetown, et contribuerait au contraire à la réussite de son expérience. Par conséquent... Mais attendez un peu ! Le voilà qui revient à lui !

Le commissaire principal fit entendre une sorte de

râle ; puis ouvrit péniblement les yeux, et regarda fixement ses deux interlocuteurs.

— Monsieur le commissaire ! dit alors Baley. M'entendez-vous ?

Enderby fit avec indifférence un signe de tête affirmatif.

— Parfait ! reprit Baley. Alors, voici ! Il y a quelque chose qui intéresse les Spaciens bien plus que votre mise en jugement : c'est votre collaboration à l'œuvre qu'ils ont entreprise !

— Quoi ?... Quoi ?... balbutia Enderby, dans les yeux duquel passa une lueur d'espérance.

— Vous devez être une personnalité éminente du mouvement médiévaliste new-yorkais, peut-être de toute l'organisation qu'ils ont mise sur pied d'un bout à l'autre de la planète. Eh bien, arrangez-vous pour orienter le mouvement dans le sens de nouvelles colonisations. Vous voyez dans quel esprit il s'agit de faire la propagande, n'est-ce pas ? Retour à la terre, d'accord, mais à la terre d'autres planètes, etc.

— Je... je ne comprends pas ! murmura le commissaire principal.

— C'est ce que les Spaciens se sont donné pour but, et, si Dieu le veut, c'est également le but que je me propose, depuis un petit entretien fort instructif que j'ai eu avec le Dr Fastolfe. Ils désirent plus que tout au monde atteindre cet objectif, et c'est pour y travailler qu'ils risquent constamment la mort, en venant sur la Terre et en y séjournant. Si le meurtre du Dr Sarton a pour résultat de vous obliger à orienter le Médiévalisme vers la renaissance de la colonisation galactique, les Spaciens considéreront probablement que le sacrifice de leur compatriote n'a pas été inutile. Comprenez-vous maintenant ?

— Elijah a parfaitement raison, dit alors R. Daneel. Aidez-nous, monsieur le commissaire, et nous oublierons le passé ! Je vous parle en ce moment au nom du Dr Fastolfe et de tous mes compatriotes. Bien entendu, si vous consentez à nous aider pour nous trahir ensuite, nous aurons toujours le droit de vous châtier pour votre crime. Je pense que vous comprenez également cela, et je regrette sincèrement d'être obligé de vous le préciser.

— Ainsi, je ne serai pas poursuivi ? demanda Enderby.

— Non, si vous nous aidez.

— Eh bien, c'est entendu, j'accepte ! s'écria le commissaire, les yeux pleins de larmes. Je vais le faire ! Expliquez-leur que ce fut un accident, Daneel !... Un accident !... J'ai fait ce que je croyais être quelque chose de bien, d'utile à notre peuple !...

— Si vous nous aidez vraiment, dit alors Baley, vous accomplirez réellement une bonne et belle œuvre ! La colonisation de l'espace est l'unique voie de salut pour la Terre. Vous vous en convaincrez vite, si vous y réfléchissez sans préjugé ni parti-pris. Si vous n'y parvenez pas tout seul, prenez la peine d'en parler un peu avec le Dr Fastolfe. Et maintenant, commencez donc par nous aider en étouffant l'affaire R. Sammy. Appelez ça un accident, ou tout ce que vous voudrez, mais qu'on n'en parle plus ! Et rappelez-vous ceci, monsieur le commissaire ! ajouta-t-il en se levant. Je ne suis pas le seul à connaître la vérité ! Me supprimer entraînerait aussitôt votre perte, car tout Spacetown est au courant ! Nous nous comprenons bien, n'est-ce pas ?

— Inutile d'en dire plus, Elijah ! dit R. Daneel en s'interposant. Il est sincère et il nous aidera. La cérébroanalyse le prouve de façon évidente.

— Parfait ! Dans ces conditions, je vais rentrer chez moi. J'ai besoin de retrouver Jessie et Bentley, et de reprendre une existence normale. Et puis, j'ai aussi besoin de dormir ! Dites-moi, Daneel, est-ce que vous resterez sur la Terre quand les Spaciens vont s'en aller ?

— Je ne sais pas, dit le robot, on ne m'a pas avisé... Pourquoi me demandez-vous cela ?

Baley se mordit la lèvre et répondit :

— Je n'aurais jamais pensé qu'un jour je pourrais dire quelque chose de ce genre à une créature telle que vous, Daneel. Mais voilà : j'ai confiance en vous, et même je vous admire. Je suis moi-même trop âgé pour jamais songer à quitter la Terre, mais quand on aura jeté les bases de nouvelles écoles d'émigration, il y aura Bentley à qui il faudra songer. Et si, un jour, Bentley et vous, vous pouvez travailler ensemble...

— Peut-être ! répliqua R. Daneel, toujours aussi impassible.

Il se tourna vers Julius Enderby qui les observait tous deux, et dont le visage flasque commençait seulement à reprendre quelque couleur.

— Mon cher Julius, lui dit-il, j'ai essayé ces jours-ci de comprendre diverses remarques sur lesquelles Elijah a attiré mon attention. Peut-être suis-je sur la bonne voie, car voici que je viens de me rendre compte d'une réalité qui ne m'avait jamais encore frappé : il me semble moins juste et moins souhaitable de détruire ce qui ne devrait pas exister — autrement dit ce que vous appelez, vous, le mal —

que de transformer ce mal en ce que vous appelez le bien.

Il hésita un peu, puis, comme s'il semblait presque surpris des termes dont il se servait, il ajouta :

— Allez, et ne péchez plus !

Baley, soudain tout souriant, entraîna R. Daneel vers la porte, et ils s'en allèrent tous deux, bras dessus bras dessous.

404

Achevé d'imprimer en Slovaquie
par NOVOPRINT SLK
le 25 février 2014.
EAN 9782290319024
1er dépôt légal dans la collection : juillet 1975

Éditions J'ai lu
87, quai Panhard-et-Levassor, 75013 Paris
Diffusion France et étranger : Flammarion